L'ÉTRANGE MONUMENT
DU
DÉSERT LIBYQUE

D'Astous, Claude
L'étrange monument du désert libyque
2-89051-304-1
I. Titre.
PS8557.A87E87 1986 C843'.54 C86-096074-9
PS9557.A87E87 1986
PQ3919.2.D37E87 1986

CLAUDE D'ASTOUS

L'ÉTRANGE MONUMENT DU DÉSERT LIBYQUE

ROMAN

PIERRE TISSEYRE
8925, boulevard Saint-Laurent — Montréal, H2N 1M5

Dépôt légal: 1er trimestre 1986
Bibliothèque nationale du Canada
Bibliothèque nationale du Québec

Maquette de la couverture:
André Dussault

ISBN-2-89051-304-1

Le désert
Introduction aride

Élis était arrivé le matin. Avant même qu'il n'ait dit quelque chose, l'ouvrier lui avait mis une pelle dans les mains et tous les deux avaient entrepris de déblayer une dune. C'était une grosse dune. Probablement qu'ils en auraient pour la journée.

— Il fait chaud, dit Élis.

L'ouvrier lui fit signe de se taire. Ce n'était pas le moment d'encourager le soleil. Encore quelques efforts et l'ouvrier arrêta de trimer.

— Cela suffit, dit-il. Nous allons changer de dune. Dans celle-ci, il n'y a que du sable.

Élis et l'ouvrier entamèrent une autre dune. Elle était moins grande que la précédente. Si elle cachait quelque chose, ce devait être moins gros.

— Pas nécessairement, dit l'ouvrier. Les dunes sont comme des icebergs. Même que parfois, il n'y a pas de dune et pourtant il y a quelque chose. C'est ce qui rend les recherches si intéressantes. Vous pouvez trimer pendant des années sans rien trouver, et un soir, en marchant, vous trébuchez sur un bout de pyramide que le vent a dénudé.

Ah bon! La nouvelle dune, malgré sa taille réduite, était aussi prometteuse que l'autre et, de fait, elle se révéla constituée entièrement de sable et de foraminifères fossiles.

Il en fut de même pour les troisième et quatrième.

— Encore une, dit l'ouvrier. Sait-on jamais? C'est peut-être la bonne.

Ce ne le fut pas.

Le soleil déclinait à l'horizon et on pouvait le regarder sans être ébloui. Élis et l'ouvrier eussent été bien fous de s'arrêter maintenant que le soleil était inoffensif. Ils y allèrent pour une sixième dune.

Puis une septième.

À la huitième, la pelle d'Élis rencontra un obstacle et émit un son métallique. La nuit était claire et froide. On n'eut pas besoin d'amener le fanal pour y voir une vieille jeep démantibulée.

— Le désert, avec son climat sec, n'altère pas les choses et le sable s'avère un très bon isolant, expliqua l'ouvrier. Pour nous cette jeep n'a rien d'intéressant mais dans mille ans, lorsqu'on la redécouvrira, ce sera tout un événement.

Élis et l'ouvrier recouvrirent la jeep et se dirigèrent vers leur neuvième dune.

— On pourrait se reposer un peu, proposa Élis.

— Vous n'y pensez pas! Qui sait ce qui nous attend sous cette dune?

L'ouvrier hâta le pas vers la dune. C'était une dune à double bosse. Il y avait donc deux fois plus de chances qu'il y ait quelque chose.

— Il ne faut pas se conter d'histoires, dit l'ouvrier. Qu'il y ait deux bosses ou une crête dentelée est parfaitement secondaire. Ce qu'il ne faut pas perdre de vue, c'est que chaque dune est susceptible de cacher quelque chose. Que chaque coup de pelle a des chances d'être le bon. Que le moindre pas risque de dévoiler un mastaba. Aussi ne faut-il négliger ni les pas, ni les coups de pelle, et encore moins les dunes.

L'ouvrier entreprit la neuvième dune. Le soleil réapparut à l'horizon. Il promettait d'être aussi chaud et désagréable que lors de la journée précédente. L'ouvrier passa outre. Son coup de pelle ne semblait pas s'altérer. Il pelletait, pelletait et pelletait encore.

— Je n'aime pas me répéter, dit l'ouvrier, mais chaque coup de pelle à donner porte en lui son espoir et chaque coup de pelle donné déterre l'espoir du coup de pelle qui va suivre. Le soleil a beau être chaud et pénible, cela ne change en rien l'efficience des coups de pelle.

Et l'ouvrier de pelleter.

Un peu à l'écart, Élis se demandait s'il devait tout laisser tomber. Ce n'était pas qu'il fût fatigué. C'était plutôt le fait qu'il posait continuellement le même geste lancinant et futile. Car qu'est-ce qu'un coup de pelle?

— Un coup de pelle... commença l'ouvrier.

Élis ne l'écouta pas. Il était las. Il n'y avait pas seulement les coups de pelle qui le lassaient. L'univers entier le lassait.

— Je sais, dit Élis. Mais que voulez-vous que j'y fasse? Est-ce ma faute si tout est si morne? Si rien ne m'intéresse? Si ma vie passe devant mes yeux comme celle d'un spectateur qui se regarde regarder?

À qui la faute alors?

— Et puis, même si c'est ma faute, qu'y puis-je?

L'ouvrier venait de terminer la dune. Il y avait trouvé une vieille boîte de conserve, dénotant ainsi une prospection antérieure. Ceci ne l'avait pas empêché de mener à terme son travail. Le cas vérifié d'une dune fouillée trois fois sans résultats et dévoilant une pyramide à la quatrième portait à ne pas craindre de prospecter une dune maintes et maintes fois.

L'ouvrier vint vers Élis.

— Reposé? dit-il.

Sans attendre la réponse, il mit une pelle dans les mains d'Élis et l'entraîna avec lui pour l'attaque d'une nième dune.

Élis entreprit l'attaque.

— Quant à ne rien faire, autant pelleter, s'était-il dit.

Et il pelletait. De même aurait-il pu monter dans les arbres ou battre des ailes. Élis manquait de direction. Il était mou, sans vertèbres, un peu comme le sable qu'il transperçait de sa pelle.

*
* *

L'ouvrier respira profondément puis expira. Il recommença le manège une dizaine de fois.

— Qu'il fait bon respirer, dit-il. La respiration est la vie. Dites-moi comment vous respirez, je vous dirai qui vous êtes et si vous ne respirez pas, eh bien! il faut en déduire que vous êtes mort. La respiration c'est tout. C'est par elle que l'on devine les gens et les choses. Prenez la mienne par exemple.

Il inspira et expira avec toute la profondeur qu'il pouvait.

— Eh bien! cette respiration est une marque infaillible de ma profondeur d'esprit et de la noblesse de mes sentiments. Si je respirais en saccades, par petits coups, ce serait la preuve que je suis quelqu'un de vain et de superficiel. Tenez.

Il respira par saccades, par petits coups.

— Là, il est bien évident que je suis quelqu'un de superficiel, un quidam sans intérêt, un pauvre hère. Il suffit de reprendre ma respiration racée pour redevenir noble et altier. Un rien, un petit rien et vous voilà changé. Entre les nobles et les vulgaires de ce monde, il n'y a que la marge d'une respiration, il n'y a qu'une question de rythme.

L'ouvrier se mit à respirer étrangement.

— Maintenant, dit-il, je suis un grand malade. Un cancer me ronge et je souffre. Je souffre atrocement.

L'ouvrier respirait de plus en plus étrangement.

— Je vais mourir.

Et il mourut car il ne respira plus. Il demeura mort pendant près de deux minutes puis il reprit vie. Il halait l'air à grandes gorgées.

— C'est effrayant mourir, dit-il. On voit le monde se passer de soi, c'est tout simplement inimaginable.

Il haleta encore un peu, tout en se cherchant un autre sujet de conversation. Depuis quelque temps, l'ouvrier avait perdu tout entrain pour la pelle. Il se perdait en soliloques brumeux et artificiels qu'Élis avait peine à suivre.

— Mourir! Mourir! s'exclama l'ouvrier.

Élis continua de pelleter. Depuis qu'il s'était mis à pelleter pour de bon, il n'écoutait que rarement les palabres de son collègue. Parfois, il s'éloignait pour ne pas l'entendre. Pour le moment, il se trouvait à trois dunes de l'ouvrier. Les coups de pelle pleuvaient avec une dextérité qui s'affirmait coup après coup. Élis s'en apercevait et s'encourageait à progresser. Avec le temps cette auto-émulation risquait de paraître artificielle. Pour le moment, il n'y pensait pas. Il se lançait des bravos sincères et se gorgeait de satisfaction. Son travail était mené à bien, et vitement. Il en était à pouvoir en remontrer à l'ouvrier dans le maniement des pelles. Mais il n'en avait pas le temps, le pelletage étant une occupation très accaparante.

— Vous ai-je parlé des Bédouins? demanda l'ouvrier.

Élis accéléra son rythme pour couvrir la voix de son compagnon. L'ouvrier engagea donc le monologue sur un sujet n'ayant aucun rapport avec les Bédouins mais lui tenant à cœur.

— La seule chose qu'il ne faut pas perdre de vue, dit l'ouvrier, c'est la mort. Il n'y a que la mort. On est satisfait et heureux dans la mesure où nous réussissons à la contrer. Et la seule manière vraiment efficace de la contrer réside dans l'immortalité. Le but de l'homme est donc de tendre vers l'immortalité.

Là dessus, l'ouvrier fit une pause pour respirer. Décidément, il était en grande forme. Il se dépêcha de continuer.

— Ceux qui oublient la mort, ceux qui se la cachent, ne peuvent avoir de but. Ils vivent en dilettantes, comme des animaux. Ils sont perdus. Il ne faut pas oublier la mort. C'est elle qui fait l'homme et le propulse au-delà de l'absurde. La connaissance de sa propre fin est le caractère primordial séparant l'homme des animaux. L'oublier, c'est s'animaliser. La seule discipline morale valant la peine de s'y adonner est la prise en charge de cette connaissance. Le combat contre la mort est le pourquoi de la vie. Si l'homme était immortel, la vie n'aurait pas de sens. Si l'homme était immortel, l'homme tendrait vers la mortalité. Et...

L'ouvrier s'arrêta sans raison apparente. D'ordinaire il continuait en distinguant l'immortalité physiologique ou chromosomique et l'immortalité du *mens*, terme latin parodiant le *Ka* des Égyptiens et signifiant «âme» ou «intellect». Ces deux formes d'immortalité se combinaient l'une et l'autre; l'une étant accessible sans l'autre et vice versa. La plus facile à réaliser était l'immortalité chromosomique... L'ouvrier aurait pu en discuter des heures et des heures. Mais voilà, il s'était arrêté. Il mit ses deux mains dans ses poches et partit vers le nord avec l'air d'un clown ayant fini son numéro.

Le pelleteur ne se dérangea pas. Il arrivait souvent à l'ouvrier de s'arrêter ainsi en plein milieu d'un discours et d'aller se promener avec un regard triste dans la nuit noire du désert. Il revenait au petit matin avec un sourire de désespoir amusé au bord des lèvres et reprenait très vite son ancienne vie.

Le ciel était piqué d'étoiles. Le pelleteur remisa sa pelle et alla s'étendre dans la tente de l'ouvrier. Comme tous ceux qui ont une vie disciplinée, il ne prit pas de temps à trouver le sommeil.

* * *

Beaucoup plus loin brillait le feu d'un campement bédouin. On y parlait du compagnon de l'ouvrier.

— Le Pelleteur! proposa l'un.

Les autres approuvèrent.

*
* *

Le Pelleteur finissait de boucler son sac à dos. Il avait décidé de partir en expédition de pelletage vers des sentiers non battus.

L'ouvrier ne l'accompagnait pas, prétextant un flot de paperasses à remplir.

Le Pelleteur aquiesça sans comprendre et partit en prenant bien soin de suivre le nord magnétique de sa boussole. Le soleil, l'air, le sable, tout le rendait de bonne humeur. Il marchait d'un pied heureux.

— Je vais aller pelleter des dunes qui n'ont jamais été pelletées. Je serai un pionnier. Je ne veux pas qu'il y ait une seule dune qui puisse se gausser de n'avoir pas connu ma pelle. Je veux être le plus grand pelleteur de l'histoire.

Le Pelleteur souriait. Il pensait à ce bonhomme qui était devenu le plus grand tailleur de silex du monde à une époque où plus personne ne taillait le silex.

— Il suffit de mener quelque chose à bien, peu importe cette chose. Il faut se cristalliser sur elle et ne voir qu'elle.

Il serra sa pelle dans ses mains et ne pensa à rien d'autre. Pour s'aider, il récitait le verbe pelleter à tous les temps, à tous les modes et à toutes les personnes. La méthode s'avéra très efficace. À un point tel que la nuit il rêvait qu'il pelletait. Ceci faisait changement avec le temps où il rêvait à tout et à rien, qu'il soit endormi ou éveillé.

Il lui arriva de vouloir inventer de nouveaux modes au verbe pelleter.

— Je suis pelleté, j'ai pelleté, tout ceci est phonétique. Lorsqu'on est seul, on peut dire n'importe quoi. C'est lorsqu'arrivent les autres que tout se complique.

L'instinct social! Quel beau sujet de conversation! Pourquoi rechercher la compagnie des autres? Est-ce un tropisme? Allons-nous vers les autres comme le papillon vers la lumière? Sommes-nous des animaux sociaux?

— Que de questions! songeait le Pelleteur.

Il se remit à conjuguer le verbe pelleter comme il se doit et les questions disparurent.

Sa pelle venait et allait dans le sable. Elle faisait un bruit régulier comme le tic-tac d'une montre ou le tip-top d'un cœur. Le Pelleteur n'aimait pas briser le bruit cadencé de sa pelle.

— Une pelle, cela a une vie et un pourquoi. Une pelle est un instrument d'homme. Et l'homme, est-il l'instrument de quelque chose ou de quelqu'un?

De Dieu...?

Le Pelleteur pouffa de rire.

— Dieu n'est qu'un instrument dont se servent les hommes. L'homme est son propre instrument.

Et tous ces grands hommes qui ont servi Dieu?

Le Pelleteur rigola de nouveau.

— Regardez, dit-il. Moi je pellette. Lorsque je serai mort, dira-t-on que j'ai servi une pelle?

Les pensées cherchèrent une échappatoire.

— Et puis, laissez-moi pelleter!

De très loin, le Pelleteur se confondait avec les dunes. Lorsque le soleil frappait le métal de sa pelle, on voyait un éclair.

*

*   *

Était-ce la migration constante des oiseaux ou la fine poussière s'élevant du désert? L'ouvrier n'aurait pu le dire. Il s'était mis à penser à sa fiancée d'une manière si gratuite qu'il eut été fort complexe d'y trouver une cause.

Mais était-ce vraiment à sa fiancée qu'il pensait? N'était-ce pas plutôt à un personnage de rêve brodé par une longue solitude? Et si cette personne n'était pas un rêve, était-ce bien sa fiancée? C'était peut-être sa sœur ou sa mère?

Bref, à qui pensait l'ouvrier? Et à quoi? Car on sentait bien qu'il ne pensait pas seulement à quelqu'un, mais à quelque chose. Et ce quelque chose, était-ce une dispute, un souvenir tendrement romantique ou une perspective d'avenir?

— Voyons! dit l'ouvrier. Pourquoi compliquer les choses? Je songe à une fille, une belle fille que j'ai trop peu connue.

Et pourquoi penser à celle-ci? Pourquoi pas à une autre?

— Qu'en sais-je? Peut-être parce que j'étais jeune et timide et que je ne lui ai jamais laissé voir mes sentiments. On est toujours gauche avec son premier désir. Moi, je n'ai pas su le faire aboutir.

L'ouvrier se tapota le front. Dans sa tête, l'image de la fille se faisait plus tenace. On aurait dit qu'il n'y avait eu qu'elle.

— Il y en a eu d'autres, dit l'ouvrier. Pas beaucoup, je l'admets. N'empêche que j'en ai fait pleurer quelques-unes. D'autres m'ont fait un trou dans le cœur. Mais tout ça, c'était à même la vie.

Sans raison, l'ouvrier sembla excédé. La fille accaparait toujours son esprit.

— Je pense à elle gratuitement, sans arrière-pensée. C'est vous qui en faites un monde.

Qui ça, «vous»?

L'ouvrier regarda autour de lui. Il était seul, assis sur une chaise en plein centre du désert. Sur sa droite, on pouvait noter une tente de nylon. C'était tout.

— Voilà que je parle seul, dit l'ouvrier.

Personne ne lui répondit. Il en fut déçu.

— C'est fou d'avoir comme moi le goût de parler, de faire de belles phrases et de bons mots, et de n'avoir aucun interlocuteur, aucun admirateur. Dire que je suis venu dans le désert pour forcer l'admiration des gens. Il y a de quoi rire. J'ai toujours aimé me faire admirer. Je suis un mégalomane. En tant qu'ouvrier, je pourrais me permettre d'aller travailler dans une pyramide déjà découverte et vingt fois tamisée. Mais non, je veux une pyramide enfouie sous le sable et que jamais personne n'a découverte. Je veux la plus grosse et la plus intéressante des pyramides. Je veux une pyramide deux fois plus volumineuse que celle de Chéops, une pyramide avec trois, quatre pharaons et des reliques et des monuments si prestigieux qu'il y aura de par le monde des musées strictement affectés à ma pyramide, des gens ne vivant qu'en fonction de ma pyramide. Je vis dans un monde sans commune mesure avec mes aspirations. Je suis un constructeur de tours de Babel. Avec moi, il n'y a pas place au compromis. C'est soit la réussite frontispice, soit l'échec suicidaire. Je serai un grand homme ou un robineux.

L'ouvrier n'avait nullement l'intention de finir en robineux. Il prit la pelle qu'il avait négligée ces derniers jours et partit palper les dunes.

Mais pourquoi avait-il choisi le désert?

— Je voulais quelque chose de difficile et le désert est bien l'endroit le plus difficile pour rayonner sur le monde.

Et pourquoi quelque chose de difficile?

L'ouvrier resta coi. Il pelletait et boudait. Il percevait le ridicule de son comportement mais n'en démordait pas. La fille lui trottinait de nouveau dans la tête et rien ne réussissait à l'en chasser. Plus le temps passait et plus l'ouvrier constatait que la solitude n'est pas un milieu d'homme et que les coups de pelle ne remuent que du sable.

*
* *

Le Pelleteur continuait son périple. Il avait rencontré des Bédouins n'ayant jamais vu de pelleteurs et il s'apprêtait un peu nerveusement à tâter des dunes n'ayant jamais vu de Bédouins et encore moins de pelleteurs.

— Je suis nerveux, très nerveux. Ce n'est pas tous les jours qu'un pelleteur, serait-il le plus émérite des pelleteurs, s'attaque à une dune que personne n'a même frôlée du regard.

Le Pelleteur avait les jambes ancrées dans le sable et le soleil tapait sur son crâne. À portée de pelle se trouvait la dune tant désirée.

— Avouez qu'elle est belle. Elle a des rondeurs, des galbes à vous chatouiller la pelle. Lorsque je serai mort, on pourra dire tout ce qu'on veut sur mon compte. On poura me calomnier, me ridiculiser, car le ridicule vient toujours à frapper, mais on ne pourra m'enlever ce que j'ai vécu. On ne pourra m'enlever la simple joie de pelleter une dune n'ayant connu que le vent.

Le Pelleteur sourit. Il sentait confusément qu'en ce moment précis il était le roi de l'univers.

— Vous devez vous demander pourquoi je ne donne pas un coup de pelle dans la dune, pourquoi j'attends. C'est que, voyez-vous, j'ai tout mon temps. Je peux me permettre d'apprécier l'instant présent sans déprécier pour autant ce qui suit. Je suis le maître de ma destinée. Je suis le maître de ma pelle. Je suis moi, par moi et pour moi et personne ne m'empêchera d'y goûter. Si j'avais été Adam, je n'aurais pas eu besoin d'Ève pour cueillir la pomme me délivrant de l'emprise de Dieu. Au besoin, je l'aurais inventée.

Le Pelleteur leva sa pelle et la planta dans la dune. On entendit un crissement mou, puis le silence se fit.

— Le silence revient toujours. Entre deux dunes, entre deux coups de pelle, entre deux battements de cœur, il est là pour nous rappeler on ne sait trop quoi.

Le Pelleteur entreprit sérieusement la dune.

— Et vlan! disait-il pour se libérer les poumons et insuffler à l'élan de sa pelle la passion le discernant des simples pelleteurs.

Le sable blanchi couvrait tout l'espace. Vu de loin, le Pelleteur semblait tout petit et pourtant c'était lui qui attirait le plus l'attention. Et puis, on ne le vit plus. À croire qu'il s'était volatilisé.

— Ce qui me discerne de toute cette étendue morte, c'est le mouvement. Il suffit que j'arrête de bouger pour me fondre avec les dunes.

Le Pelleteur se remit à pelleter et réapparut.

— Vous voyez. Maintenant, il vous serait difficile de détacher votre regard de moi. Je suis petit, mais vers moi convergent tous les regards. Les yeux ne captent qu'une infime partie des choses, les yeux s'attardent sur les particularités, et être dans le désert est une particularité.

Fort intéressant, mais dans le désert il n'y a jamais personne.

— N'allez pas plus loin, dit le Pelleteur d'un air légèrement courroucé. Premièrement, je suis dans le désert et je suis une personne. Deuxièmement, je n'ai pas affaire aux gens mais aux dunes, et je n'ai que foutre de tous ceux qui ne s'occupent pas de ce qui m'occupe. Je suis un pelleteur et, qui plus est, un pelleteur de dunes. Dans le désert, il ne manque pas de dunes, Dieu merci!

Et l'ennui?

— L'ennui! Je vous attendais bien là! Pensez-vous réellement que j'ai le temps de m'ennuyer avec toutes ces dunes?

Le Pelleteur engloba d'un mouvement de pelle l'infinité des dunes et termina du même mouvement la dune entreprise. Le soleil se faisait moins brûlant. Sur le crâne du Pelleteur s'était formé une mince croûte dure et imperméable contre laquelle le soleil ne pouvait que buter. Cette croûte se composait de grains de sable agglutinés par la sueur.

— C'est une mutation, dit le Pelleteur. Je suis le bourgeon d'un phylum d'où émanera une nouvelle race d'hommes.

«Et vlan! Et vlan!» ne cessait-il d'exhaler et d'expectorer.

*

*   *

L'ouvrier fixait l'horizon.

— Je suis du domaine du fini et pourtant je ne peux m'empêcher d'aspirer à l'infini. J'aimerais être éternel. J'aimerais être Dieu. Tout homme vise l'apothéose. Tout homme cherche à quitter son état de mortel. Le problème de l'homme c'est d'être un grain d'infini au sein d'une carcasse finie. L'homme n'a pas encore su digérer sa capacité de pensée conceptuelle. Il chie en écrivant des poèmes.

L'ouvrier se détourna de l'horizon et ricana.

— Je vous fais chier, n'est-ce pas? dit-il d'un air malin.

Pas de réponse. Déçu, l'ouvrier regarda ses pieds.

— C'est laid des pieds, récidiva-t-il. Pourtant chaque homme a des pieds. Un acide nucléique à la place d'un autre et nous voilà avec un pied à six orteils. Nous visons l'infiniment grand alors que c'est l'infiniment petit qui nous régit. C'est quoi l'homme? Seulement vingt-trois paires de chaînes d'acides nucléiques. Une seule paire décide de votre sexe. Un accroc et vous voilà mongol. L'homme n'est pas grand-chose.

L'ouvrier ricana de nouveau.

— Là, je vous fais chier, n'est-ce pas?

Toujours pas de réponse. L'ouvrier prit sa pelle.

— À défaut d'infini, l'homme cherche l'oubli. Il y a bien des manières de trouver l'oubli. Moi, c'est en poursuivant des pyramides. Je me monte des légendes et je vis d'elles. Et puis, il y a aussi la dépense physique. Être fourbu et fatigué, n'aspirer qu'au sommeil: c'est mieux que la drogue. Vous devriez essayer.

L'ouvrier ne se décidait toujours pas à se diriger vers les dunes. Il réfléchissait en les regardant.

— Les dunes de sable ne restent pas nécessairement dunes de sable pour l'éternité, reprit-il. Parfois la végétation réussit à prendre racine sur un de ses flancs, puis peu à peu la dune est immobilisée. Les plantes herbacées colonisent le milieu et nous nous retrouvons avec une petite colline n'ayant aucunement l'apparence d'une dune de sable; et pourtant, il s'agit d'une dune ayant elle-aussi la capacité de cacher une énorme pyramide. La science des dunes de sable est multiple et complexe. Il ne serait pas farfelu de chercher des pyramides sur la cime des montagnes. La logique des dunes de sable mène partout.

Là, l'ouvrier nous faisait effectivement chier. Il ne s'en félicita pas car son esprit était sérieusement confronté à la problématique des dunes de sable. Il paraissait même passablement préoccupé.

— Je peux bien vous dire ce que j'ai à l'esprit. Je pense à cette colline où je jouais enfant et je me dis qu'il est bête d'être venu me perdre dans ce désert alors qu'il y avait là matière à trouvaille.

Parcourir le monde pour finalement trouver dans son jardin ce qu'on cherchait. C'est là un thème archi-exploité.

— Qu'y puis-je? dit l'ouvrier. Je ne peux pas m'empêcher d'y songer. L'envie d'aller vérifier est forte.

Pourquoi ne pas y aller?

— Ce n'est pas la colline qui m'attire. C'est tout mon passé. Ce sont mes amis...

Tes amis!?

— Eh oui! J'en ai! Après tout ce temps, je ne sais ce qu'ils sont devenus. Mais ce n'est pas tout ce qui m'attire. Il y a les arbres, les ruisseaux, la neige. Enfin tout ce qui n'est pas désert; les femmes aussi.

Et pourquoi ne pas y aller?

— Je suis parti afin de conquérir le monde. Je ne veux pas revenir sans rien d'autre que des récits sur le soleil brûlant et les tempêtes de sable. J'ai ma fierté.

L'ouvrier pianotait sur le manche de sa pelle.

— Autant rester dans le désert que de revenir avec rien d'autre que dix ans de plus. On se moquerait de moi.

L'ouvrier donna un coup de pelle au hasard.

— Si vous saviez comment j'ai pu étudier! J'ai obtenu des tas de diplômes et, en dernier ressort, me voilà dans le désert à ruminer. Ce serait trop bête qu'un avenir que je m'imaginais brillant s'arrête ici. Il faut que je persiste. Le destin ne peut me lâcher alors qu'une simple pyramide pourrait me lancer sur le chemin des étoiles.

L'ouvrier se remit à pelleter avec méthode. Il avait des sueurs froides en songeant que le coup de pelle qu'il ne donnerait pas pourrait être celui que le destin avait choisi pour mettre à jour une pyramide lustrée d'ivoire.

*
* *

L'ouvrier attendait patiemment. Il scrutait les alentours comme s'il escomptait une visite.

— Ah! Vous voilà, dit-il.

Il se leva et entra dans sa tente. Il en sortit avec un sablier à la main.

— Où êtes-vous? dit-il.

L'ouvrier se mit à chercher derrière les dunes. Il ne trouva rien. Déçu, il alla reporter le sablier et se rassit. Après un temps assez long, l'ouvrier se leva en sursaut.

— Vous revoilà! dit-il. Pourquoi me fuyez-vous? Pourquoi ne voulez-vous pas voir cette découverte qui va révolutionner la recherche des pyramides de la même manière que la roue a su sortir l'homme de l'ornière de la bêtise pour lui ouvrir la voie des épicycles stellaires et de la musique des sphères? Il ne faut pas fuir la nouveauté. Les conservateurs sont les morts de ce monde. La vie est une constante révolution. Alors ne partez pas! Je vous en prie! Attendez que je vous montre ma découverte.

L'ouvrier courut vers la tente et en sortit le sablier.

— Voilà, dit-il, je l'ai. Bien sûr, c'est un modèle réduit. Ce n'est qu'une maquette.

L'ouvrier arrêta de parler. Il cherchait du regard. Que cherchait-il? Ma foi, il cherchait quelque chose.

— Pourquoi ne voulez-vous pas vous ouvrir les yeux sur cette découverte? J'ai ici quelque chose qui reléguera chez l'antiquaire toutes les pelles de ce monde. J'ai ici quelque chose qui changera du tout au tout la technique de la recherche des pyramides. Et vous, vous ne songez qu'à disparaître. Vous ratez un des moments cruciaux de l'évolution de l'homme. Vous avez dû faire de même lorsqu'un brave individu a inventé la roue ou découvert le feu. Vous avez dû faire de même lorsqu'un homme a domestiqué le cheval ou sélectionné des graines pour en arriver aux premiers pas de l'agriculture. C'est consciemment que vous avez laissé tous ces grands hommes pourrir dans l'oubli. Avec moi, cela ne se passera pas ainsi. Je n'aime pas assez l'humanité pour l'aider à franchir un nouveau pas sans qu'on me congratule. Je veux être payé pour mes mérites. Je veux que l'on sache que c'est moi. Je ne veux pas qu'on se pose des questions sur moi comme on s'en pose aujourd'hui sur l'inventeur de la roue ou le découvreur du feu. Je ne suis pas un anonyme, ni un altruiste. Cette découverte ne profitera à personne si elle ne me profite pas. Est-ce clair? Alors, ne faites pas la mauvaise tête. Revenez! Vous ne voulez quand même pas laisser l'humanité sans cette découverte? S'il vous plaît! Ne soyez pas obtus! Faites-moi cette petite faveur. Je n'ai jamais rien demandé à personne, à vous je le demande.

L'ouvrier sanglotait, les genoux dans le sable et les bras en croix. Le désert buvait ses larmes avant même qu'elles ne touchent le sol.

L'ouvrier se releva.

— Je vous avertis, dit-il. Je vous avertis, où que vous soyez. Je ne me laisserai pas faire. Je ne me laisserai pas sécher au soleil. Je ne suis pas une relique. Je suis vivant.

L'ouvrier écrasa d'un pied rageur le sablier.

— Voilà! dit-il. Bien malin celui qui, voyant ce verre brisé, saura reconstituer une découverte fondamentale pour le genre humain. On me refuse le crédit d'être un innovateur de génie. On me refuse la découverte de la moindre pyramide, fut-elle vide et pillée. Qu'importe, je suis un homme de ressources.

L'ouvrier repartit vers sa tente. Il en sortit muni d'un manuscrit.

— Ce n'est pas un manuscrit. Le manuscrit est déjà parti. Ce n'est qu'une copie. La copie d'un livre qui m'apportera la richesse, la gloire et l'immortalité.

Et comment donc?

— Ah! Ah! On ne fait plus la sourde oreille. On rapplique. Ce livre conte ma découverte, sous les dunes du désert, d'une base de soucoupes volantes. Cette découverte comprend la visite de la base, contact d'amitié avec les extra-terrestres, randonnée dans l'espace ainsi que mon acceptation d'aller à travers le monde prêcher la paix et l'amitié. De quoi faire frémir tous les gogos de la terre. N'est-ce pas merveilleux?

Mais tout cela est faux!

— Je vous attendais là. C'est facile de dire que c'est faux. Mais pouvez-vous le prouvez? Non! Cela fait dix ans que je suis dans le désert et j'y suis seul. Quoi de plus normal pour quelqu'un qui cherche des pyramides sous les dunes de sable d'y trouver une base de soucoupes volantes? Et quoi de plus normal pour les soucoupes volantes que d'avoir une base secrète sous le sable du désert? Tout ceci est à la limite du vraisemblable. De plus, je suis un chercheur. Je suis un savant ayant écrit des articles très sérieux et étoffés sur bien des aspects des pyramides. Autrement dit, je suis crédible. J'ai pour moi l'auréole de la science et la naïveté des gens. On me croira. Il y aura toujours des individus pour vous croire pourvu que vous portiez une cravate et un veston. J'irai de conférence en conférence, relatant mon aventure. Au lieu d'être un spécialiste de civilisations perdues, j'en serai un de civilisations d'outre-espace et, croyez-moi, la différence n'est pas grande.

L'ouvrier trottina d'aise, mimant des saluts à la foule et envoyant des baisers à ses admiratrices.

— Fini le désert! dit-il. À moi la vie!

Il saisit sa pelle tel un javelot et la projeta au loin. Elle s'enfonça dans le sable puis émit un son métallique. L'ouvrier s'arrêta net.

— Probablement des canettes de bière, dit-il.

Malgré tout, il se dirigea à pas feutrés vers la pelle. Il avait le teint pâle et les yeux exorbités.

— Ce sont sûrement des canettes, répéta-t-il en voulant conjurer les faux espoirs.

Il dégagea de ses mains la pelle. Ce n'était pas une blague, encore moins un mirage.

— Ni des canettes! compléta dans un souffle l'ouvrier.

Il y avait là une pierre, une immense pierre d'un noir de jais.

L'ouvrier se redressa.

— L'émotion m'étreint, dit-il. Depuis dix ans je cherche, et voilà que je trouve à un jet de pelle de mon campement. Il y a un moment, je m'apprêtais à faire œuvre de charlatan et voilà que mes rêves se réalisent. Il ne faut pas que cet événement reste ignoré. Il doit servir d'exemple aux ouvriers de par le monde qui cherchent et désespèrent.

L'ouvrier entreprit une série de mesures. Il ne parlait pas, se contentant d'afficher un sourire heureux qu'on ne lui avait jamais vu.

Je suis ici pour trouver et non chercher des pyramides... Ma vie commencera avec cette pyramide. Le reste n'est que du vent.

L'ouvrier

Chapitre I

La jeep filait entre les dunes. Elle était conduite par un vieil imbécile dont le rôle ultime consistait à faire le taxi dans le désert. À ses côtés, une jeune femme aux cheveux noirs et aux yeux bleus.

— Vous savez, dit le conducteur avec une certaine suffisance, c'est moi qui l'ai conduit ici.

— Ah oui? s'intéressa la jeune femme. Quelle impression vous a-t-il fait?

Le conducteur marqua une pause pour réfléchir. Il ne se rappelait qu'imparfaitement.

— C'était un jeune homme. Probablement le milieu de la vingtaine. Je l'ai trouvé bizarre. A-t-on idée, lorsqu'on est jeune, de s'isoler dans le désert?

La journaliste avait connu tant de situations et d'individus biscornus que plus rien ne lui semblait bizarre. Le bizarre est si commun. Son regard se porta sur le vide du désert. Cette étendue morte lui semblait irréelle.

— Tout cet espace et personne pour l'habiter, dit-elle.

— Ah! Ah! ricana le conducteur. C'est un cercle vicieux. Personne n'y habite car il n'y a personne et il n'y a personne car personne n'y habite.

Le conducteur s'esclaffa de bon cœur. C'était bien la centième fois qu'il réservait ce jeu de mot insipide à ses passagers. La jeune femme sourit de le voir s'ébaudir si aisément. Comme journaliste, elle jugeait souvent les êtres et les choses qu'elle rencontrait selon un barème allant de 0 à 10. Zéro dénotait un sujet sans intérêt. Un et deux côtoyaient la banalité. Trois ou quatre pouvaient faire substance d'un article tenant du potin. Cinq ou six désignaient un sujet pouvant justifier un article où le talent du journaliste tenait le haut du pavé. Sept et huit qualifiaient un article se tenant par lui-même. Neuf et dix représentaient un sujet entraînant la gloire passagère du journaliste. Il supposait la prise à la une des journaux et un reportage étoffé sur les grandes chaînes de télévision.

Pour le moment, la jeune femme voisinait un individu d'intérêt zéro et se dirigeait vers un objet d'intérêt six. Mais il y avait le désert. Elle pourrait en arracher un calibre sept par une série d'articles le décrivant avec sa population de solitaires. La jeune femme releva légèrement les sourcils. Au loin, on pouvait deviner une tente rudimentaire.

— Nous arrivons, dit le conducteur. Au début, faites attention! Cet individu vit isolé depuis dix ans. Il a eu tout le temps de devenir fou. Et s'il ne l'est pas, la vue d'une femme risque de... enfin de... vous comprenez ce que je veux dire?

La journaliste comprenait. Les nombreux cours d'arts martiaux qu'elle avait suivis ne lui faisaient craindre ni les fous, ni les obsédés sexuels.

— Klaxonnez, dit-elle. Le charlatan ne tardera pas à se montrer le bout du nez.

L'ouvrier finissait de consigner ses dernières observations. De temps en temps, il jetait un regard sur une fresque datant de plusieurs millénaires. Il fallait qu'il la voie pour le croire. La connaissance de l'homme et de ses origines s'en trouvait chavirée.

Des coups de klaxon provenant de son ancien campement lui parvinrent.

— Tiens! Du monde! se dit-il.

Il déposa ses instruments et partit fébrilement à la rencontre des visiteurs. L'ouvrier monta sur une dune et risqua un coup d'œil. Aussitôt son cœur fit boum! Une femme! Après dix ans, il allait revoir une femme!

— Oh la la! dit-il en reprenant constance.

Il passa une main dans ses cheveux et apparut aux yeux de ses visiteurs. La journaliste le catalogua rapidement: taille moyenne, cheveux châtains, allure svelte, entre trente et quarante ans, aucun trait particulier. Lorsqu'il fut près, la jeune femme put voir ses yeux. Ils brillaient d'une lumière tiède d'où irradiaient beaucoup d'intelligence, une douce tristesse et un rien de démence.

L'ouvrier reconnut le conducteur de la jeep.

— N'est-ce pas vous qui m'avez amené ici?

Le conducteur confirma avec fierté de la tête. L'ouvrier tourna des yeux interrogateurs vers la jeune femme.

— Je suis journaliste, dit-elle. Je me nomme Élizabeth Hornik.

«Déjà!» songea l'ouvrier. Qui avait pu éventer la nouvelle de sa découverte? Certainement pas lui, et il était le seul à en être averti. Alors qui? La source de renseignements de la journaliste se situait vraisemblablement dans le bavardage d'un Bédouin ayant eu vent de l'événement.

— C'est embêtant, dit l'ouvrier. J'aurais préféré ne rien divulguer avant d'être plus avancé dans ma recherche. Pour le moment, j'ai des idées mais rien de concret à formuler. Cette découverte mérite beaucoup d'attention. Je crains que votre article ne néglige la rigueur scientifique au profit du sensationnel.

«Rigueur scientifique!» s'étonna intérieurement la jeune femme. L'ouvrier paraissait sérieux. Elle ne voulut pas le contredire. Souvent les charlatans s'attribuent une apparence de probité pour s'attirer la crédulité des gens.

— Peut-on voir cette découverte? demanda la jeune femme en devinant déjà le refus.

L'ouvrier n'hésita pas.

— Bien sûr... dit-il. Vous n'avez qu'à me suivre.

La journaliste resta interdite. Le charlatan ne se faisait nullement prier pour montrer sa découverte! Probablement qu'il s'apprêtait à lui désigner l'endroit où se trouvait la base des soucoupes volantes. Un endroit qui maintenant n'avait rien d'intéressant et où on pourrait difficilement prouver qu'il y ait eu ou non des soucoupes volantes. Donner un cadre géographique palpable à leur pseudo-aventure était un subterfuge que bien des mystificateurs employaient.

La jeune femme quitta la jeep. L'ouvrier sentit un flot d'adrénaline se déverser dans son sang. La journaliste ne fut pas dupe de l'émotion que créait son corps souple.

— Quelque chose ne va pas? s'informa-t-elle avec une pointe de moquerie que l'ouvrier ne remarqua pas.

— Tout va bien, dit-il. Je ne me rappelais pas qu'une femme puisse être si jolie.

Il continua de la regarder. Dieu qu'elle était belle!

— Si je n'étais pas là, il vous violerait! dit en sourdine le conducteur à sa passagère.

La jeune femme haussa les épaules.

— Moi, continua le chauffeur, après dix ans de solitude, j'aurais sauté sur le moindre bout de femme. J'aurais...

— Attendez-moi ici, coupa la journaliste.

Elle se tourna vers l'ouvrier qui continuait de la regarder avec un visage ravi. On l'aurait cru au ciel en train d'admirer Dieu.

— Et cette découverte? demanda la jeune femme.

— Elle est derrière cette dune. Nous n'avons qu'à prendre ce sentier.

— Allons-y! dit la journaliste.

— Vous n'amenez pas votre caméra? s'étonna l'ouvrier.

La caméra!? Pourquoi faire? Un champ de sable et de roches arides n'a rien pour intéresser les foules. Malgré tout, la journaliste prit sa caméra. L'ouvrier s'était déjà engagé dans le sentier contournant la dune.

— N'y allez pas! supplia le chauffeur. Il va vous violer.

— Cessez donc de prêter vos intentions à tout le monde, lui répondit sèchement la jeune femme.

Elle courut rejoindre l'ouvrier qui s'était arrêté afin de l'attendre.

— En contournant cette dune, dit l'ouvrier, nous aurons une vue d'ensemble.

Le jeune femme ricana intérieurement. Elle imaginait sans difficulté le champ de sable qu'on allait lui exhiber. L'ouvrier contourna la dune et manœuvra vers le chantier. Une partie de la structure se trouvait maintenant à nu. L'architecture qui s'en dégageait avait de quoi faire déraisonner.

L'ouvrier n'entendit plus le crissement des pas de la jeune femme. Il se retourna. Elle était pétrifiée d'étonnement. La bouche mi-ouverte, les yeux arrondis par la surprise, elle reprenait difficilement son souffle. L'ouvrier se dépêcha d'aller la retrouver.

— C'est stupéfiant, n'est-ce pas?

La journaliste ne sut que répondre. Jamais elle n'avait vu pareille architecture. C'était ahurissant.

— Est-ce vivant?

La question désarçonna l'ouvrier. Un monument peut-il vivre? C'était là une approche qu'il n'avait jamais imaginée.

— Certains voient dans des œuvres d'art la vie que l'artiste a voulu lui inculquer, dit l'ouvrier. Il en est peut-être de même en ce qui concerne ce monument.

L'ouvrier et la jeune femme s'approchèrent de la paroi. En y passant la main, elle sentit la fraîcheur de la pierre.

— Cette pierre semble défier la chaleur du désert, dit l'ouvrier. Je ne sais pourquoi, ni comment. Cette pierre se rit de la physique.

— C'est effarant! dit la jeune femme en retirant sa main.

— N'est-ce pas? dit l'ouvrier. Votre réaction me soulage. Par moment, il me venait à l'esprit que toutes ces merveilles n'étaient qu'une création de mon imagination.

«Cette histoire de soucoupes volantes est donc vraie!», pensa la jeune femme. Elle tenait l'article du siècle. «Un dix! Pas moins qu'un dix!» se dit-elle en classant le degré d'intérêt du monument.

— À l'intérieur, dit l'ouvrier, une clarté bleutée passablement étrange irradie du mur.

La journaliste fut déçue par le ton mat de son interlocuteur. La présentation manquait de *glamour*. Son article allait rectifier cette pénurie.

— Peut-on voir? demanda-t-elle.

— Bien sûr! dit l'ouvrier. Mais auparavant j'aimerais que vous sachiez que cette question d'énergie bleutée m'embête un peu. Elle nie tous les ouvrages des confrères de ma profession sur le niveau de développement technique des peuplades primitives. Si mon hypothèse se confirme, on me traitera sûrement de renégat, de rêveur. On me taxera du romantisme animant ceux qui recherchent cette terre fictive qu'est l'Atlantide. Bref, on me lancera de la boue. Mais qu'y puis-je? Je ne peux pas cacher la vérité à mes pairs. Je me dois d'être honnête et de faire face à la tempête.

La journaliste resta coite. L'homme qu'elle avait devant elle, cet homme qui venait de découvrir une base de soucoupes volantes, ne croyait pas à l'Atlantide. C'était un non-sens. Un doute traversa l'esprit de la journaliste.

— Quel est votre nom? questionna-t-elle.

Son interlocuteur hésita. Il s'empêcha de répondre «l'ouvrier». C'est ainsi que les Bédouins l'avaient baptisé à force de le voir pelleter et piocher. Son vrai nom lui revint en mémoire.

— Frédéric Dugan! dit-il.

C'était bien le nom du découvreur de soucoupes volantes.

— Je suis anthropologue, continua l'ouvrier. Mon doctorat portait sur les mœurs des Égyptiens de l'Ancien Empire; un mélange d'archéologie et d'ethnologie. Je me suis beaucoup inspiré des papyrus recouvrant les momies des crocodiles.

Cela correspondait. C'était bien le découvreur des soucoupes volantes. Mais alors, pourquoi cette litanie contre l'Atlantide? Tous les découvreurs de soucoupes volantes croient à l'Atlantide! Plusieurs font même d'une pierre deux coups grâce à un méli-mélo d'Atlantes et d'extra-terrestres.

— Comment pouvez-vous croire aux soucoupes volantes mais pas à l'Atlantide? interrogea étonnée la journaliste.

Dugan eut un haut-le-corps.

— Que viennent faire les soucoupes volantes? Je n'ai jamais parlé de soucoupes volantes.

— Ce monument est bien une base de soucoupes volantes? dit la journaliste interloquée.

Le visage de l'anthropologue se figea un bref instant. Puis un sourire d'intelligence apparut.

— Je comprends, dit-il. Vous avez eu vent du manuscrit que j'ai envoyé à un éditeur d'écrits ésotériques.

— Ce n'est plus un manuscrit. C'est devenu un livre qui se vend assez bien.

— À la bonne heure! s'exclama Dugan. Même si ce que j'y raconte est archifaux, les gogos qui l'achèteront auront de quoi se repaître. Mon chapitre sur la randonnée dans l'espace est particulièrement bien réussi. J'ai su y mettre un rien de romantisme. Je songe sérieusement à y ajouter une suite. Une des extra-terrestres pourrait même vous ressembler.

La journaliste ne sut que répondre. Jamais elle n'avait rencontré un charlatan clamant sa forfaiture sur les toits.

— Donc, toute cette histoire de soucoupes volantes et de mission de paix sur la Terre a été imaginée?

— Bien sûr! Connaissez-vous une de ces histoires qui ne l'ait pas été?

— Des tas de gens croient ce que vous avez écrit!

— Je ne nie pas que mon livre visait une clientèle de gogos chroniques. Ils s'abreuvent à toutes les sources. Pourquoi pas la mienne?

— Ce n'est qu'un canular! résuma la journaliste.

— Oui! approuva le savant. Un canular! Vous avez le mot juste.

— Et vous, vous êtes un charlatan.

Le qualificatif déplut à Dugan.

— Le terme est mal choisi. Sémantiquement parlant, un charlatan est quelqu'un qui dit des faussetés en jurant qu'elles sont vraies. Moi, j'ai écrit des faussetés et j'admets que ce sont de faussetés. Je me ris des gogos du monde entier. Je n'ai aucun respect pour ces jobards qui gobent tout ce qu'on leur dit, pour ces imbéciles qui ne possèdent pas un carat d'esprit scientifique. Mon livre n'a d'autre but que de les tourner en dérision.

L'anthropologue dirigea son attention vers le monument.

— De toute façon, dit-il, je n'ai plus le temps de partir en croisade contre les charlatans et leurs ouailles. J'ai découvert de quoi remplir une vie.

Avec emphase, il engloba le monument d'un geste. La journaliste décida de se mettre au diapason de Dugan. Il ne mâchait pas ses mots, elle ne mâcherait pas les siens.

— Qu'est-ce qui me dit que ce monument n'est pas une foutaise commes vos soucoupes volantes? dit la journaliste.

— C'est simple, répondit amusé Dugan. Foncez vers lui tête baissée. À un moment donné, vous connaîtrez une forte sensation de réalité.

Se riait-il d'elle? Elle préféra ne pas approfondir la question.

— Je veux savoir, dit-elle, jusqu'où je peux me fier à vous. Puis-je croire ce que vous me racontez sur ce monument? Car enfin, si ce monument n'est pas une base de soucoupes volantes, il est bien quelque chose.

— Ce qu'est ce monument? Je ne le sais pas et je n'ai nullement l'intention de vous raconter des sornettes. Au mieux je peux vous le montrer. Ce sera à vous de tirer vos conclusions. Si nous commencions la visite?

La journaliste ne se fit pas prier. Elle avait déjà abondamment photographié l'extérieur. Dugan pénétra dans le monument par une ouverture que la jeune femme aurait vainement cherchée. L'entrée se fondait en un tout avec la couleur noire de la pierre. L'intérieur avait de quoi surprendre. Un bleu fluorescent qui s'avérait un excellent éclairage irradiait du mur. Dugan s'enfonça dans un couloir. La journaliste se pressa à sa suite.

— Ici, dit Dugan après être entré dans une salle concave avec des lignes fuyantes de bleu lumineux, se trouvent des croquis, des maquettes.

De la main, il montra de curieuses structures ressemblant vaguement à de gros boudins blancs. Il s'en dégageait une certaine grâce et une perfection dans les courbes. La journaliste s'empressa de prendre des photos.

— Qu'est-ce que c'est? demanda-t-elle.

Dugan ne répondit pas. Il désigna une structure délaissée par les flashes de la journaliste.

— Dans ce coin, se trouve une structure que l'on pourrait décrire comme une double hélice.

— Intéressant! dit la journaliste.

Elle photographia l'étrange forme sous plusieurs angles.

— Cette structure n'éveille rien en vous? demanda Dugan.

— Rien! dit la journaliste. C'est un modèle géométrique compliqué. L'artiste qui l'a réalisé est tombé dans un maniérisme de mauvais aloi.

Dugan se défendit de commenter l'opinion de la jeune femme. Il lui fit visiter d'autres pièces; toutes s'avérèrent vides.

— Mais, il n'y a rien, dit la journaliste.

— En effet! approuva l'anthropologue en souriant. La majorité des salles sont vides. Par acquis de conscience, je n'en ai pas moins fouillé chacune avec soin.

— Et? demanda la journaliste.

— Elles étaient bien vides, conclut avec humour Dugan.

La journaliste ne sembla pas apprécier de se faire ainsi promener d'un sujet d'intérêt zéro à un autre. Elle n'aimait pas perdre son temps.

— Vous n'avez rien à me montrer qui serait publiable?

— Si! dit Dugan.

Après avoir parcouru un corridor que la lumière des murs rendait irréel, Dugan s'arrêta devant une fresque se dégageant d'une paroi. À gauche on voyait un poisson nageant dans l'eau et à droite un poisson rampant sur la terre. Chaque séquence se trouvait accompagnée de signes indéchiffrables.

— J'hésite à commenter cette fresque, dit Dugan. À première vue, elle laisse croire que les êtres ayant construit ce monument possédaient l'idée d'évolution telle que conçue par Darwin. Par contre, ces signes en forme de 8 et de X me déconcertent. Je ferai appel à un biologiste pour m'aider.

— Un biologiste!

— Ces 8 et ces X me font penser à des chromosomes.

Des chromosomes! La supposition sembla saugrenue à la journaliste. La fresque n'éveillait chez elle que peu d'intérêt. Le dessin ne sortait de la pierre que par de subtiles variantes de bleu qui rendaient la scène terne et sans vie. La journaliste avait hâte de voir autre chose.

— Très intéressant! dit-elle. Vous n'avez rien d'autre?

C'était pourtant une découverte que l'anthropologue chérissait. Pour la première fois, un peuple démontrait une conception de l'univers allant plus loin que le bête créationnisme décrit dans toutes les religions. Cette fresque marquait des connaissances scientifiques très évoluées. La journaliste semblait incapable de saisir le sensationnel de ce qu'il venait de lui montrer. Elle ne devait pas posséder une formation scientifique très poussée. En avait-elle seulement une?

— C'est la dernière chose que j'avais à vous montrer.

— Quoi! s'exclama incrédule et déçue la journaliste.

Elle s'attendait à mieux, à beaucoup mieux. Le savant émit un rire empreint d'une étrange sagesse. La réaction de la jeune femme l'amusait sans le surprendre.

— Il y a sûrement autre chose mais mes fouilles s'arrêtent ici. Je suis seul et le travail archéologique en est un de patience et de longueur de temps. Un monument qui a attendu des milliers d'années avant de se livrer aux hommes peut attendre encore un peu. L'archéologue ne doit pas, par trop peu d'attention ou trop de hâte, laisser échapper des signes qui, après un passage brusqué, ne voudraient plus rien dire.

La journaliste n'écoutait pas. Déjà, elle imaginait les titres et les sous-titres susceptibles d'attirer le lecteur. Ils revinrent à la porte s'ouvrant sur le désert.

— J'ai suffisamment de matériel pour écrire mon article. Vous n'avez rien d'autre à me montrer?

— Rien, répondit agacé l'anthropologue.

Il eut un regard insatisfait.

— Vous risquez de raconter plus de bêtises que de vérités, dit-il.

— Pardon?! s'étonna la journaliste.

— Que connaissez-vous de l'anthropologie? Que connaissez-vous de l'histoire de l'homme? Au cours de la visite, je vous ai montré de quoi faire mourir d'extase le moindre érudit et quelle fut votre réaction? Vous sembliez agacée de ne pas trouver du sensationnel. Vous attendiez-vous à trouver le trésor des Templiers?

— Le quoi?

— Vous m'apparaissez comme une femme ravissante mais idiote!

— «Moi, idiote!» s'étrangla la journaliste qui se targuait d'avoir une tête sur les épaules.

— Je vous montre une copie conforme de la double hélice de Watson et Crick et vous la commentez comme une œuvre d'art.

— Que dites-vous?

— C'est justement pourquoi je vous décris comme un corps superbe mu par un esprit vide.

Décidément, le savant lui cherchait noise. La journaliste s'apprêta à contre-attaquer. Jamais elle ne s'était fait qualifier d'idiote. Un klaxon se fit entendre.

— Votre chauffeur vous réclame, dit Dugan.

De nouveaux coups de klaxon démontrèrent la justesse de la remarque.

* * *

Le chauffeur ne faisait pas que s'impatienter. Il est vrai qu'il n'aimait guère avoir laissé la jeune femme avec un homme qui n'avait pas connu de femelle depuis dix ans. Son coup de klaxon n'avait cependant aucun rapport avec la vertu de la journaliste. Un événement tout à fait nouveau venait de se produire. Il venait d'apercevoir une forme humaine se traînant péniblement.

La journaliste et l'anthropologue arrivèrent en courant.

— Pourquoi tout ce bruit? demanda la jeune femme.

— Il y a un homme qui se traîne là-bas. Il semble mal en point.

— Allons voir! dit Dugan.

La jeep démarra. Elle fut rapidement à la hauteur du pauvre bougre.

— Il bouge toujours, dit Dugan. Vite de l'eau!

Le chauffeur lui passa une gourde. Dugan sauta à terre et se dépêcha de faire boire l'égaré. À tout hasard, la journaliste prenait des photos.

— Le connaissez-vous? demanda-t-elle.

— Oui! s'empressa de répondre le conducteur. Il s'appelle Élis. Tout un merle! Il m'a demandé de le laisser en plein désert, sans vivres et sans eau. Durant le trajet, il m'expliquait que la liberté ultime de l'homme réside dans le suicide. Complètement dingue! Je le croyais mort depuis longtemps.

— Un matin, raconta Dugan, il est arrivé de je ne sais où et il m'a aidé à prospecter pendant deux à trois semaines. Il a semblé prendre goût au travail. Il est reparti avec des provisions et une pelle pour aller tâter le sable ailleurs. Un drôle de type.

Les yeux exorbités de l'individu et sa peau tannée par le soleil démontraient suffisamment à quel point il avait souffert de la soif. La journaliste se rappela de nombreux cadavres ayant cette apparence. L'image d'un enfant mort de soif en tétant le sein tari de sa mère lui revint en mémoire. Elle eut un frisson.

— Oui, dit Dugan. Il faudra l'amener à la clinique d'El Djof et, de là, le faire transférer au Caire ou à Tripoli.

L'individu eut un sursaut. Il se mit à délirer, les yeux ouverts mais vides.

— L'*Homo novus*, dit-il. Je suis l'*Homo novus*.

Dugan s'empressa de lui redonner à boire.

— En pleine crise de mégalomanie, conclut-il. J'espère qu'il n'est pas dangereux.

Dugan et le chauffeur installèrent le malade sur le siège arrière. Une couverture fut tendue pour le protéger du soleil.

— Il s'est affaissé, dit Dugan, il devrait dormir jusqu'à votre arrivée à El Djof. Bonne route!

La jeep démarra. Dugan la regarda se perdre à travers les vagues des dunes.

— Et alors? s'informa le chauffeur auprès de la journaliste.

Elle lança un regard peu amène au chauffeur. N'était-ce pas son klaxon qui l'avait empêchée de remettre à sa place l'anthropologue?

— Vous me semblez choquée, dit le chauffeur. Il a sûrement essayé de vous violer. Je vous avais prévenu.

Si elle était idiote, que devait être le chauffeur? La réponse fit sourire la jeune femme.

— Rassurez-vous, il ne m'a même pas touchée.

— Un fou! s'exclama le conducteur. Moi, après dix ans de solitude, je vous aurais violée. Moi je suis un homme, un vrai.

Il sourit à la journaliste.

— Ça suffit! dit-elle. Contentez-vous de conduire. Vos exploits virils ne m'intéressent pas.

* * *

Dans la fraîcheur du monument, Dugan réfléchissait.

— Idiote mais belle, dit-il.

Il essaya de s'intéresser au courrier qu'il s'apprêtait à envoyer.

— Belle! répéta-t-il.

Il délaissa le courrier.

— Une bien belle femme!

Au fait quel était son nom?

— Élizabeth Hornik, se rappela l'anthropologue.

Il se remit à son courrier.

Je ne suis pas défini. Je m'altère aux choses. Je suis quelqu'un de vivant, quelqu'un en mouvement.

L'ouvrier

Chapitre II

Les cheveux blancs, la moustache en broussaille, le dos légèrement voûté, le professeur Alder Leuranc ne payait pas de mine. Il portait un sarrau blanc où l'on devinait des taches de sang et des trous d'acide.

Il passa la tête par la porte du secrétariat.

— Bonjour! dit-il.

La secrétaire, une ancienne étudiante, lui tendit une masse de paperasses. Leuranc s'en saisit et grogna un merci symbolique. Il trottina vers la cafeteria en jetant un coup d'œil à son courrier. Une lettre le surprit. Elle portait un timbre libyen.

— Évidemment! dit-il.

Il se servit au comptoir de la cafeteria et alla s'installer pour déjeuner. Sa table favorite était prise par de jeunes étudiants turbulents. Il dut se contenter d'une place de second ordre derrière une colonne. Ce désagrément l'affecta. Après toutes ces années, il n'appréciait pas se faire voler ainsi sa table. Il regarda les jeunes gens ayant commis l'affront et promit de se venger. Il ouvrit la lettre provenant de Libye et la parcourut tout en grignotant son petit déjeuner. Elle parlait de la découverte de sculptures datant de milliers d'années et ayant une ressemblance étonnante avec certaines structures biochimiques. On faisait allusion entre autres à la double hélice de l'ADN. Il était invité à venir sur place. Alder Leuranc chiffonna la lettre et la jeta à la poubelle. Il regarda de nouveau les jeunes gens ayant usurpé sa table.

— Évidemment! dit-il d'un air entendu.

Il finit son déjeuner en l'entrecoupant d'«évidemment» lourds de sens. Il y eut un certain brouhaha dans la cafeteria. Jacques De Mornay venait de faire son entrée. Il taquina la jeune préposée au service, se gratifia d'un généreux petit déjeuner puis, d'un geste mécanique, se dirigea vers la table habituellement occupée par Alder Leuranc.

— Que faites-vous là? demanda-t-il, outré, au groupe de jeunes étudiants.

Ceux-ci trouvèrent la question absurde et voulurent en rire. Jacques De Mornay les arrêta de la main et leur expliqua qu'il déjeunait à cette table depuis près de quatre ans avec son professeur et maître, et qu'il ne comptait pas passer outre à ce rite à cause de l'ignorance de jeunes étudiants frais arrivés et non instruits des traditions attachées au département de biologie. Il leur conseilla de trouver un autre site de réunion que la table du professeur Alder Leuranc et les chassa sans plus de cérémonie. Les étudiants préférèrent déménager plutôt que de subir les foudres de ce fou. Le professeur Alder Leuranc avait assisté avec satisfaction à la scène. Il fut heureux de reprendre possession de ses quartiers.

— Vous étiez là! s'étonna De Mornay.

— Évidemment! répondit le professeur. Ces jeunes ne respectent rien.

— Ils sont nouveaux et ne pouvaient deviner, les excusa Jacques De Mornay.

— Évidemment! se rasséréna le vieux professeur.

Jacques De Mornay avait le don de rendre de bonne humeur ce vieil homme par nature grincheux. Le fait étonnait. Tout choquait Alder Leuranc sauf ce que disait Jacques De Mornay et ce que disait Jacques De Mornay choquait tout le monde sauf Alder Leuranc. Il s'était créé entre les deux hommes une amitié solide que la différence d'âge n'atteignait pas. Jacques De Mornay allait sur ses vingt-sept ans alors qu'Alder Leuranc ne cachait nullement sa soixantaine avancée. Il avait longuement travaillé sur les configurations protéiques et en était devenu l'expert mondial.

— Vous avez lu les journaux? s'informa Jacques De Mornay.

Le vieux professeur répondit par un «évidemment» que De Mornay traduisit aussitôt par «non».

— On aurait fait une découverte importante dans le désert libyque: une construction plus majestueuse que la pyramide de Chéops et dénotant des progrès techniques insoupçonnés, tels les champs magnétiques et l'utilisation de l'énergie solaire. Le tout est accompagné de photos.

Alder Leuranc songea vaguement à la lettre qu'il avait jetée.

— Encore un canular, dit-il. La Libye semble être à la mode en ce qui concerne les canulars.

— Cet article n'a pas été publié par une feuille de chou et la personne qui l'a écrit est digne de foi. Vous connaissez sans doute Élizabeth Hornik.

Élizabeth Hornik! Ce nom n'était pas inconnu au vieux biologiste.

— N'est-ce pas cette journaliste qui a démasqué dernièrement des individus se faisant passer pour les envoyés de paix des extraterrestres?

— Elle-même! C'est d'ailleurs en voulant faire la lumière sur une histoire de soucoupes volantes qu'elle s'est rendue dans le désert libyque et qu'elle a pris contact avec cette découverte.

— Et l'histoire des soucoupes volantes?

— Fausse! Mais lisez vous-même, et n'oubliez pas de bien regarder les photos.

Jacques De Mornay tendit le journal à Alder Leuranc. Le vieux savant fut aussitôt pris par le sujet.

— Frédéric Dugan! dit-il. Ce nom me dit quelque chose.

Ce que racontait le journal lui parut incroyable. Alder Leuranc sursauta. Il désigna d'un doigt tremblant une photo.

— C'est la double hélice d'ADN de Watson et Crick.

— Cela y ressemble, approuva Jacques De Mornay.

Le vieux professeur se leva précipitamment et entreprit de fouiller une poubelle. Il en ressortit avec un bout de papier taché de moutarde et de café.

— Évidemment! dit-il.

Il essuya la lettre contre son sarrau et la tendit à Jacques De Mornay.

— Nous partons vers le désert libyque, dit-il.

* * *

Dans son bureau de l'université Harvard, Frank D. Darsey mettait le point final à un article sur les mœurs alimentaires du grizzly ou *Ursus horribilis* avant l'arrivée de l'homme blanc en Amérique.

— Publier ou périr! ricana-t-il entre ses dents.

Lui-même n'était pas près de périr. Le vaste champ que se conférait l'anthropologie lui permettait de publier sur n'importe quoi. Qui ne connaissait pas son célèbre aphorisme: «L'important n'est pas ce qu'on publie, l'important est de publier!» Mais rares étaient ceux qui connaissaient cet aphorisme dans son intégrité: «... De toute façon, personne ne le lira. Publier ne sert qu'à obtenir un meilleur salaire ou à légitimer ce que nous gagnons déjà.» La version non écurée faisait partie des mémoires posthumes de Frank H. Darsey.

Le célèbre anthropologue mit de côté l'article sur l'*Ursus horribilis* et jeta un regard distrait sur son vaste courrier. On lui écrivait de partout.

— Même de Libye, ajouta-t-il en cueillant une lettre dont le timbre inhabituel avait attiré son attention.

Il l'ouvrit et se dépêcha d'aller voir l'identité de l'expéditeur.

— Frédéric Dugan! s'étonna-t-il.

Depuis dix ans, il n'avait pas entendu parler de cet étudiant en qui il avait vu son dauphin. Que d'espoirs déçus! Le professeur Darsey parcourut la lettre avec intérêt, puis avec passion.

— Je le savais, dit-il. Bon sang ne saurait mentir! Je l'ai toujours su.

Il relut une deuxième fois la lettre. Sa mine devint sceptique.

— Curieux, dit-il. Très curieux même! Frédéric n'aura pas suffisamment cherché.

Il prit le téléphone et plaça un appel interne. À cent pieds de son bureau, un téléphone sonna.

— Françoise! Ici le professeur Darsey. Je viens de recevoir une lettre de..., tu ne devineras jamais, de Frédéric Dugan.

À l'autre bout du fil, Françoise quitta le récepteur et courut vers le bureau du professeur Darsey. Lorsqu'elle entra, celui-ci était toujours au téléphone. Il ne s'était pas aperçu de l'absence de son interlocutrice.

— Professeur, dit Françoise avec déférence.

Le professeur n'aimait pas qu'on le dérange lorsqu'il parlait au téléphone.

— Un instant! dit-il d'un air revêche. Tu ne vois pas que je te parle au téléphone?

Il reprit sa conversation téléphonique. Ce n'est qu'après quelques secondes qu'il s'aperçut du ridicule de la situation. Il referma le combiné sans marquer le moindre embarras.

— Avant que tu n'arrives, je te disais justement que je venais de recevoir une lettre de Frédéric Dugan. Il a fait une découverte prodigieuse en plein désert libyque. Il m'invite à me joindre aux recherches. Dans sa lettre, il note qu'il n'a encore trouvé aucune trace d'excréments ou de déchets. Je vais aller remédier à ce manque. Toute construction a toujours son petit coin de déchets. L'homme chie beaucoup plus souvent qu'il n'écrit de poèmes.

Françoise sourit de l'aphorisme.

— Puis-je voir la lettre? demanda-t-elle.

Le professeur la lui passa. Françoise fut un peu attristée de voir que Frédéric ne la mentionnait nullement. Mais pouvait-elle honnêtement s'attendre au contraire? Elle avait côtoyé Frédéric Dugan pendant près de cinq ans et jamais il n'avait semblé lui apporter une attention particulière. Certes, il était gentil. Il la traitait avec galanterie mais sans plus. Il n'y avait jamais eu de flirt entre elle et lui. Pourquoi s'était-elle mise à l'aimer? On ne le saura jamais. Toujours est-il que lorsqu'il disparut sans explications, elle fit une dépression nerveuse dont elle mit beaucoup de temps à se remettre. Seul le professeur Darsey avait découvert le pot aux roses. Pour tous les autres, Françoise, cette jeune femme libre et frivole, avait contracté la mononucléose.

— Puis-je vous accompagner?

— Et pourquoi penses-tu que je t'appelais? Mais qu'il soit bien clair entre nous que tu me seconderas en Libye pour tes qualités professionnelles et non pour tes défaillances sentimentales.

Françoise acquiesça.

— Le temps de trouver un substitut pour donner mon cours «Excréments et civilisations» et nous partons, conclut Frank H. Darsey.

* * *

Winnifred Mead sirotait un thé au citron en lisant son journal. L'article d'Élizabeth Hornik y couvrait deux colonnes et siégeait aux côtés d'une catastrophe aérienne. Winnifred Mead délaissa peu à peu son thé pour porter toute son attention à ce qu'elle lisait. Que cet article soit l'œuvre d'une femme lui conférait beaucoup de crédit. Winnifred Mead était non seulement une ethnologue réputée, elle était aussi, certains auraient dit surtout, une féministe. Partout sur son passage, elle découvrait des sociétés tribales matriarcales. Son dernier livre sur la tribu «Bikoumikou» de la Papouasie intérieure décrivait une société harmonieuse et heureuse où les femmes détenaient l'autorité alors que les hommes s'occupaient des tâches domestiques. Winnifred Mead s'était aussi penchée avec admiration sur la vie animale. Elle vouait un intérêt particulier aux abeilles.

Elle acheva la lecture de l'article sur le monument du désert libyque et, après une brève réflexion, se leva d'un air décidé.

— J'y vais, dit-elle. Une construction dénotant des connaissances techniques si grandes en des temps si reculés ne peut être le fait de l'homme.

* * *

Faisant les cent pas, Norbert Chamoux dictait à sa jeune secrétaire l'introduction d'un ouvrage, le vingt-sixième du genre.

— De tous les temps, un complot international a caché aux hommes leur véritable histoire. Le rôle premier des religions fut d'enfermer l'humanité dans des dogmes, des mythes, des schèmes de pensée la détournant des vérités originelles. Nous ne connaissons rien des débuts de l'homme. On nous a caché sa véritable origine, sa vraie genèse, sous un manteau de brume.

«Heureusement, aujourd'hui l'homme tend à sortir de la noirceur et se penche avec objectivité sur des faits qu'on a trop longtemps dissimulés. Dans ce livre, j'étalerai des preuves irréfutables de l'existence d'une conjuration de la contre-vérité. Je montrerai que l'Histoire enseignée de l'homme est l'inverse de la réalité. Dans la Bible, on se refuse à nommer la planète Vénus. Or, c'est de cette planète, entrée dans notre système solaire il y a cinq mille ans, qu'originent les étrangers venus de l'espace que nos ancêtres prirent pour des Dieux. Ce sont eux qui ont donné aux hommes la civilisation et la science. Ce sont eux qui...»

Dring... Dring...

La sonnerie du téléphone suspendit l'envolée de Norbert Chamoux. Il en conçut une légère irritation et répondit avec brusquerie.

— Oui!

Il se fit plus tendre.

— Quoi! ... Non... Tout de suite.

Il raccrocha.

— Qui était-ce? s'informa sa secrétaire.

— Avez-vous les journaux? lui demanda Norbert.

La jeune femme lui désigna une pile en retrait sur une chaise. Norbert Chamoux s'y lança. L'appel téléphonique émanait de son éditeur. On lui avait fait part de l'article d'Élizabeth Hornik sur l'étrange monument du désert libyque.

— «Sensationnel! s'exclama de joie Norbert Chamoux après avoir parcouru ledit article.

La jeune secrétaire partagea la joie de son patron.

— Enfin, dit-elle, vous possédez une preuve irréfutable. On n'osera plus vous qualifier de fabuliste.

— Après toutes ces années, dit Chamoux, me voilà enfin légitimé. Les bibliothèques cesseront de classer mes écrits avec le fantastique pour les mettre dans le seul secteur leur convenant: celui de l'Histoire avec un grand H. Mes détracteurs en prendront un coup de vieux.

Il embrassa la jeune secrétaire.

— Nicole, nous partons pour le désert libyque. Il ne faut pas laisser aux membres de la conjuration internationale le temps de saboter ce monument. Le découvreur semble être buté et imbibé de la propagande de contre-vérité. Je me dois de lui dessiller les yeux et votre charme pourrait m'être utile.

Nicole accepta avec fierté le rôle que son patron lui octroyait. Pourquoi le découvreur du monument, ce nommé Dugan, avait-il renié son histoire de base de soucoupes volantes alors que les journaux du monde entier en diffusaient des photos? La conjuration de la contre-vérité l'aurait-elle amené à renier ses écrits? Nicole expliqua sa pensée à Chamoux.

— Ce que vous dites a beaucoup de sens, convint son patron.

— D'ailleurs, nous nous appuyons sur une description que donne Dugan dans son livre pour expliquer la provenance extra-terrestre d'un bibelot trouvé en Assyrie.

Chamoux l'avait complètement oublié. Cette secrétaire lui était très utile. Elle lui avait fourni la moitié des idées de son dernier livre.

— C'est vrai! Nous devons le sortir des griffes de la conjuration de la contre-vérité. À nous deux, nous réussirons.

Nicole sourit de cette marque de confiance. Pendant qu'elle réservait les places d'avion pour Le Caire, Norbert Chamoux s'occupait des bagages en sifflotant. Ce qui arrivait était inespéré. Toutes les imbécillités qu'il écrivait depuis vingt ans allaient prendre un sens. Aurait-il frappé juste en déconnant des inepties pour gogos? Un miracle! Il n'y avait pas d'autre terme pour décrire l'événement.

Nicole connaissait une joie plus saine. Elle considérait son patron comme un chevalier combattant les dragons de la contre-vérité. La vérité ne pouvait que l'emporter et elle se donnait l'heureux rôle de la dame du héros. Norbert Chamoux avait deviné chez elle cette crédulité romantique et ne l'avait engagée que pour voir jusqu'où son public pouvait gober.

* * *

Élis mangeait avec application les étrangetés composant son déjeuner. Il s'était rétabli et devait sortir de l'hôpital sous peu.

Une infirmière au regard espiègle se montra.

— Vous ne nous aviez pas dit que vous étiez une vedette. Des journalistes désirent vous parler au sujet du monument du désert libyque. Ils ont reçu le O.K. de la direction. Êtes-vous prêt à les recevoir?

— Avec joie! répondit Élis.

Ils étaient trois: une femme sans attrait, si l'on excepte des seins anormalement gros, un homme avec une barbe et un autre portant une caméra.

— Soyez naturel, dit la femme. Nous allons vous poser des questions. Répondez le plus simplement possible.

Élis ne montrait nul signe de nervosité. Le cameraman se mit à filmer.

— Parlez-nous du monument et de Frédéric Dugan.

— Je n'ai pas vu le monument. Lorsque j'ai rencontré l'ouvrier, il cherchait encore. Je l'ai aidé quelque temps, puis je suis parti pelleter dans le désert.

— Pourquoi appelez-vous Frédéric Dugan l'ouvrier?

— Ce sont les Bédouins qui l'ont baptisé ainsi. Moi-même, ils m'appelaient le Pelleteur.

La femme ramena la conversation sur Dugan.

— Vous a-t-il parlé des soucoupes volantes?

— Pour autant que je connaisse l'ouvrier, il n'était pas enclin à porter créance à ces histoires d'extra-terrestres. Il traitait leurs auteurs de fumistes et ceux qui y croyaient de gogos.

Voilà qui ne manquait pas d'intérêt. Dugan abhorrait suffisamment les gogos et les fumistes pour concevoir un bluff destiné à les ridiculiser.

— Parlez-nous encore de Frédéric Dugan. Quelle impression vous a-t-il faite?

— Un individu solitaire creusant le désert pour dénicher une pyramide laisse toujours une forte impression. Je lui dois ce désir de vouloir accomplir quelque chose. Sans lui, je n'aurais jamais découvert la joie de pelleter et je n'aurais pu forger une discipline austère mais combien satisfaisante. L'ouvrier, sans trop le savoir, a marqué ma vie plus que n'importe quel être. Ne serait-ce que pour cette contribution à l'histoire, il ne sera pas oublié des générations futures.

— Pardon?

La femme ne comprenait plus. Elle tourna son visage vers le barbu. Celui-ci lui fit signe de laisser l'interviewé parler.

— Aujourd'hui, continua Élis, le jeune ne sait où aller. Il devient adepte de religions bizarres. Il perd sa jeunesse dans le rêve et la drogue. J'étais comme eux. Je songeais à l'absurde de l'existence. Je regardais le suicide comme l'issue normale, comme l'achèvement idéal du non-sens. Et puis, j'ai connu La Pelle.

Élis quitta son lit et fouilla dessous. Il en sortit une pelle.

— Voilà La Pelle! À première vue, elle n'éveille pas l'intérêt et pourtant, il y a dans cette pelle le germe d'une vie nouvelle. L'homme doit changer. L'homme doit évoluer et je crois avoir trouvé un moyen, parfois pénible, parfois difficile, mais toujours étonnamment vrai, un moyen qui rendra à l'homme la noblesse et la grandeur qu'une civilisation trop artificielle lui a enlevées.

Élis tendit La Pelle au bout de ses bras. Le cameraman en fit un gros plan.

— Coupez! dit le barbu.

Il remercia Élis et quitta la chambre. La femme lui demanda des explications.

— Que ce soit une pelle, une croix ou un croissant, cela importe peu. Qui nous dit que ce rescapé du désert et sa pelle ne marqueront pas plus le monde de demain que l'anthropologue et son monument? L'homme veut croire, et il croit surtout le farfelu. L'histoire nous montre l'efficacité des rescapés du désert à fonder des religions civilisatrices.

— Vous n'avez pas l'intention de présenter ce reportage à la télévision?

— Oh que si! Cela nous changera. Ce n'est pas tous les jours que l'on découvre un prophète. Qui sait si nos noms ne passeront pas à l'histoire rien que pour l'avoir diffusé?

Le barbu rigola doucement.

— Il y a déjà eu plus absurde, dit-il.

Ce que je dis et ce que je fais est vrai pour un moment donné. La vérité est tangentielle. La vérité n'est pas une constante pour ce qui vit.

L'ouvrier

Chapitre III

Tenir cette conférence de presse à l'intérieur même du monument était une idée dont Élizabeth Hornik pouvait être fière.

— Où dois-je m'asseoir? s'informa Frédéric Dugan.

La jeune femme lui désigna une chaise derrière la table. Dugan s'y glissa. La pièce regorgeait de journalistes. Dans quelques minutes, l'anthropologue allait faire face à leurs questions.

— Tout se passera bien, l'encouragea Élizabeth Hornik.

— Espérons-le! répondit Dugan.

Il regarda la pièce chargée de journalistes. Il sentit ceux-ci s'impatienter. Élizabeth Hornik poussa un soupir de soulagement. Alder Leuranc, le célèbre biologiste, et son disciple Jacques De Mornay venaient d'arriver.

— Vous êtes en retard, dit-elle au vieux professeur.

— Évidemment, dit-il pour s'excuser.

Le vieux professeur alla prendre place près de l'anthropologue.

— Un peu nerveux? demanda Dugan.

— Évidemment! répondit le vieil homme en montrant des yeux tous les journalistes.

Les cameramen et les techniciens prirent place. La séance de questions commença sans présentation. Tout le monde avait hâte d'aller au fait.

— Monsieur Dugan, entreprit Victor Gaudiss, journaliste d'actualité, comment avez-vous été amené à chercher des pyramides au désert libyque?

— Les Égyptiens, répondit l'anthropologue, croyaient en une «terre d'Occident» où allaient vivre leurs morts. Des papyrus en parlaient en termes si réalistes que j'ai douté que ce ne soit là qu'une croyance. Le désert libyque m'a semblé être l'endroit le plus indiqué pour être cette «terre d'Occident», car pour ce peuple sédentaire qui considérait l'Éléphantine comme le bout du monde, cette «terre d'Occident» ne pouvait se situer que près de l'Égypte. Sans compter que le désert libyque est la région à l'occident immédiat du Nil qui a été la moins fouillée. Si, à partir de poèmes épiques anciens, on a retrouvé les ruines de Troie, pourquoi n'aurais-je pu rendre à la réalité cette vieille croyance égyptienne?

— Et vous avez réussi!

— Oh que non! protesta Dugan. Ce monument n'a rien de commun avec la culture égyptienne. Que je l'aie trouvé demeure un fantastique coup de chance.

Carl Rawleigh, féru d'humanités et de classicisme, vit un rapport entre cette «terre d'Occident» des Égyptiens et l'Atlantide de Platon. Il posa une question entortillée que Dugan saisit difficilement.

— Il est possible, répondit l'anthropologue, que Platon se soit servi du «pays d'Occident» des Égyptiens pour forger son Atlantide mais nous n'en avons aucune preuve. D'ailleurs tout scientifique articulé admet que l'Atlantide n'est qu'une invention du grand philosophe pour décrire la cité idéale. Ceux qui croient à l'existence de l'Atlantide, y croient parce qu'ils veulent y croire. Ils se dupent eux-mêmes.

— Pour vous ce monument n'a aucun rapport avec l'Atlantide?

— Aucun! Mais je suis conscient que plusieurs adeptes du continent perdu y verront ce qu'ils cherchent.

— Ce monument, intervint Stanislas Desmond, journaliste scientifique, serait mu par l'énergie solaire. L'éclairage irradie des murs et il y aurait même un champ magnétique protecteur. Croyez-vous que ce monument soit l'œuvre d'extra-terrestres?

L'anthropologue eut un sourire.

— Je travaille à découvrir l'origine de ce monument, dit-il. La vérité risque d'être beaucoup moins ahurissante que ce que vous présumez.

— Pensez-vous que les meilleurs scientifiques porteront foi à vos dires sur l'énergie solaire et tous les phénomènes connexes?

— Les savants sont tous des Saint-Thomas, répondit Dugan. Ce monument est suffisamment réel pour qu'ils s'y mettent les doigts. Ils croiront ce qu'ils verront.

Carl Rawleigh revint à la charge. Instinctivement, Dugan comprit qu'il ne pourrait jamais blairer les postures maniérées de ce journaliste.

— Monsieur Dugan, une de vos découvertes est une photographie sur laquelle on discerne des engins volants. Je me rappelle vaguement avoir entendu parler de cartes arabes décrivant le continent américain avant la découverte de celui-ci. Pensez-vous que la civilisation ayant produit ce monument soit aussi à la base de ces cartes arabes?

De quelles cartes voulait bien parler Carl Rawleigh?

— Les seules cartes pouvant correspondre à vos propos sont celles de l'amiral turc Piri Reis. Ces cartes, aujourd'hui perdues, auraient décrit la côte est de l'Amérique. L'amiral Piri Reis les aurait décalquées à partir de documents originaux provenant de la bibliothèque d'Alexandrie. Les scientifiques supposent qu'elles auraient été le fruit d'expéditions phéniciennes en Amérique. Mais là, nous nous perdons dans les «peut-être». Quant à moi, je n'ai jamais découvert de photographie d'engins volants. Vous devriez vérifier vos sources de renseignements.

— Dans votre livre sur les soucoupes volantes, vous décrivez en détail ces cartes...

— Ce livre raconte des sornettes pour gogos, l'interrompit Dungan. Mlle Hornik a d'ailleurs fort bien expliqué dans quel but je l'avais écrit.

— Et pourtant, insista Carl Rawleigh, les journaux se remplissent de commentaires voulant que vous ayez effectivement rencontré des extra-terrestres et que ce soit eux qui vous auraient permis de découvrir ce monument.

— Ah bon! s'étonna à peine l'anthropologue. Ceux qui veulent croire sont rarement à court d'imagination.

— Il y a aussi un mouvement conduit par Adolf Winston, le célèbre égyptologue, qui ne se gêne pas pour vous traiter de charlatan. Vous vous trouvez au cœur d'une véritable polémique.

— Eh bien! émit d'un ton sec l'anthropologue. Ce monument recèle assez de matière pour nombre de questions intelligentes sans faire intervenir des potins et des polémiques fumeuses. Si vous voulez mettre en doute ma parole, ayez au moins la décence d'amener des faits et non des «on-dit»!

L'anthropologue et Carl Rawleigh échangèrent un long regard d'hostilité. Ce fut une question de Sébastien Desmond qui servit de dérivatif.

— Monsieur Dugan, devant la valeur des découvertes effectuées jusqu'ici, pouvons-nous penser qu'il y ait eu en ces lieux une civilisation se comparant techniquement à la nôtre, alors que partout ailleurs l'homme vivait à l'âge de pierre?

— En substance, oui! répondit Dugan. Quoiqu'on n'ait pas encore mesuré la vieillesse réelle de ce monument, je le crois antérieur aux pyramides. J'irai même jusqu'à dire que ce monument est le seul vestige prestigieux que nous possédons de l'époque antédiluvienne. Nous nous trouvons à l'intérieur d'une construction dont l'étude va révolutionner notre connaissance de l'homme.

Ces dernières paroles créèrent un brouhaha chez les journalistes. Assis près de l'anthropologue, Alder Leuranc commençait à s'ennuyer. Il aurait bien aimé qu'on lui adresse des questions.

— Docteur Leuranc, demanda avec déférence Sébastien Desmond, vous êtes l'une des plus grandes sommités mondiales en biologie moléculaire...

Le professeur murmura un «évidemment» plein de suffisance.

— ... votre présence ici signifie-t-elle l'intérêt marqué du monde scientifique pour cet étrange monument?

Le vieux professeur toussa doucement avant de répondre.

— Évidemment, dit-il, le monde scientifique s'intéresse à ce monument mais ma présence n'en est pas une de représentation. Je me suis rendu à l'invitation de Frédéric Dugan pour étudier des structures complexes que l'on a décrites comme des œuvres d'art d'une civilisation décadente, et qui pourraient fort bien être des maquettes de structures tertiaires de protéines.

Sébastien Desmond resta bouche bée.

— C'est incroyable, finit-il par articuler.

Le vieux professeur sourit.

— C'est bien pour ça que je me suis déplacé. Pensez-donc, je travaille depuis quarante ans à élucider les liaisons chimiques reliant les molécules composant les protéines, je me crois à l'avant-garde de la sience, je m'imagine reculant la frontière de l'inconnu et voilà que l'on trouve dans ce monument antédiluvien une reproduction de la double hélice d'ADN de Watson et Crick. Incroyable! Le mot n'est pas trop fort! Incroyable mais vrai!

Le vieux professeur se félicita de l'effet qu'avaient eu ses paroles. Tous le regardaient. Il était le point de mire.

— Qu'avez-vous trouvé en plus de la double hélice d'ADN?

— Je n'ai fait que regarder superficiellement les structures que le docteur Dugan m'a montré. J'ai cru y discerner une structure tertiaire de la myoglobine, de l'insuline ainsi que du chymotrypsinogène. Je dis bien «j'ai cru» car ces structures ne répondent pas exactement aux règles internationales de représentation que nous employons. Il me reste à percer les lois de représentations moléculaires qu'utilisait cette civilisation pour connaître exactement leur niveau de connaissance en biologie moléculaire. Je peux vous dire tout de suite qu'il est au moins comparable au nôtre.

— Croyez-vous que cette civilisation en était venue à un point tel en connaissances moléculaires qu'elle pouvait, sinon créer, du moins influencer l'évolution de la vie?

Cette question n'avait pas été prévue. Le professeur Leuranc toussa légèrement.

— Évidemment, je ne saurais dire... Vous présumez beaucoup jeune homme... Nous entrons dans un épineux problème moral. Je n'ai pas les éléments pour me prononcer.

Carl Rawleigh n'entendait rien aux molécules mais lorsqu'il fut question de «créer la vie», il sursauta.

— Professeur! dit-il d'un ton outragé. Si j'ai bien compris, votre science des molécules tend à créer la vie! Vous voulez vous substituer à Dieu! Croyez-vous mieux faire que Lui? Et pensez-vous vraiment que cette civilisation ait pu réaliser ce rêve damné?

«Nous y voilà!» pensa le professeur.

— Vous outrepassez mes propos, répondit Alder Leuranc. Je me suis refusé à parler sur ce sujet, sachant fort bien les passions qu'il pouvait susciter.

Jacques De Mornay regarda avec un certain dégoût ce Carl Rawleigh. Encore un qui voulait garder le monopole exclusif de la création à Dieu.

— D'autres questions? interrompit Élizabeth Hornik afin de permettre à Carl Rawleigh de se calmer.

— Oui! J'aimerais savoir si l'armée libyenne continuera encore longtemps à protéger le monument?

— La présence des militaires, leurs postes de contrôle et les fils barbelés entourant le monument ne sauraient nous être très sympathiques, répondit Frédéric Dugan. Mais c'est un moindre mal. La révélation de l'existence de ce monument a éveillé des passions incalculables. Il est possible que l'armée libyenne soit aidée d'ici peu par les forces de l'ONU. La Libye fait des pressions actuellement pour que l'on reconnaisse la zone du monument comme la première réserve culturelle internationale sous patronage de l'ONU.

— J'ai entendu dire que l'Égypte demandait que l'on reconnaisse le monument comme possession égyptienne. Qu'en est-il au juste?

— Je n'en sais rien, dit l'anthropologue. La question devra être posée aux hommes politiques responsables.

La conférence se continua. Dugan dut faire face à une autre attaque concernant son livre sur les soucoupes volantes. Il fut surpris de voir qu'on ne lui reprochait pas de l'avoir écrit, mais de l'avoir renié.

— Que les gens sont gogos! dit-il à Alder Leuranc une fois la conférence terminée.

— Gogos et stupides! enchérit le vieil homme. Il y en a encore qui croient en Dieu!

* * *

Nicole sortit dépitée du poste de garde. Norbert Chamoux la suivait. Ils n'étaient pas les seuls à avoir été déboutés. Des journalistes, des curieux: le flot des refusés augmentait. Un avis affiché sur la porte du poste précisait la présence sur les lieux d'une équipe de journalistes chargés d'informer objectivement le public des événements entourant l'étrange monument.

— S'ils pensent nous duper! protesta Nicole en désignant l'avis militaire.

— Ils ne veulent pas que l'humanité sache! dit Chamoux.

Un agrégat de curieux s'était formé autour d'un vieux crotté au volant d'une jeep.

— Oui, dit-il. C'est bien moi qui ai conduit l'anthropologue dans le désert.

— Avez-vous vu le monument?

— Comme je vous vois!

Les journalistes et la foule faisant cercle autour de lui. On le photographia sous différents angles.

— Que savez-vous de la base des soucoupes volantes?

Il n'en savait rien mais tous les gens l'entourant désiraient le contraire. Le conducteur ne voulut pas décevoir.

— J'ai vu les dernières soucoupes volantes s'élever dans le ciel. L'anthropologue leur envoyait des saluts de la main.

Chamoux rigola intérieurement en écoutant ce mensonge.

— Nous avons un témoin, dit-il à sa secrétaire. C'est bien suffisant pour qu'on croie à l'existence des extra-terrestres malgré les démentis de l'auteur.

— C'est inespéré! répondit Nicole.

Chamoux fendit la foule.

— Monsieur, dit-il, je me présente: Norbert Chamoux. Je m'occupe activement de tout ce qui touche la venue d'extra-terrestres. Seriez-vous en mesure de répéter ce que vous venez de dire?

Les journalistes photographièrent aussitôt Chamoux et le bombardèrent de questions.

— Voyons messieurs! dit l'écrivain. Un peu de tenue! Nous avons ici un témoin oculaire qui a vu ces soucoupes volantes que nous a révélées un livre de Frédéric Dugan, livre qu'il a aussitôt renié. Tout ceci est pour le moins curieux. Ce même Frédéric Dugan découvre une relique d'un autre âge, mue par l'énergie solaire, un monument cyclopéen pouvant tenir en ses flancs plusieurs pyramides. Ce monument est probablement le dernier vestige de l'Atlantide, ce monument contient les réponses aux questions que l'homme se pose depuis toujours sur son origine. Nous devons être vigilants car il existe dans ce monde des gens qui veulent nous cacher la vérité. Déjà, ils ont réussi à faire démentir par l'auteur lui-même l'histoire, pourtant vraie, d'une rencontre avec les extra-terrestres. Frédéric Dugan a quand même pu révéler au monde ce monument fantastique qui pourrait bien être la base des soucoupes volantes qu'il décrivait dans son livre. Nous vivons un des moments cruciaux de l'histoire de l'homme. Nous ne devons pas le laisser filer entre nos doigts. Nous devons le saisir et en faire un flambeau pour éclairer les hommes.

Des curieux se mirent à applaudir.

«Sûrement des lecteurs!» se dit Chamoux.

— Certains d'entre vous ont déjà lu un de mes livres.

Le mouvement de la foule confirma ses doutes.

— Certains d'entre vous me prennent peut-être pour un charlatan! La découverte de Frédéric Dugan tend pourtant à prouver que les vrais charlatans sont ces savants à la mine triste qui, sous prétexte d'un petit os, s'imaginent que nos ancêtres descendent des singes. Non! La vérité est tout autre! Nous sommes les descendants des extra-terrestres ayant construit ce monument dont on nous interdit l'accès. Nous ne sommes pas indigènes de la Terre. Nous sommes les rescapés d'une colonie spatiale venue de Vénus lorsque cette planète entra dans le système solaire cinq mille ans avant J.-C.. Nous n'avons rien de commun avec les pithécanthropes et les australopithèques.

Des soldats libyens s'approchèrent pour disperser la foule.

— Voyez! s'exclama Norbert Chamoux. On m'empêche de parler. On me refuse le droit de prêcher la vérité.

Les soldats se firent plus violents devant la résistance offerte.

— Ne faites pas leur jeu! cria Chamoux. Dispersez-vous et propagez la vérité sur la vraie origine de l'homme.

La foule se désagrégea. Chamoux resta seul avec le conducteur et Nicole.

— Mon ami, dit Chamoux, je me dois de vous citer dans mon prochain ouvrage. Grâce à votre témoignage, l'existence de la base de soucoupes volantes ne fait plus de doute.

Le conducteur voulut protester.

— Voici vingt dollars, dit Chamoux. J'espère que cela vous dédommagera pour les sarcasmes que l'on colportera sur votre vision.

Vingt dollars! On l'achetait! Le conducteur cessa de maugréer. Pour vingt dollars, il aurait dit n'importe quoi.

— Venez Nicole, nous retournons au Caire. Ce monument d'une autre époque, ce vestige oublié est le grain de sable qui détruira la savante machination montée par les religions et les Juifs pour dissimuler à l'homme sa véritable histoire. Nous ne devons pas manquer le coche.

Sur le chemin du retour, un doute assaillit Norbert Chamoux. «Et si tout ce que j'invente était vrai!» se dit-il.

Avant, j'avais la rage de ne pas croire en Dieu. Je me voulais plus grand que Dieu. Lorsqu'on est rien, on veut être tout. Maintenant, je suis le découvreur d'une œuvre unique au monde et cela me suffit amplement.

L'ouvrier

Chapitre IV

Après le reportage télévisé, on transféra Élis à l'unité psychiatrique. On crut que le désert l'avait rendu fou.

— Une cigarette? proposa le psychiatre à Élis.

— Merci, dit-il. Je ne fume pas. C'est là une habitude détestable.

— Vous croyez? demanda le psychiatre tout en allumant sa cigarette.

Il était évident qu'il considérait son patient comme un simple d'esprit. Élis le fixa avec sarcasme.

— Offrir une cigarette fait partie d'un rituel d'approche. Accepter un bien d'un individu en fait un ami. Dans certaines tribus, il suffit qu'un indigène accepte un présent d'un étranger pour que cet étranger soit en sécurité. C'est un acte d'apaisement. En m'offrant cette cigarette, c'est ce que vous recherchez.

Le psychiatre cligna des yeux.

— Ce que vous dites est très intéressant, dit-il en camouflant mal sa surprise.

Élis ne lui laissa pas le temps de prendre le contrôle de la conversation.

— Pour un psychiatre, la cigarette peut prendre plusieurs significations. Dans la bouche d'un homme, elle peut remplacer le mamelon de la mère. Dans la bouche d'une femme, elle représente le pénis alors que les lèvres colorées de rouge symbolisent l'entrée du vagin. Tout cela se passe bien sûr d'une façon inconsciente. Seul le psychiatre le sait. Le client fumeur ne se rend pas compte de l'apport de l'Éros dans son comportement. La cigarette étant dangereuse pour la santé, elle incarne aussi la pulsion vers la mort: le «Thanatos» si cher aux freudiens. Nous nous retrouvons avec une cigarette participant à la fois à un rituel d'approche et aux pulsions d'Éros et de Thanatos. Ainsi vous, psychiatre, devez vous demander si en refusant votre cigarette, je refuse le sein de ma mère, le pénis, symbole de virilité, ou le geste pacifique voulant apaiser mon agressivité.

— Vous avez déjà étudié la psychiatrie? demanda le médecin.

— Suffisamment pour me gausser de ses à-côtés ridicules. Suffisamment aussi pour redouter cette science de polichinelles. Je suis ici parce que l'on me croit dérangé, pour ne pas dire «fou». Or je ne suis rien de tout ça. Je suis un rénovateur. Je veux transformer la vie de l'homme. Je veux que l'*Homo sapiens* retrouve le sentier de l'évolution qu'il a délaissé. Je prêche la révolution de l'homme. Certains contemplent une croix, un croissant ou une bouse de vache. Moi, je propose une pelle. Je veux bien que l'on me traite d'illuminé mais je ne saurais accepter mon état de patient dans une clinique psychiatrique. Je suis sain d'esprit. Tellement sain d'esprit que des gens me croient fou. Ce n'est pas là une raison pour m'enfermer et m'empêcher de mener à bien mon œuvre civilisatrice.

Le psychiatre finit de barbouiller son petit calepin. Ce nouveau prophète ne lui semblait pas dangereux. Des pires que lui couraient les rues. Il n'avait qu'à penser à certains politiciens. Bien sûr, le fait d'avoir refusé la cigarette dénotait un complexe problème thanato-érotique avec rejet des amitiés rapides, mais il n'y avait pas là de quoi inquiéter.

— Je vais vous donner votre congé, dit-il.

Élis reçut cette nouvelle comme une délivrance. Il serra d'une poigne virile le manche de sa pelle. «Symbole phallique évident», ne put s'empêcher de penser le psychiatre. Il se leva et hésita à ouvrir la porte. Depuis sa prime enfance, il rechignait à manipuler les poignées de porte. C'est la raison qui l'avait dirigé en psychiatrie. Il fit un effort et ouvrit la porte de la chambre.

— Au revoir, monsieur Élis.

Élis ne répondit pas. Le psychiatre s'en alla avec la désagréable impression d'avoir fait un pas de plus vers l'inceste. Dans son subconscient, les poignées de porte représentaient les seins de sa mère. Chez lui, aucune porte n'avait de poignée. Toutes s'ouvraient en réponse à un signal sonore.

* * *

Depuis près de deux semaines, les deux archéologues allaient d'une pièce vide à une autre. Il n'y avait rien, pas le moindre vase brisé à se mettre sous la main.

— C'est à croire qu'il y a eu un grand nettoyage avant notre arrivée. Il n'y a pas de poussière, ni de toiles d'araignées. Tout est vide et propre.

Les deux archéologues pénétrèrent dans une pièce. Ils vérifièrent leur plan.

— Nous l'appellerons la chambre D-23.

Ils le notèrent et commencèrent à calculer l'aire de la pièce. La routine allait bon train lorsque l'un d'eux s'immobilisa en fixant un mur. Son collègue le regarda, agacé. Il avait hâte de terminer.

— Réveille-toi! dit-il.

Mais l'autre ne semblait pas vouloir se départir de son saisissement. Il avait ce regard vide qu'ont les savants devant l'inattendu.

— Le mur! dit-il.

— Le mur?

Il fixa à son tour cette paroi lumineuse. En regardant bien, il discerna des stries. Il se mit à avoir chaud. Étaient-ils sur le point d'écrire leurs noms dans l'histoire de l'archéologie? Ils s'approchèrent et purent voir que la paroi se composait de tablettes s'enfonçant dans la pierre.

— On dirait une bibliothèque, dit l'un.

L'autre ne parla pas, tout occupé à goûter la solennité du moment. Il ressentait cette fièvre de la découverte qu'il avait entrevue à travers la lecture des exploits des immortels de l'archéologie. L'ouverture de la tombe de Toutankhamon par Carter et son mécène, Lord Carnavon, lui revenait en mémoire. De la main, il tira une tablette. Celle-ci se dégagea du mur. La surprise des archéologues fut plus vive encore. La tablette mesurait près d'un mètre sur un mètre cinquante. Sur ses deux faces se dessinait un paysage. On aurait dit une photo. On y voyait une prairie verte sur laquelle se levait le soleil. Au bas, la tablette était gravée de légers trous et de petites bosses. Probablement un code dont la signification était perdue dans la nuit des temps.

— Une photo! dit l'un d'eux.

— Ce n'est pas une photo, c'est un hologramme: une photo en trois dimensions.

Il y avait de la déception dans leurs voix. Leur formation les avait préparés à un tas de reliques, de parchemins, de signes cunéiformes, mais à un hologramme vieux de plusieurs milliers d'années: jamais! Ils tirèrent sur d'autres tablettes espérant y dénicher quelque chose de plus orthodoxe. Ce fut peine perdue. Toutes s'acharnaient à représenter des paysages, parfois des montagnes, parfois la mer.

— Cela n'a pas de sens, dit l'un d'eux.

Il tira une dernière tablette au hasard. Les archéologues en restèrent bouche-bée. La tablette ne représentait pas un paysage mais une immense construction.

Son collègue eut un sursaut.

— Mais, dit-il, c'est le monument!

— Cela n'a pas de sens, dit l'autre. En prenant comme mesure ce qui est déjà retiré du sable, cette construction doit couvrir près de huit kilomètres carrés et s'élever à environ quatre cent mètres du sol. La grande pyramide de Giseh n'atteint que cent quarante-six mètres et est assise sur un carré dont les côtés mesurent deux cent trente mètres. Nous serions donc dans la plus grande construction de l'Antiquité.

— Pas seulement de l'Antiquité, rectifia son collègue.

Les deux hommes se regardèrent, hébétés, puis ils se tournèrent de nouveaux vers cet hologramme.

— À la rigueur, dit l'un, nous pourrions accepter l'immensité du monument. Là où j'abandonne c'est...

Il désigna du doigt les engins volants quittant le monument.

— Cela n'a pas de sens, approuva l'autre. Ce monument pue le canular.

— Disons plutôt qu'il nous dépasse. Nous avons été formés pour étudier plus simple, plus rustre que nous. L'archéologie classique n'a rien à foutre dans ce monument.

L'autre archéologue émit un grognement d'approbation. Ils restèrent quelques minutes silencieux.

— Finissons de prospecter la pièce, dit l'un.

Les archéologues sortirent leur caméra et entreprirent de photographier chaque plaque avec minutie.

* * *

Le professeur Darsey arriva deux semaines plus tard que prévu.

— J'ai eu toutes les peines du monde à dénicher un substitut pour donner mon cours «Excréments et civilisations», dit-il à Dugan. Françoise m'assistera dans mes recherches.

Françoise! Dugan fut étonné de ne pas l'avoir reconnue. Elle n'avait pas beaucoup changé. Il l'embrassa sur la joue.

— Et alors! Qu'avez-vous découvert? questionna Darsey.

— Les journaux étalent chacune de nos découvertes, dit Dugan.

— Les journaux ont toujours conté des sornettes pour vendre de la copie. Je veux connaître la vérité. Les histoires d'énergie solaire, de plaques holographiques ne sont que de la frime. Ce qui m'intéresse, ce sont les excréments, les fèces, les déchets. Ce n'est qu'à partir d'eux que nous pourrons nous faire une idée juste de ce monument. Je n'ai jamais vu un journal faire sa première page avec la découverte de grains de Zea maïs dans les crottes de dindon, et pourtant c'est là qu'est la véritable archéologie. Alors, où en sont les découvertes?

Dugan fut pris de court.

— Je ne sais trop quoi dire. L'idéal serait de rencontrer les archéologues déjà à pied d'œuvre.

L'œil de Darsey s'alluma. «De la concurrence!» Qu'importait, il serait le premier comme toujours à trouver.

— Auparavant, vous prendrez bien un rafraîchissement dans ma roulotte, proposa Dugan. J'ai l'air climatisé et il fait drôlement chaud sous ce soleil.

Ce ne fut pas de refus.

Les abords du monument s'étaient vite peuplés de roulottes afin de loger les scientifiques, les journalistes et les militaires. Dugan s'était vu octroyer une roulotte pour lui seul et il s'étonnait d'en priser autant le confort. Il appréciait particulièrement la toilette et la douche. Il les montra à Darsey.

— Une toilette biologique! s'offusqua le professeur. Les excréments y sont décomposés en humus et récupérés comme fertilisants. On m'a déjà parlé de ces toilettes. Elles ne me plaisent pas. Elles nient l'archéologie.

Dugan termina là la visite des lieux. Durant l'heure qui suivit, il expliqua au professeur Darsey la prise en charge du monument par l'ONU ainsi que le générique des diverses découvertes. Françoise écoutait, de plus en plus emballée, alors que le professeur Darsey semblait de plus en plus sceptique.

— Cela n'a pas de sens, finit-il par dire.

— Vous n'êtes pas le seul à penser ainsi, dit Dugan. Hier, les deux archéologues ayant découvert la salle aux représentations holographiques ont donné leur démission en prétextant que l'archéologie n'avait rien à foutre ici.

— Quoi! s'offusqua le professeur. Ces jeunes gens n'ont pas de patience! L'archéologie est une question de patience. Tu dois le savoir, toi qui a passé dix ans à chercher dans la solitude du désert.

Dugan ne le savait que trop.

— Si tu veux, s'imposa Darsey, je prends à partir de maintenant la direction des fouilles archéologiques. Avec moi, cela ne va pas traîner. Tu as ma parole.

— Vous allez au-delà de ma demande. Je suis content que vous acceptiez. Vous serez une dizaine d'archéologues venus de tous les coins du globe. Il y a même un Chinois.

— Un Chinois!

— Hé oui! La Chine fait partie des Nations Unies.

Un Chinois! La chose déplaisait à Darsey.

— Je comptais former ma propre équipe.

— L'ONU ne vous donnera pas cette latitude. Elle veut éviter les incidents diplomatiques.

— Nous serons au moins trois à nous connaître, dit Françoise.

— Je ne ferai pas partie de l'équipe archéologique, corrigea Dugan. Plusieurs disciplines étudient le monument: la biologie, la physique, l'archéologie,... D'autres s'y ajouteront. Nous attendons d'ici peu l'arrivée d'un astronome, d'un ingénieur en énergie et d'un géographe. Moi, je me contente de coordonner toutes ces sciences et, croyez-moi, c'est passionnant.

Darsey se rappela que Dugan avait passé les dernières années de son doctorat à fréquenter des biologistes et des mathématiciens.

— C'est toi qui a eu l'idée d'inviter ces gens des sciences pures? questionna avec désapprobation Darsey.

Dugan en convint.

— Nous n'avons jamais fait bon ménage avec ces gens, continua Darsey. Ils ne comprennent rien. Ils sont trop bornés à leurs expériences, comme si l'homme ne pouvait pas réfléchir. Depuis quelque temps, ils s'immiscent beaucoup trop dans les champs d'action dévolus aux sciences humaines. Certains biologistes vont même jusqu'à expliquer le comportement humain à partir du comportement animal. Ce ne sont que de grossières analogies. Plusieurs de leurs jugements sont d'ailleurs racistes et élitistes. N'oublions pas que ce sont eux les créateurs de la bombe H et de la bombe à neutrons. Ces inconscients préparent la fin du monde. J'espère ne pas avoir trop de relations avec eux. Les savoir là où il ne devrait y avoir que des anthropologues me déplaît souverainement. Il ne faudra s'attendre qu'à une collaboration ténue de ma part.

Dugan préféra ne pas aborder davantage le sujet. La haine du professeur Darsey pour les tenants des sciences pures lui était suffisamment connue. Il offrit une boisson pour détendre l'atmosphère. On parla du bon vieux temps. Le professeur Darsey retrouva sa bonne humeur et raconta pour la centième fois comment il avait découvert un temple hindou en s'arrêtant sur la route pour pisser. Chaque fois qu'il racontait cette anecdote, le temps où il pissait paraissait plus long. Dugan ne put s'empêcher de sourire. Il songeait à la fois où il avait entraîné le professeur Leuranc à une conférence de Darsey. La conférence terminée, Dugan avait fait état de son enthousiasme au biologiste.

— Quel cerveau que ce Darsey, avait-il dit.

— Dites plutôt: quelle vessie! avait retorqué Leuranc de son humour tranchant.

À l'époque, Dugan n'avait pas ri. L'estime qu'il portait à Darsey était trop grande. Aujourd'hui, il se demandait pourquoi. Certes Darsey était un personnage haut en couleurs. Il parlait de tout et il parlait fort. Mais que disait-il? Pas grand-chose! Il se demanda s'il avait bien fait de l'inviter. Il imagina avec horreur une rencontre entre Leuranc et Darsey. Puis il pensa à Françoise. Avait-elle réussi à équilibrer sa vie? Passait-elle toujours d'un extrême à l'autre?

Dugan sourit diplomatiquement de la tombée de l'anecdote du professeur Darsey.

— Et toi, Françoise, que deviens-tu?

— Un poste de professeur agrégé sera bientôt disponible au département, dit-elle. J'ai de bonnes chances de l'obtenir.

Aucune allusion à sa vie privée. Dugan comprit qu'elle ne voulait pas en parler. Il n'insista pas.

— Je vais vous montrer vos quartiers, dit-il, et vous présenter à l'équipe archéologique.

Darsey se leva, tout heureux de prendre en main les fouilles archéologiques. Il se promettait de belles découvertes. L'image de Winnifred Mead lui revint en mémoire.

— Ah oui! J'ai rencontré Winnifred Mead, l'ethnologue. Je suis surpris que tu l'aies invitée.

— Je ne l'ai pas invitée, dit Dugan quelque peu démonté.

— Alors que vient-elle faire ici? Elle y serait déjà, mais des collègues français l'ont priée de donner une série de conférences à la Sorbonne. Les ethnologues américains sont très à la mode là-bas. Prépare-toi à la recevoir. L'âge ne l'a pas rendue moins enquiquineuse. Lorsque je songe que j'ai failli l'épouser, j'ai des frissons dans le dos.

Le professeur entreprit la narration de cet épisode de sa jeunesse. Il était un conteur né. Dugan l'écouta à peine. L'arrivée imminente de Winnifred Mead ne lui plaisait pas. Où allait-il la caser?

Le soir en se couchant, il ne put s'empêcher d'y songer.

— Vieille sorcière! dit-il pour clore sa réflexion.

Et il s'endormit.

* * *

Le soleil s'était à peine levé que Jacques De Mornay et Frédéric Dugan couraient à travers les dunes. La température s'avérait idéale pour l'effort physique. Le soleil n'avait pas encore dissipé la fraîcheur de la nuit. Les deux hommes joggaient ainsi tous les matins.

— Ouf! dit Dugan en s'arrêtant près de sa roulotte.

Il haletait péniblement. À ses côtés, Jacques De Mornay ne montrait aucune fatigue.

— Commences-tu à retrouver la forme? s'informa-t-il.

— Oui! dit Dugan en prenant son pouls. Je récupère plus facilement. C'est difficile pour quelqu'un comme moi qui n'a jamais fait de sport.

— Il faut y aller progressivement. *Mens sana in corpore sano.*

Sur ce, il laissa Dugan et reprit sa course. L'anthropologue le regarda filer et l'envia.

— *Mens sana in corpore sano*, répéta-t-il.

Il prit une douche, un léger petit déjeuner et ressortit. La vue du soleil découpant le monument l'emplissait toujours d'une certaine joie de vivre. Il respira à pleins poumons l'air frais du désert. Autour de lui le travail était commencé. Dugan jeta un coup d'œil sur le déblaiement du monument. Des centaines de Pelleteurs, aidés par des tracteurs, délivraient peu à peu l'énorme pierre noire. Il sentit une présence derrière lui. Il se retourna.

— Bonjour, dit Élizabeth Hornik.

Dugan dut maîtriser ses sens. La présence d'Élizabeth Hornik déclenchait chez lui des picotements d'estomac et des palpitations.

— Bonjour, dit-il. Cela fait longtemps que je ne vous avais pas vue.

Dugan aurait pu préciser la date et l'heure de leur dernière rencontre. Le tout s'était encore une fois très mal terminé. Élizabeth Hornik lui avait reproché de ne pas l'avoir mise au courant de la signification véritable des structures protéiques. Dugan n'avait pu s'empêcher de récidiver en la taxant d'idiotie et d'ignorance.

— Me considérez-vous toujours comme une idiote? dit-elle.

— Il ne faut pas se formaliser de cette épithète, dit Dugan. Il m'arrive souvent de me traiter ainsi. Nous le sommes tous dans une certaine mesure. J'ai lu vos derniers articles, ils étaient très bien. Avec Sébastien Desmond, vous êtes la journaliste la plus valable que je connaisse.

Élizabeth Hornik n'eut pas le temps de relancer la conversation tant elle fut surprise par le compliment. Déjà, Dugan s'était excusé et se dirigeait à grands pas vers le monument.

La journaliste resta sceptique. Pourquoi avait-elle l'impression qu'il la fuyait? La considérait-il vraiment comme une simple d'esprit? À moins qu'il ne soit un mâle chauvin incapable de reconnaître à la femme la moindre intelligence?

— Et pourtant, dit-elle, je finirai bien par savoir ce qu'il est et ce qu'il pense.

Dugan l'intéressait; non seulement pour ses dix ans de solitude qui le mettaient hors du commun, mais aussi pour sa gérance efficace des fouilles. De cette gérance transpirait une ouverture de vue et un esprit critique qu'elle ne s'était jusqu'alors jamais imaginé.

Le problème de l'homme, c'est d'être un grain d'infini au sein d'une carcasse finie. L'homme n'a pas encore su digérer sa capacité de pensée conceptuelle. Il chie en écrivant des poèmes.

L'ouvrier

Chapitre V

Dugan entra en trombe dans la salle aux cartes. Le géographe parlait avec deux journalistes.

— Alors? demanda Dugan.

Le géographe désigna les cartes.

— Depuis mon arrivée, je m'évertue à trouver des pendants terrestres à ces paysages. Tout cela en pure perte. Ces hologrammes ne représentent pas des paysages terrestres.

— Quoi? s'étonna Dugan. Comment pouvez-vous être si affirmatif? Ces paysages ont pu évoluer jusqu'à devenir méconnaissables.

— Oui, mais le diamètre de la planète n'est pas élastique.

— Le diamètre de la planète? interrogea Dugan.

— Regardez l'horizon sur ces paysages. Ici, il semble très, très loin et là, tout proche. Le premier appartient à une planète beaucoup plus grosse que la terre et le deuxième à une planète plus petite. Ces photos ont été prises sur d'autres mondes que le nôtre.

Pendant que les journalistes enregistraient et photographiaient, Dugan était sans voix. Si tel était le cas, ces hologrammes prouvaient hors de tout doute que la vie existait sur d'autres planètes. Du moins la vie végétale car les hologrammes ne montraient aucune vie animale.

— Mais, dit Dugan, un changement de lentille a pu changer la perspective. Vous ne pouvez être aussi catégorique.

— J'ai vérifié, dit le géographe, et ce n'est pas un problème de lentille. Seulement trois clichés peuvent représenter la Terre.

— Trois! répéta Dugan.

C'était bien peu lorsqu'on songeait aux centaines d'hologrammes que contenait la pièce. «Trois» notèrent les journalistes.

— Et quels sont-ils? demanda l'un d'eux.

Le géographe les montra. Jacques De Mornay pénétra dans la pièce et assista à la présentation des trois paysages terrestres. L'un représentait le monument. Le deuxième une mer de glaces et le dernier une montagne.

— Et d'après vous quel serait l'âge du monument? demanda un journaliste au géographe.

— Entre cent mille ans et quelques millions d'années, dit-il.

Les chiffres résonnèrent dans la tête de Dugan. Les plus vieilles reliques de civilisations connues dataient de dix mille ans. Il se doutait bien que le monument ne datait pas d'hier mais les propos du géographe n'en étaient pas moins exagérés.

— Restons sérieux! dit Dugan. N'imaginons pas n'importe quoi! Un géologue doit arriver d'ici peu. Nous lui soumettrons le problème. L'explication sera probablement moins sensationnelle. Essayons de ne pas tomber dans la romance.

Les journalistes comprirent à qui s'adressaient ces paroles. Frédéric Dugan n'avait pas prisé certains articles où l'on parlait de civilisations de l'espace, d'extra-terrestres. Parfois, on lui prêtait des propos qu'il n'avait jamais eus ou on se référait à sa rencontre avec des êtres sidéraux.

— Nous ne faisons que rapporter les faits! se défendit un des deux journalistes.

Jacques De Mornay se mit à rire.

— Les faits mêlés aux hypothèses, dit-il.

— Nous tenons compte des hypothèses, admit le journaliste. Est-ce notre faute si ces hypothèses font appel à l'incroyable? Est-ce notre faute si ce monument se trouve mu par l'énergie solaire? Est-ce notre faute si ce monument se moque de tout?

— Vous délirez déjà, dit Dugan. Rien ne prouve que ce monument utilise l'énergie solaire. C'est là une de vos nombreuses inventions.

— Et la lueur bleutée des murs? Et la fraîcheur de la pierre malgré la chaleur cuisante du soleil?

— Ce sont des faits que nous ne pouvons nier mais le soleil n'en est pas nécessairement l'instigateur. L'utilisation de l'énergie solaire par le monument demeure dans le domaine des hypothèses. Rien n'est prouvé.

— Comment expliquer ces manifestations du monument?

— Nous ne le savons pas, dit Dugan. Nous cherchons à comprendre.

— Le lecteur veut savoir! dit le journaliste.

— Et s'il veut savoir que ce monument est l'Atlantide, vous lui laissez supposer que ce pourrait bien être le cas, même si l'Atlantide n'a jamais existé ailleurs que dans l'imagination de Platon.

— C'est vous qui le dites, rétorqua le journaliste. On a trouvé des preuves autant en Europe qu'en Amérique de l'existence d'un continent dans l'Atlantique.

— Balivernes! répondit Dugan. Le désert libyque n'est pas l'Atlantide.

— D'ailleurs, intervient Jacques De Mornay, ce qu'on aurait découvert en Amérique dénoterait la connaissance vague d'un continent dans l'Atlantique et ce qu'on aurait découvert en Europe décrirait le même fait.

— C'est ce que je disais! triompha le journaliste.

— Oh non! dit Jacques De Mornay. Vous présumiez l'existence d'un continent entre l'Europe et l'Amérique.

— Que peut-on déduire d'autre?

Jacques De Mornay sourit.

— Il y a tout lieu de penser qu'au cours des millénaires, il y ait eu des mini-échanges entre l'Europe et l'Amérique. Échanges ayant pu se produire par une ou des expéditions phéniciennes ou vikings. Les supposés documents d'Amérique parlant d'un continent en Atlantique décriraient donc l'Europe ou l'Afrique alors que ceux d'Europe désigneraient l'Amérique. Vouloir créer un nouveau continent en plein Atlantique apparaît comme une solution tortueuse et peu banale. Mais elle ne tient sur rien.

Le journaliste apprécia le raisonnement.

— Ce que vous dites ne manque pas de sens, dut-il admettre.

Dugan goûta la logique habile de De Mornay même si rien, tant en Amérique qu'en Europe, ne faisait mention de l'existence d'un continent dans l'Atlantique. Rien sauf quelques phrases de Platon.

— Écoutez, dit-il aux deux journalistes. Il nous serait vain de parler de l'Atlantide. En tant que scientifique, on ne m'a jamais apporté une preuve sérieuse corroborant son existence. Qu'on me l'apporte et je changerai d'avis. En attendant, je suis convaincu que l'Atlantide n'est qu'une invention de Platon pour décrire un régime politique idéal.

— Que vient faire Platon là-dedans? protesta un journaliste.

— Mais c'est lui qui est l'instigateur de toute cette histoire! s'étonna Dugan.

Jacques De Mornay rit de nouveau.

— Il semble bien que ces journalistes ne connaissent pas la mince origine d'un mythe qui a passionné une trentaine de générations et produit près de vingt-cinq mille monographies.

— Il semble bien, admit cyniquement Dugan.

Les deux journalistes comprirent qu'on se moquait d'eux.

— Et cela écrit des articles! continua De Mornay.

— Incroyable! dit Dugan. Ce n'est pas de la mauvaise foi, c'est de l'ignorance. C'est beaucoup plus grave.

— Pas étonnant, reprit De Mornay, que tant de gens portent foi à l'Atlantide si ceux qui doivent les informer objectivement ne sont même pas foutus de connaître la source fragile de ce mythe.

Dugan et De Mornay se sourirent. On sentit entre eux une complicité naturelle. Le géographe qui n'avait fait qu'assister jusqu'ici à l'affrontement osa s'y immiscer.

— Quant à moi, dit-il, j'avoue mon ignorance du rapport existant entre Platon et l'Atlantide. La géographie est mon seul champ de connaissance. J'ignore tout de la philosophie.

— Vous voyez, se réjouit un journaliste. Nous ne sommes pas les seuls à l'ignorer.

— Certes! confirma Dugan. Mais Lebuis, géographe de métier, n'écrit pas des articles sur l'Atlantide. Vous si!

— Alors au lieu de vous payer notre tête, éclairez donc notre lanterne!

— Je veux bien, dit Dugan. Pour ce, il vous faudra lire Platon.

— Excellente idée! approuva De Mornay.

— Puis nous en discuterons, dit Dugan.

— Toute l'œuvre de Platon? s'informa un journaliste.

— Oh que non! répondit horrifié Dugan. Seulement le Timée et le Critias: l'origine de l'Atlantide s'y trouve. Je ne ferais pas lire l'intégrité des dialogues de Platon à mon pire ennemi.

* * *

Winnifred Mead déposa ses bagages sur le sable. Elle ne réussissait pas à se départir du vertige qui l'avait saisie en présence du monument. À la voir ainsi, les yeux légèrement exorbités, la bouche béante de surprise, Darsey ne put s'empêcher de pouffer de rire.

Winnifred reconnut vite ce rire tonitruant.

— Toujours aussi rigolard, Hercule!

Frank H. Darsey rit de plus belle. Winnifred était le seul être sur terre à l'appeler ainsi. Les autres utilisaient les vocables «Frank», «Darsey» ou «maître».

— C'est immense, n'est-ce pas? dit-il comme si le monument lui appartenait.

— Mais qu'est-ce que c'est? interrogea Winnifred Mead.

— Jusqu'ici nous n'avons absolument rien trouvé. C'est le néant. Nous en sommes au point zéro.

— Les structures biomoléculaires, le bleu des murs, les hologrammes! Tout cela est faux! dit déçue l'ethnologue.

— Oh ça! dit Darsey d'un geste insouciant de la main. C'est vrai, mais qu'est-ce que cela nous apporte de concret sur la vie ayant rempli ce monument? Rien ou si peu!

— Alors qu'une petite crotte de bique est si volubile, compléta avec sarcasme Winnifred Mead.

Frank H. Darsey reprit son rire.

— Si tu savais, dit-il, combien j'aimerais trouver ne serait-ce qu'une petite crotte de bique. Jusqu'ici rien! À croire que la civilisation ayant construit ce monument était constipée. Mais trêve de balivernes, que viens-tu faire ici? Frédéric Dugan m'a dit ne pas t'avoir invitée.

— Si j'avais toujours attendu d'être invitée, je serais probablement femme d'intérieur avec comme horizon la baie vitrée donnant sur le jardin, répondit l'ethnologue. Ce monument m'intéressait, je suis venue constater *de visu*. Ce n'est pas Frédéric Dugan qui m'en empêchera. D'ailleurs, j'ai passé sans encombre le poste de garde alors que bien d'autres s'y cognaient le nez.

— Après que je l'ai averti, Frédéric Dugan a informé les militaires de ton arrivée.

— À défaut de m'inviter, il ne me ferme pas la porte. C'est gentil à lui. J'aimerais rencontrer la journaliste qui a divulgué au monde l'existence de ce monument.

— Élizabeth Hornik! Je crois qu'elle demeure dans la roulotte des journalistes. C'est la verte.

Winnifred Mead s'y dirigea. Darsey la regarda s'éloigner. Seraitelle devenue si sèche et si rêche s'il l'avait épousée? Elle aurait pu lui donner de beaux enfants. À l'époque, elle était belle, pleine d'humour et si intelligente. Pourquoi cette aigreur avec l'âge? Lui-même vieillissait mal. Il perdait peu à peu cette facilité qu'il avait de rire de lui. Il se prenait trop au sérieux. La douce silhouette de Winnifred Mead lui tendant les bras surgit de son passé.

— Quel con j'ai été! dit-il.

Il se dépêcha vers le monument. Même la découverte d'une bouse de vache ne lui aurait pas rendu sa bonne humeur.

* * *

On se faisait de plus en plus pressant. Même l'ONU lui avait officieusement laissé entendre qu'elle verrait d'un bon œil une apparition publique dans le cadre d'un débat ou d'une conférence.

Dugan relut l'invitation de son Alma Mater. Accepter signifiait traverser l'océan et faire face aux feux de la rampe. Le monument avait éveillé des passions si diverses et tellement contradictoires que Dugan craignait de s'y brûler.

On cogna à la porte de la roulotte. Dugan alla ouvrir. Encore une fois, il connut des picotements d'estomac et une fréquence cardiaque accentuée.

— Puis-je entrer? demanda Élizabeth Hornik.

Dugan ne put le lui refuser. Elle alla s'asseoir sur une chaise faisant face au bureau de l'anthropologue. Quoique heureux de la voir, Dugan se demandait le pourquoi de cette visite. Il se rappelait leur dernière rencontre. Ils n'avaient échangé qu'une phrase.

— Je fais ma visite de paroisse, dit-elle. Demain, je rentre en Amérique.

Dugan ne laissa pas paraître son désarroi. Le départ soudain d'Élizabeth détruisait ses plans un peu naïfs de conquête amoureuse. La journaliste fut déçue de ne lire aucune tristesse, aucune déception dans l'attitude de l'anthropologue. Cet homme la déconcertait.

— Vous partez pour combien de temps? demanda Dugan avec un faux air d'indifférence.

— Je ne pense pas revenir, répondit la journaliste.

Dugan se gratta la tête. Il était manifeste que cette réponse ne lui plaisait pas. Élizabeth le remarqua avec plaisir.

— Et pourquoi partez-vous?

— Le monument foisonne de journalistes qui ont beaucoup plus de talent et de connaissances que moi. Je perds mon temps à vouloir rester ici.

Dugan leva un sourcil. Il eut un regard d'incrédulité envers Élizabeth.

— Vous vous moquez de moi, dit-il. La majorité des journalistes ne vous vont pas à la cheville et vous le savez fort bien. Votre article sur la salle des hologrammes est un véritable bijou. Ceux de vos collègues ne s'y comparent pas.

— Merci! dit Élizabeth. Il est toujours plaisant de se faire complimenter par quelqu'un qui vous a déjà vilipendée.

— Vilipender! Le terme est fort! protesta Dugan. Je vous ai critiquée et ce fut strictement en privé. J'ai probablement été au delà de ma pensée. D'ailleurs, j'ai essayé de m'en excuser. J'ai peut-être été un peu malhabile mais j'aimerais que vous ne m'en teniez pas rigueur. Disons que...

Dugan s'empêtrait dans ses phrases. Il s'arrêta en remarquant le sourire moqueur d'Élizabeth.

— Je crains que mes excuses ne sombrent dans le ridicule, eut-il comme commentaire.

— Du tout, le rassura Élizabeth. Je vous écouterais des heures durant.

Se moquait-elle de lui? Si oui, Dugan se dit qu'il l'avait bien mérité. Pourquoi avait-il été désagréable envers Élizabeth alors qu'il ressentait pour elle une vive attirance? Dugan ne se comprenait pas très bien.

— Votre départ me peine, dit-il en rougissant. J'aurais aimé avoir l'occasion de mieux vous connaître.

— Moi aussi, dit Élizabeth, mais vous n'avez rien fait en ce sens.

La rougeur de Dugan décupla. Il y eut un silence.

— ...et vous ne faites toujours rien, compléta Élizabeth.

— Je dois admettre que c'est bien mal parti, articula Dugan en reprenant sur lui-même. C'est toujours ainsi avec les femmes qui me plaisent. Je fais montre d'une maladresse et d'une timidité qui m'étonnent moi-même. Ces dix ans de solitude dans le désert n'ont rien amélioré sur ce plan... Nous pourrions peut-être passer la soirée en tête-à-tête?

— Impossible, dit Élizabeth. D'ici une heure, je serai en route vers Le Caire et, dès demain, je m'envolerai pour New York.

— Dans ce cas, nous pourrions nous rencontrer en Amérique.

— Vous comptez vous rendre en Amérique? s'étonna Élizabeth. Je vous imaginais rivé à jamais à ce monument.

— Je m'y rendrai d'ici un mois pour donner une conférence à l'université Berkeley. C'est là que j'ai obtenu mon doctorat.

— Dans ce cas, ce sera sûrement réalisable, dit Élizabeth.

— Je me rappelle un petit restaurant français aux abords de l'université. Pendant mes dix ans de désert, je m'y suis souvent vu dégustant un bon repas en compagnie d'une belle femme. C'était là un rêve bien agréable que vous ne me refuserez pas de réaliser.

La tournure de la proposition amusa Élizabeth.

— Vous n'êtes peut-être pas complètement irrécupérable, dit-elle en souriant.

* * *

Le lendemain, Élizabeth Hornik quittait l'Afrique. Un défi important l'attendait en Amérique. Après avoir fourbi ses armes dans le journalisme écrit, elle allait maintenant faire face à la caméra. Un réseau américain lui avait offert un contrat très lucratif pour qu'elle fasse le saut. Élizabeth réalisait ainsi une de ses nombreuses ambitions. Le journalisme électronique n'était d'ailleurs qu'une étape. Élizabeth rêvait de s'impliquer dans la vie politique et sociale. Pour le moment, elle se forgeait une renommée, mais demain elle se promettait d'ajouter son nom aux côtés de ceux de Golda Meir, Margaret Thatcher et Indîrâ Gândhi.

Je suis toujours exaspéré mais qui de nos jours ne l'est pas devant la bêtise humaine.

L'ouvrier

Chapitre VI

Alder Leuranc sortit du monument en gesticulant. Deux journalistes le poursuivaient.

— Docteur Leuranc, qu'avez-vous trouvé?

— Si vous saviez! répondit le vieux professeur. C'est incroyable! Positivement incroyable!

— Qu'est-ce qui est incroyable?

— Parfaitement incroyable! répéta le docteur Leuranc.

Jacques De Mornay avait vu de loin l'excitation de son maître. Il délaissa la jeune infirmière qu'il draguait et se pressa vers le vieux professeur.

— Que se passe-t-il?

— Incroyable! lui répondit Leuranc. Tout simplement incroyable. Ce que j'ai découvert va ébranler les bases même de l'histoire humaine. C'est incroyable. Vraiment incroyable.

Le vieux professeur, tout en gesticulant, s'était rendu devant la roulotte de Dugan. Il y entra sans cogner, suivi d'un agglomérat de plus en plus compact de journalistes flairant le sensationnel.

— Incroyable! cria-t-il en cherchant l'anthropologue.

Dugan se trouvait sur le bol de la toilette. Il se dépêcha d'en finir.

— J'arrive, dit-il pour faire patienter les intrus.

Il sortit des toilettes et vit le professeur Leuranc, De Mornay et les journalistes.

— Que se passe-t-il?

De Mornay et les journalistes laissèrent le vieux professeur s'expliquer.

— C'est incroyable! dit-il. Absolument incroyable! L'homme n'est plus l'homme et Dieu n'est plus Dieu! Tout est sens dessus dessous! Les religions sont de la tarte et la science actuelle ne va pas à la cheville de ce qu'elle a déjà été. Tout est à repenser. Nous sommes des cons.

Les journalistes se regardèrent. Le vieux professeur commençait-il à souffrir des méfaits de l'athérosclérose ou avait-il effectivement découvert de quoi bouleverser les civilisations?

Dugan s'employa à calmer Alder Leuranc. Il y réussit avec l'aide de De Mornay. Le professeur reprit son souffle, bien assis sur une chaise. Il cessa de répéter des «incroyable» et sembla reprendre le contrôle de ses nerfs.

— Évidemment, dit-il, je me suis laissé emporter. Mais qui ne l'aurait été? Ce que j'ai découvert est si incroyable! Depuis quelques jours, je travaille sur des illustrations de chromosomes incrustées dans les murs d'une salle. J'espérais ainsi réussir à découvrir les concepts de figuration chromosomique et biochimique des bâtisseurs de ce monument.

Les journalistes comprirent que ce qui suivrait serait du véritable charabia pour eux. L'un d'eux quitta la roulotte pour aller quérir Sébastien Desmond, le seul reporter qui pouvait se démerder en biologie moléculaire.

— Et vous avez déchiffré le code de représentation moléculaire de ces structures? demanda Dugan.

— Oh ça! dit Leuranc. Ce n'est rien. Ce n'est pas incroyable. Ce n'est qu'un vulgaire décodage. Champollion a fait de même avec les hiéroglyphes. Ce n'est pas là mon propos.

Le professeur commençait à intéresser drôlement Dugan.

— Mais qu'avez-vous découvert? demanda De Mornay, qui avait cru que son patron en était venu à découvrir la solution au décodage des structures moléculaires et qu'il n'avait pas pu s'empêcher d'en faire tout un plat.

Le professeur jouit tranquillement du moment. On était accroché à ses lèvres.

— Dans une salle connexe, dit-il, la salle C-22, il y avait des tablettes sur lesquelles reposaient de minuscules petits blocs ayant à peine la grosseur du bout de mon ongle. Tout le monde est venu les voir mais personne n'a trouvé ce que pouvait bien être l'utilité de ces micro-briquettes.

— Je sais, dit Dugan. Et c'est toujours une énigme.

— Ce ne l'est plus! s'exclama Alder Leuranc avec une joie enfantine. Ce ne l'est plus! répéta-t-il, heureux de l'effet théâtral de cette révélation.

— Et qu'est-ce que c'est? demanda Dugan, très intéressé à percer à jour l'un des nombreux mystères du monument.

— Ce sont des archives!

— Des archives!?

— Oui! Des archives!

Sébastien Desmond entra dans la roulotte. Le vieux professeur fut heureux d'avoir un auditeur de plus.

— De véritables archives! répéta-t-il.

— Nous voulons bien, dit Dugan. Mais sur quoi vous basez-vous pour affirmer que ce sont des archives et des archives de quoi?

Le vieux professeur ne put s'empêcher de sourire tant il était content de soi.

— C'est si incroyable! dit-il.

Dugan commençait à s'impatienter. Il se demandait si le professeur avait vraiment quelque chose d'intéressant à dire ou s'il ne jouait qu'à faire de l'épate. On cogna à la porte. «Enfin, quelqu'un qui ne prend pas cette roulotte pour une place publique!» pensa Dugan. Il alla ouvrir. C'était Jonathan Schmitch, un ingénieur spécialisé dans l'énergie. Il n'était sur place que depuis une semaine et avait pris rendez-vous avec Dugan.

— Bonjour! dit-il.

Il vit que Dugan était occupé.

— Excusez-moi! Je peux revenir.

— Non! Non! dit Dugan. Vous pouvez rester. Le professeur Leuranc a fait une découverte fantastique et il s'apprête à nous la révéler. Un auditeur de plus ne peut que lui faire plaisir.

Il y avait un peu de sarcasme et d'impatience dans la voix de Dugan. Tous s'en aperçurent sauf le professeur. Il était bien trop accaparé par sa découverte.

— Il semble que cette découverte soit incroyable, dit un journaliste à l'adresse de l'ingénieur.

— Je crois deviner ce que c'est, dit sans ambages l'ingénieur.

Tous les regards se tournèrent vers lui. À l'étonnement de De Mornay, le professeur Alder Leuranc ne sembla pas offusqué de se voir ravir la vedette. Il alla même jusqu'à inviter l'ingénieur à parler.

— M. Schmitch vous expliquera mieux que moi en quoi ces micro-briquettes sont de véritables archives.

M. Schmitch sourit. Il ne détestait pas parler en public. On le disait bon orateur.

— En arrivant ici, j'ai visité entre autres la salle C-22 et j'ai pu voir ces briquettes minuscules. On m'a dit qu'on n'en connaissait pas l'utilité. Le soir-même, j'ai eu un flash: ces plaquettes m'ont rappelé certains éléments de micro-ordinateurs. J'ai subtilisé, avec la permission du docteur Leuranc, trois plaquettes que j'ai envoyées à un ami, spécialiste en micro-informatique. Ce matin, j'ai recu sa réponse. Ces tablettes sont en fait des micro-mémoires. Il a réussi à les déchiffrer par un procédé complexe. Toute son équipe y a travaillé jour et nuit. J'ai transmis à Leuranc les résultats. Mon ami ne savait pas si cela avait un sens ou non. La réaction de M. Leuranc a suffi à me faire comprendre que le travail de décryptage effectué sur ces plaquettes était adéquat. Il ne cessait de dire que c'était incroyable. Et je suis d'accord avec lui. Les gens qui ont construit ce monument auraient pu concentrer l'*Encyclopaedia Britannica* sur la pointe d'une aiguille. Chaque petite plaque de la salle C-22 renferme des informations claires avec dessins et photos. Un tel degré technique est incroyable. Je comprends la surprise de M. Leuranc et le qualificatif qu'il a employé.

Jonathan Schmitch se tut.

— Mais c'est fantastique! s'exclama Sébastien Desmond.

— Incroyable! rectifia le professeur.

Dugan réfléchissait. Une fois ces tablettes décodées, cette surprenante civilisation d'autrefois n'aurait plus de secret. Il se gratta l'oreille tant cette perspective le bouleversait. Les journalistes s'apprêtaient à quitter la roulotte pour diffuser la nouvelle aux quatre coins du monde.

— Attendez! leur cria le professeur Leuranc. Tout cela n'est rien. Il y a encore plus incroyable.

Les journalistes reprirent leur position d'attente. Que pouvait-on révéler de plus sensationnel encore?

— Que ces plaquettes soient des micro-mémoires ultra-perfectionnées est une chose mais les informations qu'elles recèlent en est une autre.

Dugan cessa de se tirer l'oreille et entreprit de chiffonner une feuille de papier. Le vieux professeur sortit de sa poche un document broché.

— Voici ce qu'ont déchiffré les amis de M. Schmitch.

Il le tendit pour bien le montrer puis le remit à De Mornay qui le réclamait.

— «Savez-vous ce que c'est?» s'exclama avec passion Alder Leuranc.

Personne ne répondit.

— C'est la description d'une opération chirurgicale tout à fait particulière. C'est de la nano-chirurgie!

— De la nano-chirurgie? questionna bêtement un journaliste.

— De la chirurgie moléculaire, précisa Leuranc. Ceci décrit avec détail une opération sur un locus d'un chromosome.

— Fantastique! s'ébahit Jacques De Mornay qui parcourait fébrilement les feuillets. Vous vous rendez compte de ce qu'un tel savoir tant technique que théorique signifie? C'est incroyable! Franchement incroyable!

À l'exception du professeur et de De Mornay personne ne semblait s'étonner de cette nano-chirurgie. Sébastien Desmond essayait de se remémorer ses connaissances sur les loci des chromosomes.

— Dans le fond, dit-il, cette civilisation en était rendue à jouer avec les molécules vivantes comme notre chimie actuelle avec les atomes.

— C'est un peu ça, dit Jacques De Mornay. Mais c'est plus que ça.

— Beaucoup plus! appuya le vieux professeur.

Leuranc et son élève s'échangèrent un regard riche de sous-entendus. Dugan comprit qu'il y avait là quelque chose d'énorme et d'inimaginable. Jacques De Mornay et le professeur ne semblaient pas vouloir en dire plus.

— Que cache cette chirurgie moléculaire? demanda un journaliste.

— La possibilité de jouer avec les gènes, répondit Sébastien Desmond devant le mutisme des interrogés.

— Ce n'est que ça! dit un journaliste.

Le professeur Leuranc s'empourpra.

— Sombres idiots! s'écria-t-il. Vous êtes tous des tarés! Une telle découverte mériterait que l'on s'en serve pour commencer un nouveau calendrier. Nous sommes à l'heure zéro de l'ère bio-moléculaire et vous êtes là, la bouche béate, sans comprendre le solennel du moment. Allez-vous en, triples buses!

Jacques De Mornay l'empêcha de lancer une chaise à la tête des journalistes. Dugan prit les choses en main. Premièrement, il se débarrassa des journalistes. Moins ils en savaient, moins ils risquaient de déformer les faits.

— Jonathan Schmitch va vous conduire à la salle C-22 et vous donnera de plus amples informations sur les micro-briquettes.

Dugan se tourna vers l'ingénieur. Celui-ci fit un geste d'assentiment.

— Si vous voulez bien me suivre, dit-il aux journalistes.

Il quitta la roulotte avec la meute des journalistes. Un seul ne l'avait pas suivi: Sébastien Desmond.

— Monsieur Leuranc, dit-il, contrairement à mes confrères, je vois certaines implications à votre découverte.

— Ah! dit le vieux professeur qui se remettait de sa colère.

— Entre autres, une chirurgie moléculaire permettrait de guérir les maux héréditaires. Plus de mongolisme, plus d'hémophilie, plus de maladie de Tay Sachs. Ce serait là un pas médical sans précédent: guérir l'inéluctable! Ceci permettrait aussi un eugénisme très poussé en changeant les aspects non désirés d'un individu pour les remplacer par d'autres plus souhaitables. Je vois d'ici la levée de boucliers de ceux pour qui la nature n'a jamais tort même quand elle se trompe. Il est certain que le milieu religieux s'élèvera contre une chirurgie moléculaire réparant les erreurs divines. Tout ceci fera un beau tapage et ne manquera pas de bouleverser philosophes et moralistes. Je vais pondre un article extraordinaire.

Sébastien Desmond fit mine de partir. Sur le pas de la porte, il se retourna.

— J'espère que vous ne prendrez plus les journalistes pour des idiots et des triples buses.

Il sortit en saluant négligemment.

— Il n'a vu que la pointe de l'iceberg! dit De Mornay.

— Quel con! enchérit avec passion le vieux professeur.

— Maintenant, les interrompit Dugan, vous allez m'expliquer ce que vous avez derrière la tête et que vous n'avez pas voulu dire aux journalistes.

D'un regard, le vieux professeur laissa à Jacques De Mornay toute latitude pour révéler à Dugan leur pensée profonde.

— Le professeur et moi croyons que ce monument est le berceau de toute vie!

Le vieux professeur approuva.

— Oui! dit-il. Le berceau de toute vie! C'est cela! Le terme est juste! Le berceau de toute vie!

— L'existence d'une chirurgie moléculaire, continua Jacques De Mornay, implique la capacité de créer de nouvelles espèces tant végétales qu'animales. Les plaquettes de la chambre C-22 constituent en fait la vraie genèse de la terre.

Frédéric Dugan ne voulut pas comprendre. Il plissa les yeux.

— Cela n'a pas de sens, dit-il.

— Évidemment, puisque c'est incroyable! triompha le vieux professeur.

— Si je comprends bien, dit l'anthropologue, les habitants du monument auraient fécondé la Terre. Ce sont eux qui auraient créé les plantes et les animaux.

— Et l'homme! compléta Alder Leuranc.

— Êtes-vous sûr de ce que vous avancez? demanda Dugan. Ce que vous affirmez est grave, très grave. Vous allez à l'encontre de tout ce que l'homme pense et croit sur son passé. Vous bouleversez le concept humain.

— Pas seulement le concept humain, rectifia Jacques De Mornay. Nous bouleversons tout! Du virus à l'homme!

— C'est ça! Du virus à l'homme! s'emporta Leuranc. Nous touchons l'origine de tout. La biologie moléculaire est la science totale, la seule science. C'est d'elle que tout vient et c'est par elle que tout s'expliquera. Je vis le plus beau jour de ma vie. L'homme n'est que le résultat d'une expérience de biologie moléculaire tenue en ces lieux, il y a de ça une éternité. Ce monument existait avant même que les virus existent. Ce monument est un immense laboratoire de biologie moléculaire! Il est cela et rien d'autre!

— Êtes-vous sûr de tout cela? répéta Dugan. En êtes-vous bien sûr?

— Non, répondit calmement Jacques De Mornay.

— Comment ça, non? protesta le vieux professeur. Nous en sommes sûrs et certains. Cela ne fait pas l'ombre d'un doute.

— Ce n'est que le décodage des plaquettes qui enlèvera tout doute, dit Jacques De Mornay.

Le vieux professeur maugréa.

— Évidemment, finit-il par dire, ce sera la preuve finale et irréfutable.

Dugan cessa de pétrir une feuille de papier et la jeta dans la corbeille.

— Tout ceci est inattendu et si grave, dit-il en agitant ses mains. J'aimerais que vous n'en parliez à personne avant les expertises finales sur les micro-briquettes. Imaginez le tohu-bohu qu'entraînerait une telle information: réduire l'homme à l'aboutissement d'une expérience en biologie moléculaire. Cette nouvelle me chavire suffisamment pour me figurer la réaction de ceux qui s'imaginent le nombril de l'univers. Se retrouver sans âme, au même niveau qu'une puce de chien, ne manquera pas de leur déplaire.

Le professeur se mit à rire.

— Pourquoi vous faire tant de bile? dit-il. Depuis le début, je m'évertue à dire que c'est incroyable et on ne nous croira tout bonnement pas.

Dugan se figea. Le vieux professeur avait raison. Les gens ont la liberté de ne pas croire la vérité.

— Incroyable! murmura Dugan.

— Vous aussi! s'amusa Jacques De Mornay.

Dugan sourit bêtement.

— Il ne m'était jamais venu à l'esprit que l'on pouvait sciemment ne pas croire la vérité, dit-il.

Le vieux professeur rigola de nouveau.

— Dix ans de solitude dans le désert vous ont fait perdre contact avec l'anthropocentrisme humain. L'homme est un rêveur. Il se fabrique des rêves et n'est nullement intéressé à ce qu'on le réveille. On n'a qu'à penser au phénomène religieux pour s'en convaincre.

Alder Leuranc ricana de dérision.

— Vous êtes un misanthrope! dit Dugan.

— Vous aussi! répondit le professeur.

— Et moi aussi! compléta Jacques De Mornay. Nous sommes trois misanthropes.

Dugan sourit. Un anthropologue que l'on qualifiait de misanthrope, n'était-ce pas paradoxal? Et pourtant, il y avait du vrai.

— J'ai hâte, dit le professeur, de voir la réaction des philosophes et autres intellectuels de mes bottes lorsque je pourrai leur dire qu'ils ne sont que les fruits tarés d'une expérience qui, de toute évidence, a fait long feu! Avant de mourir, je veux me payer ce petit luxe. Si je peux en faire crever quelques uns d'apoplexie, ce sera ma plus grande joie. Je n'aurai pas vécu en vain.

— Il y en a sûrement qui vont en crever! dit Jacques De Mornay.

— Le pape! précisa Alder Leuranc. J'aimerais que le pape en crève. Un gars qui prêche la chasteté, la pureté et qui chie chaque jour, c'est quelqu'un qui manque de bon sens. Dieu que j'aimerais qu'il crève en apprenant notre découverte! Mais il se contentera de ne pas y croire. Ceux qui professent la foi en Dieu sont les plus incrédules face aux révélations de la science. Galilée, Copernic, Darwin et combien d'autres ont appris à voir dans les milieux religieux un rassemblement de bornés et de tarés.

— Vous êtes dur, dit Dugan. Il y des religieux qui donnent leur vie pour soulager la misère humaine.

— Ceux-là, dit le professeur en ricanant, sont des fous dont on rigole de leur vivant pour s'en enorgueillir une fois qu'ils ont trépassé. La religion les récupère. D'ailleurs, ces poètes de la religion ne font bien souvent que se plonger le petit orteil dans la misère humaine et n'y changent rien.

— Vous êtes quand même dur, dit Dugan.

— La bêtise humaine, la croyez-vous douce? Au contraire, elle est épaisse, massive. Elle n'a pas de frontières.

— Quant à ça! lui donna raison Dugan.

Cela rasséréna le vieux professeur. Il reprit son souffle. Jacques De Mornay feuilletait les informations provenant des micro-plaquettes.

— Que de travail en perspective! dit-il. À deux nous ne réussirons jamais à en venir à bout.

— Jamais! admit Leuranc. Et ces informations ne proviennent que d'une seule briquette. Il y en a des millions.

— Il nous faudra de l'aide.

— Beaucoup d'aide! dit Leuranc. J'aimerais bien pouvoir décortiquer cette histoire avant de mourir. Ce sera l'œuvre de ma vie. Mon chant du cygne!

— Tout ceci exigera une somme de travail inimaginable, dit Jacques De Mornay. Je ne sais pas si je suis prêt à m'y astreindre.

— Donnez-moi une liste des spécialistes qu'il vous faudra pour hâter votre travail, dit Dugan. J'essayerai de vous les obtenir.

Il suffit de mener quelque chose à bien, peu importe la chose. Il faut se cristalliser sur cette chose et ne voir qu'elle.

Le Pelleteur

Chapitre VII

Le déblaiement du monument avait repoussé le désert dans toutes les directions. Les roulottes des scientifiques s'étaient relocalisées sur une terrasse à même le monument. Pelle à la main, Élis gravissait les derniers échafaudages conduisant à la terrasse. Un garde l'avertit qu'il n'avait rien à faire en ces lieux.

— Dites à Frédéric Dugan que le Pelleteur aimerait lui parler.

— Vous êtes le Prophète? questionna le garde.

Élis fit signe que oui.

— C'est vous qui avez fondé cette religion de La Pelle?

Élis aquiesça de nouveau.

— Et pour vous, ce monument est un lieu saint?

— ... est LE Lieu Saint! rectifia Élis.

Le garde jaugea Élis.

— Je vais demander au professeur Dugan s'il veut bien vous recevoir.

Élis n'attendit pas longtemps. On le conduisit rapidement à la roulotte de l'anthropologue.

— Bonjour! dit Dugan en lui tendant la main.

— Ainsi donc, dit Élis en la lui serrant, tu as trouvé ta pyramide.

— Et toi, une raison de vivre.

— LA raison de vivre! précisa Élis.

Dugan s'assit et invita Élis à l'imiter. Il servit un verre d'eau glacée à son visiteur et en prit un lui-même.

— Qu'est-ce au juste que ce monument? demanda Élis. On a avancé tant d'hypothèses que peu s'y retrouvent.

— Votre religion en a fait un lieu saint, dit l'anthropologue.

— LE Lieu Saint! corrigea Élis.

— Il se pourrait bien que vous ayez raison. Si ce que nous savons actuellement était divulgué...

Dugan n'alla pas plus loin.

— Au fait, dit-il, votre religion compte combien de fidèles?

— Peu, répondit Élis. Quelques centaines au désert libyque, plusieurs milliers à travers le monde. Si la croissance est géométrique, nous aurons d'ici deux ans deux cent milliards de fidèles. Ceci, tout en étant virtuellement impossible, n'en donne pas moins une idée de la progression rapide de La Pelle. Mais qu'est-ce que ce monument?

— Nous n'en sommes pas encore certains. En gros, disons que c'est le fruit d'une civilisation très technique et n'ayant rien à envier à la science moderne.

— Je sais, dit Élis. Les journaux nous rabâchent cette rengaine depuis des semaines. Moi, j'aimerais connaître la vérité!

— La vérité! s'exclama théâtralement Dugan. La vérité, qui s'en occupe? Encore ce matin, j'ai lu un article de Norbert Chamoux. Ce qu'invente cet individu dépasse l'imagination. Depuis la découverte du monument, il a fondé une association voulant défendre le dernier vestige de nos ancêtres Vénusiens contre les grands initiés de ce monde. Un histoire de fous avec de vilains Juifs et une conjuration de contre-vérité. Des gens le croient! Beaucoup de gens le croient! Alors quand vous me parlez de vérité, je rigole! Ce monument est un mystère. Il y a des hypothèses de solution mais pas de certitude. Et puis, vous-même, n'avez-vous pas votre vérité? Pour vous, Pelleteurs, c'est le Lieu Saint! Le giron de l'humanité! On se demande où vous avez pêché une telle idée!

Dugan se le demandait en effet! Cela correspondait trop bien à l'hypothèse pourtant tenue secrète du docteur Leuranc et de Jacques De Mornay.

— Je ne pourrais te l'expliquer, répondit Élis, mais je sais que c'est ici qu'a été façonnée l'humanité et c'est ici que l'homme sortira de la gangue qui le tient prisonnier depuis je ne sais quel désastre.

Dugan ne put s'empêcher de sourire.

— Tu es aussi imaginatif que Norbert Chamoux, ce grand fabuliste.

Le sarcasme raidit Élis. Son œuvre ne portait pas à rire.

— Moque-toi, dit-il. N'empêche qu'il y a en moi une vérité puissante que je ne puis taire. Une vérité qui passe outre à la moquerie. Cette vérité me crie de rendre à l'homme son humanité. D'en faire ce qu'il est vraiment, un Dieu!

— Ah bon! commenta Dugan que l'attaque d'Élis décontenançait.

— Ce monument est l'origine de la vie. Je le sais! Je le sens! Et c'est par ce monument que l'homme se redécouvrira. Finies les guerres! Finie la misère! Le Dieu tout-puissant, miséricordieux et parfaitement bon que l'homme dégradé a créé n'est en fait qu'une projection atavique de ce qu'est l'homme vrai.

— L'homme serait donc un Dieu déchu, résuma Dugan.

— Un Dieu déchu à qui il faut rendre son trône!

— Cette vue de l'home est fort intéressante. Elle rejoint l'idée du paradis perdu que l'on retrouve dans les mythologies, philosopha Dugan.

— Ne comparez pas! se choqua Élis. Ce que je prêche n'est pas une légende. Je prêche la vérité. Je veux libérer l'homme. Ma mission est sacrée.

Dugan se promit de présenter Élis au professeur Leuranc. La rencontre de ces deux individus, l'un voyant en l'homme une expérience de biologie moléculaire sans lendemain et l'autre un Dieu déchu, ne manquerait pas de faire des étincelles.

— Je commence à comprendre, dit Dugan, pourquoi on t'appelle le Prophète.

— Le dernier, le seul vrai! Je suis, tu vas rire, je suis le Messie.

Dugan ne s'attendait pas à cette révélation. Il ne put avaler l'eau qu'il buvait et s'étouffa. Il toussa trois fois avant de pouvoir émettre un commentaire.

— Le Messie! finit-il par dire.

Élis approuva avec une certaine fierté.

* * *

Le jogging matinal de Dugan et De Mornay avait été remarqué. Un journaliste ainsi que le géologue Ludovic Staniss s'étaient joints à eux. Les quatre hommes joggaient allègrement à travers les dunes.

— Ainsi, demanda le journaliste à Dugan, vous partez ce soir.

— Oui, dit Dugan. Je pars pour l'Amérique. Je devrais être de retour d'ici trois jours.

— Et qu'allez-vous y faire?

— Vous le savez très bien. Je donne une conférence et je reviens.

— Rien d'autre?

— Pas à ma connaissance.

Le journaliste ne cessait de glaner de l'information. Il profitait du jogging matinal pour alimenter la rubrique quotidienne qu'il tenait dans un journal français prestigieux, mais à faible tirage. Il l'avait intitulée «Tout en joggant...».

— Et toi, Ludovic, rien de neuf?

Frais arrivé, Ludovic Staniss n'avait jusqu'ici rien révélé de sensationnel. Il parlait peu et passait ses journées à étudier la pierre du monument. Personne ne l'avait vu sourire. Plusieurs lui avaient posé des questions, il les avait toutes éludées. Même Dugan ne savait trop que penser. Ludovic Staniss refusait systématiquement de parler de ses recherches. Le journaliste abandonna ses tentatives de conversation. Que lui importait! Il n'avait qu'à inventer. Au détour d'une dune, le journaliste quitta le groupe. Les trois scientifiques ne furent pas chagrinés de cette défection. Ils continuèrent de courir jusqu'à la roulotte de Dugan. Après quelques exercices d'étirement, Frédéric et Jacques s'entretinrent du professeur Leuranc.

— Il m'inquiète, dit Dugan. Il ne sort pratiquement plus. Il ne songe qu'à ces plaquettes. J'ai peur pour sa santé.

— Moi aussi, dit De Mornay. Je ne sais où il prend son énergie. Il dort à peine et mange trop peu. Hier, j'ai voulu le semoncer. Il m'a souri d'une façon si lucide et déterminée que j'ai retraité.

— Où en est-il dans sa recherche?

— Ce que nous supposions se confirme, dit De Mornay. C'est extraordinaire. Je comprends la passion du professeur. Moi-même je dois faire un effort pour limiter mes heures de travail à quatorze afin d'être d'attaque le lendemain.

Ludovic Staniss les écoutait et hésitait à intervenir. Il pouvait toujours remettre ses propos à plus tard, le temps d'une dernière vérification. «C'est tellement insensé, se dit-il. Vérifier de nouveau ne sera pas de trop.» Laissant les deux savants, il se dirigea vers ses quartiers. Son départ passa inaperçu.

— Avez-vous finalement débordé du cadre purement chimique? demanda Dugan.

— Non, dit De Mornay. Pour le moment, les vingt acides aminés barbotent dans la soupe pré-biotique. Nous en arrivons à des molécules qui ont tendance à se former en coacervat dans l'eau. Il est évident que ce sont là les premiers pas vers la cellule.

— Rien de vivant?

— Certains agrégats que nous révèlent les plaquettes répondent à des tropismes et s'avèrent sensibles au magnétisme, à la lumière ou à la dureté de l'eau. Ce sont des organismes ayant une unicité et une faculté de mouvement mais nous ne pouvons dire qu'ils sont vivants. Pour être franc, le professeur et moi ne posons même pas la question. Nous sommes au début évolutif d'un continuum où il est malaisé de trancher au couteau pour séparer le vivant et le non-vivant. Ce sont là de vains concepts, bons pour les philosophes.

Le renvoi brutal du concept de la vie par un biologiste surprit grandement Dugan.

— Mais enfin, dit-il, la biologie est l'étude du vivant. Vous devez savoir ce que vous étudiez.

De Mornay rigola doucement.

— Un homme dont le cerveau a un encéphalogramme plat et dont le cœur bat est-il vivant? Certains vous diront oui, d'autres non. Il y a des procès à ce sujet. Ne soyez pas surpris si les biologistes, à un certain niveau du continuum évolutif, en viennent à ne plus savoir très bien ce qui vit et ce qui ne vit pas. Connaissez-vous la polémique entourant les virus?

Dugan admit son ignorance.

— J'ai un petit bouquin à ce sujet. Je vais vous l'apporter. Cela vous fera comprendre la difficulté de discerner le vivant et le non-vivant. Le professeur Leuranc y a commis un chapitre où il explique que la question ne préoccupe guère les principaux intéressés, à savoir les virus.

Au cours de l'après-midi, De Mornay vint porter le livre traitant de la vie ou de la non-vie des virus. Dugan remercia et se promit de s'informer sur cette fameuse polémique qui, aux dires de Leuranc, valait bien celle sur le sexe des anges. L'anthropologue mit le bouquin dans ses bagages. Los Angeles et Élizabeth Hornik l'attendaient.

* * *

Darsey s'arrêta et fixa le désert. Depuis près d'une heure, il marchait dans le sable afin d'y trouver le calme. Un peu en retrait, Françoise l'accompagnait.

— C'est dément! dit-il. Il n'y a rien dans ce monument. Rien qui nous concerne. Bien sûr, il y a les hologrammes, la lumière bleutée, les micro-mémoires. Mais tout cela ne regarde pas notre spécialité et pourtant elle est vaste.

— Nous finirons bien par trouver, voulut l'encourager Françoise.

— Trouver quoi? Il n'y a rien. Nous avons cherché jour et nuit. La civilisation qui a construit et habité ce bâtiment n'avait pas de tripes. Elle n'était pas même foutue de chier et de mourir en laissant des os et des crânes. Quand je pense que nous avons ici des archéologues qui, au moindre cartilage, pourraient vous reconstituer un *Homo libyus* en chair et en os. J'en crève de dépit. Que de compétences perdues! Ainsi moi, spécialiste mondial des excréments, j'en suis rendu à regarder ma propre merde avec attendrissement. J'en ai marre de tout ce désert.

Il se tourna vers Françoise.

— Et toi, tu n'en a pas assez de laisser égrener ta jeunesse avec des croque-morts de ma catégorie?

Françoise était la première à admettre son insatisfaction. Les recherches, les livres et les idées n'avaient plus de prise sur elle. La jeune femme n'avait plus d'entrain, plus de goût, plus de leitmotiv.

— Il me faudrait autre chose, dit-elle. J'aimerais avoir un enfant.

Darsey en resta coi.

— Sacrées bonnes femmes! dit-il. Votre problème se résume toujours à vous faire remplir ou vider le ventre. «Croissez et multipliez-vous» a dit le Seigneur. C'est à croire que l'humanité n'a pas d'autre but que celui de procréer.

Darsey se tut, la mine songeuse.

— C'est révoltant, dit-il, mais il faut bien admettre que moi aussi, j'aimerais avoir un fils... ou une fille. Ma vie me paraîtrait moins absurde.

Il pensa aux nombreuses femmes qu'il avait connues. Qu'étaient-elles devenues? Et si l'une d'elles... Un sourire illumina le visage de Darsey.

— Viens, dit-il à Françoise. Nous avons mieux à faire que de promener notre cafard dans le désert.

Françoise suivit sans hâte. Elle évalua défavorablement Darsey comme géniteur. Il était trop vieux et de caractère trop autoritaire. Elle songea à Dugan. C'était mieux, beaucoup mieux. Pour tout dire, ce serait parfait. Avoir un enfant de Dugan lui plairait infiniment... Accepterait-il? Dès son retour d'Amérique, elle se promit de le sonder. La perspective d'avoir un enfant avait ramené de la joie dans ses yeux. Était-ce vraiment la solution à son mal de vivre? Elle songea aux douleurs de l'accouchement et sentit fléchir sa volonté. Cet enfant n'allait-il pas être un boulet à sa liberté? Françoise eut un sourire de dérision. Jusqu'ici sa chère liberté ne lui avait rien apporté de durable.

Avoir un enfant n'était d'ailleurs pas synonyme d'esclavage. Au contraire, c'était une ouverture vers une dimension que seule la femme pouvait connaître. Donner la vie valait bien quelques souffrances.

Je vis dans un monde sans commune mesure avec mes aspirations. Je suis un constructeur de tours de Babel. Avec moi, il n'y a pas de compromis. C'est soit la réussite fronstispice, soit l'échec suicidaire. Je serai un grand homme ou un robineux.

L'ouvrier

Chapitre VIII

Les sièges étaient tous occupés. Les allées se trouvaient embourbées. Le public se composait en partie d'étudiants blaguant et jasant. Certains venaient par intérêt, d'autres par devoir. Quant à la grande majorité, seule la curiosité les guidait car l'étrange monument du désert libyque fascinait. Dans les premières rangées, plusieurs têtes blanches se serraient les mains selon un protocole relâché. Elles représentaient le gratin des penseurs et chercheurs des sciences de l'homme. Ceux-ci avaient hâte d'entendre le conférencier invité. Plusieurs tenaient à poser des questions embêtantes pour le discréditer.

— Et son histoire de soucoupes volantes! rappela avec une bonhomie scandalisée le professeur Alland, anthropologue qui devait sa réputation à une étude exhaustive, près de vingt volumes, d'une tribu de Papous disparue dans les forêts de la Nouvelle-Guinée.

— Aberrant! Absolument aberrant! répondit un homme dont le prestige se résumait à son interprétation hautement imaginative des statuettes gardiennes de Bali.

Dans les coulisses, Frédéric Dugan donnait une dernière touche à son discours. Il avait pris l'après-midi pour le bricoler.

— L'heure approche, lui dit Mike Dorsett.

Mike, parce qu'il avait connu Frédéric Dugan lorsque celui-ci était en rédaction de thèse, s'était vu octroyer le privilège de le présenter. Il en était assez fier. À cela, on lui avait ajouté le rôle de maître de cérémonie. Il pétait d'orgueil.

— Au début, dit-il, je ferai un bref historique. Puis je présenterai une vision édifiante du chercheur têtu et solitaire que tu as été. Je finirai en relatant ta découverte et je déclarerai que c'est une découverte fondamentale qui ouvre de nouveaux horizons à notre connaissance de l'homme.

— Ne m'encense pas trop, dit Dugan. Tout ceci a été si fortuit.

Mike sourit en montrant une dentition parfaite. Personne ne méritait d'être présenté par lui. Il le faisait par grandeur d'âme. Il comptait voler la vedette à Dugan par une présentation tout simplement géniale.

— C'est l'heure, dit-il.

Mike Dorsett apparut sur l'estrade. Par vagues successives, le silence se fit.

— Mesdames, messieurs, j'ai l'honneur de vous présenter notre conférencier de cette semaine. Nous n'avons qu'à voir notre nombre ici ce soir pour nous rendre compte de l'intérêt que soulève notre invité. Qu'il soit né le...

Dugan aperçut dans la foule l'aguichante silhouette d'Élizabeth Hornik. Il en fut soulagé. Un moment, il avait cru que la journaliste lui avait fait faux bond.

— ... contrairement à la majorité, sinon la totalité des anthropologues, Frédéric Dugan, en plus de se donner une solide formation en sciences humaines, s'est aussi intéressé aux sciences exactes. Aussi peut-on voir en lui aussi bien un adepte de l'anthropologie physique que de l'ethnologie.

La table du restaurant était réservée pour le soir même. Il avait hâte de rappeler à Élizabeth Hornik leur tête-à-tête. Elle ne l'avait sûrement pas oublié.

— ... ne serait-ce que pour avoir survécu à dix ans de solitude, dix ans durant lesquels il dut endurer l'énorme différence de température entre le jour et la nuit, dix ans à chercher, à prospecter; ne serait-ce que pour ça, Frédéric Dugan soulève le respect. Mais cet homme n'a pas seulement cherché l'impossible, il l'a trouvé! Et pour cela, il oblige notre admiration. On a raconté toutes sortes de légendes sur le monument du désert libyque. Inutile de vous les rappeler toutes; d'ici quelque temps nous en rirons comme nous rions aujourd'hui des élucubrations du siècle dernier sur les pyramides. Ce soir nous connaîtrons de la bouche du découvreur ce qu'est réellement le monument du désert libyque. Mesdames et messieurs, accueillons comme il se doit le docteur Frédéric Dugan.

Des applaudissements nourris se firent entendre. Dugan n'avait pas apprécié les doutes de Dorsett sur la réalité des découvertes du monument. Il n'en serra pas moins la main du présentateur. Les applaudissements cessèrent dès qu'il fut devant le micro.

— Je remercie monsieur Dorsett pour sa présentation.

Dugan prit un air faussement solennel d'où transpirait une bonne dose d'ironie.

— La description qu'il a fait de moi m'obstinant dans mes recherches, seul avec le désert, combattant tour à tour la chaleur, le froid, le manque d'eau et la désillusion m'a particulièrement touché. Encore heureux qu'il n'y ait pas de serpents à sonnettes au désert libyque.

Le côté pince-sans-rire de Frédéric Dugan fut servi avec tant d'éclat que la salle s'esclaffa. Élizabeth se trouva elle aussi entraînée par la bonne humeur générale. Dugan fut le seul à garder un sérieux de circonstance. L'intérêt de la salle lui était acquis, il entama son discours.

— Parlons un peu des pyramides. Pendant quarante-cinq siècles, les hommes en sont restés bouche bée. Comment les expliquer?

Quelle était leur utilité? Aristote croyait qu'on les avait érigées pour manifester la puissance royale. D'autres y voyaient une bibliothèque pour conserver les archives des sages ou encore les entrepôts utilisés par Joseph pour emmagasiner les réserves en prévision des sept années de vaches maigres. On a aussi avancé qu'elles étaient des modèles pour l'arche de Noé, des observatoires astronomiques, des puits d'irrigation, des symboles phalliques, des étalons de mesure et des réacteurs nucléaires.

«À partir de mesures prises sur les pyramides, on a prédit la réapparition du Christ sur la Terre pour 1881, la grande guerre pour 1928, une autre réapparition du Christ pour 1936, celle de 1881 n'ayant pas été un succès, et la fin du monde pour 1953. Je ferai abstraction de l'«inch» pyramidal et des rapports avec la distance soleil-terre, terre-lune, etc. Bref les élucubrations n'ont pas manqué. Il a fallu les recherches et le labeur de scientifiques aguerris pour que peu à peu le voile soit levé sur la véritable réalité des pyramides. Et vous avouerez avec moi que cette réalité ne manque pas d'originalité. Le vrai et le burlesque sont souvent apparentés dans l'histoire de l'homme. Si Aristote avait émis l'hypothèse que les pyramides étaient de gros tombeaux, personne ne l'aurait cru. Et pourtant, les pyramides sont effectivement de gros tombeaux. De splendides tombeaux, me direz-vous! Mais des tombeaux!!!

«Après tout ce qui a été conté sur les pyramides, le monde scientifique a raison d'être sceptique. Et, entre nous, lorsqu'on voit avec quelle facilité les gens gobent l'incroyable, il y a de quoi opter pour l'incroyance systématique. La littérature occulte ne manque pas de lecteurs gogos et d'écrivains charlatans. Ceux qui voient dans les dieux de la Bible des extra-terrestres et dans les éléphants à plumes de Tikal des soucoupes volantes sont légion. L'anthropologie romantique a beaucoup plus d'adeptes que l'anthropologie classique. Les gens sont friands de fantastique. Il n'y a rien de très motivant à descendre du singe. Faites apparaître dans la généalogie de l'homme deux ou trois dieux et quelques extra-terrestres et vous trouverez aussitôt preneur. Les gens ne croient trop souvent que les vérités qui leur conviennent.

«Lorsque je parle de «duperie» je parle en connaisseur. J'ai écrit un petit livre traitant d'une aventure d'extra-terrestres: une histoire à l'eau de rose avec une base de soucoupes volantes cachée dans les plis du désert libyque. J'écrivais pour les gogos! Hé bien! Ce ramassis d'âneries est devenu un best-seller! J'ai beau dire publiquement que cet écrit est de la pure invention, on ne me croit pas. On préfère avoir foi dans l'imaginaire fantastique plutôt que dans la vérité terre-à-terre. Mais voilà que l'on découvre une vérité fantastique. J'en viens, vous l'aurez deviné, au monument du désert libyque.»

Dugan fit une pause. Il prit une gorgée d'eau en regardant son public. Tous attendaient la suite.

— Vous devez vous demander ce que j'ai ressenti lorsque j'ai découvert ce monument. Certes, j'étais heureux. Ma pelle venait de rencontrer un objet dur qui, à première vue, faisait penser à une pierre taillée. Mais vous ne saurez jamais, une fois la joie de la découverte passée, la peur que j'ai connue. Et si ce n'était qu'une pierre échappée d'une caravane millénaire? Alors j'ai continué de creuser et la pierre s'avérait immense. J'étais conscient d'avoir découvert quelque chose ayant de la valeur mais plus je creusais et plus ce que je déblayais me déroutait. Je rêvais d'une pyramide ou d'un mastaba, ce que je déterrais n'était ni l'un ni l'autre. Et c'est là que mes états de conscience ont commencé à me tourmenter. À chaque pelletée de sable, je débordais de la science connue. Ce monument se moquait de tout ce que j'avais appris et de tout ce que l'homme avait réussi à connaître sur son passé. La solitude nous rend fragiles. J'en vins à me convaincre que ce monument n'était que le fruit de mon imagination. Et puis, dans un sursaut de conscience, je me disais que ce que je trouvais excédait de beaucoup ma piètre imagination. Le jour où je parvins à pénétrer dans le monument, je restai béat devant la luminescence bleutée des murs. C'était trop. Tout cela me dépassait. Je continuai à prospecter mais je n'étais pas sans savoir l'usage que feraient du monument les charlatans promettant à l'homme un passé plus palpitant que l'évolution darwinienne. J'allais amener de l'eau à leurs moulins, des moulins qui s'étaient jusque là abondamment nourris de vent. C'est sur ces entrefaits qu'est apparue Élizabeth Hornik, la journaliste qui devait révéler le monument au monde.»

De son estrade, Dugan sourit à la jeune femme. Plusieurs têtes s'étirèrent pour la voir.

— Si vous aviez assisté à notre première rencontre, vous auriez franchement rigolé. Cela faisait dix ans que je n'avais pas vu une femme et voilà que m'arrive une femelle belle, intelligente et délurée.

Le choc fut brutal. D'autant plus qu'elle venait pour démasquer mon histoire de soucoupes volantes et pour dévoiler au monde ma félonie. Moi, je croyais tout bonnement qu'on avait eu vent de ma découverte. Il y eut un sérieux imbroglio et, ne m'en déplaise, mes agissements tenaient beaucoup plus de l'enfant égoïste ayant peur que l'on saisisse son joujou que du héros pompeux, sûr de lui et s'apprêtant à contribuer à l'édification de l'histoire humaine. Passons rapidement sur cet épisode peu glorieux d'une vie jusqu'ici assez terne.

Quelques rires fusèrent. On appréciait l'aspect romancé de l'exposé. Dans les premières rangées, les têtes blanches des spécialistes ne goûtaient pas autant la complicité qui se créait entre Dugan et son public.

— L'article de Mlle Hornik fit l'effet d'une bombe. Pensez donc! On parlait d'énergie solaire, d'éclairage artificiel agencés à un monument plusieurs fois millénaire! Il y avait de quoi éveiller l'intérêt du plus blasé des scientifiques et faire frémir de joie la multitude des gogos. L'armée libyenne se dépêcha de venir protéger le monument. On repoussa les vandales, les curieux et beaucoup de journalistes. À partir de ces interdits, les rumeurs les plus folles essaimèrent. On parla, évidemment, d'une base de soucoupes volantes. On parla même d'une réunion au sommet entre les extra-terrestres et les chefs d'État de plusieurs nations. On imagina n'importe quoi: l'Atlantide, le continent de Mû, le royaume du père Jean, le palais de la reine de Saba. Alors que les uns forgeaient des rêves, d'autres développaient une position se voulant plus orthodoxe, plus réaliste. Sous leurs plumes, le monument devint un mastaba, une pyramide, un vieux village bédouin. L'un avança l'idée d'un temple égyptien aménagé par les Allemands lors de la Seconde Guerre mondiale. Bref, pour eux, il n'y avait pas de quoi s'énerver.

«Or, les scientifiques étudiant le monument s'énervaient drôlement! Au dire du géographe, les hologrammes découverts par deux archéologues représenteraient non seulement des paysages terrestres mais surtout des sites d'autres planètes. Certains hologrammes laissent supposer que le monument ne serait pas millénaire mais millionnaire. L'ingénieur en énergie n'avait toujours pas trouvé le processus permettant la luminescence bleutée des murs lorsque j'ai quitté la Libye. Enfin, le docteur Leuranc, lauréat du prix Nobel, a reconnu dans des structures que l'on croyait être des sculptures modernes une schématisation de l'acide désoxyribonucléique et de certaines protéines. Là ne s'arrête pas l'intervention du docteur Leuranc. La découverte des micro-briquettes, véritables ordinateurs décrivant entre autres une opération sur un locus de chromosome laisse encore pantois les milieux biomoléculaires. Il nous faudra du temps avant de digérer l'importance de cette découverte. Le professeur Leuranc, quant à lui, note désormais les journées à partir de l'an zéro de l'ère biomoléculaire. Qui nous dit qu'un jour nous ne l'imiterons pas?»

Un murmure de désapprobation origina des têtes blanches.

— Je parle d'ingénieurs, de géographes, de biologistes! Qu'en est-il des archéologues, des ethnologues et des anthropologues? Ils sont une centaine à assumer la pénible tâche de quadriller chaque pouce carré du monument. Parmi eux se trouvent Frank H. Darsey, la sommité mondiale dans la lecture des excréments et des déchets. Le professeur Darsey, un homme au langage cru, est un individu foncièrement honnête, qui a l'estime et l'admiration de ses confrères. M. Darsey, qui fut d'ailleurs professeur titulaire en cette université et sous lequel j'ai étudié, n'a rien trouvé en trois mois de recherches. Il y a aussi le fameux égyptologue Toutankhamon Winston qui a, lui aussi, fait chou blanc: aucune momie, pas le moindre papyrus. Nous avons même la chance d'avoir eu avec nous Winnifred Mead, la grande dame de l'ethnologie, celle qui, partout où elle va, découvre des sociétés matriarcales. Elle n'a rien trouvé de tel au monument du désert libyque. Personne fondamentalement pratique, Mlle Mead a vite changé son centre d'intérêt. Elle prépare actuellement une étude sur le mode de vie des Pelleteurs, une nouvelle religion qui voit dans le monument du désert libyque le Lieu Saint, le Giron de l'humanité.»

Des bruits se firent entendre dans un coin éloigné de la salle. Dugan y vit surgir une quinzaine de pelles.

— À ce que je vois, cette religion a déjà mis sa pelle en Amérique.

Des rires s'élevèrent.

— Leur Pelle vaut bien une croix ou un croissant, dit Dugan.

Les pelles s'agitèrent de nouveau. Il devait y en avoir une trentaine. Dugan les délaissa du regard et continua son discours.

— Comment expliquer les insuccès des anthropologues? Le docteur Frank H. Darsey, que la majorité d'entre vous connaissent, en est venu à se demander si les hommes formant la civilisation qui a produit le monument avaient des tripes! Je rapportai cette réflexion au professeur Leuranc qui me répliqua que des hommes sans tripes n'étaient pas des hommes au sens biologique du terme. Cette réflexion anodine me laissa sans voix. Et il y a de quoi!

Dugan fit une pause pour bien montrer l'importance de ce qu'il allait dire.

— Jusqu'ici rien n'indique que la civilisation adjacente au monument soit humaine.

Un brouhaha naquit dans les premières rangées. Dugan haussa la voix pour couvrir le bruit.

— Rien ne prouve non plus que cette civilisation ne soit pas humaine. Nous sommes confrontés à une construction artificielle qui n'est peut-être pas le fait de l'homme. C'est là une éventualité qui résoudrait bien des énigmes.

Un tumulte se fit. Dugan prit une gorgée d'eau. Il faisait chaud.

— Une de ces énigmes, et vous conviendrez avec moi que c'en est effectivement une, concerne les âges respectifs du monument et de l'homme. L'apparition de l'homme sur la terre aurait eu lieu il y a deux millions d'années. Disons, vu que certains savants croient à une apparition encore plus ancienne, que le genre humain prit naissance il y a dix millions d'années. Vous admettrez que nous nous donnons une bonne marge de manœuvre. Actuellement, pour déblayer le monument, nous traversons une couche du sol qui, au dire de Ludovic Staniss, géologue, serait vieille d'au moins cinquante millions d'années. Et sous cette couche, le monument continue de s'enfoncer. Nous n'avons pas encore découvert sa base. Alors comment un homme ayant au plus dix millions d'années aurait-il pu construire il y a cinquante millions d'années un monument au désert libyque?

Le tumulte se fit plus intense. Dugan regarda son auditoire en souriant. Il haussa le ton afin d'apaiser les murmures.

— La solution s'avère simple et explique pourquoi les sciences sociales et humaines n'ont pas trouvé à se repaître dans le monument du désert libyque. Tout laisse à croire que l'homme n'a pas produit ce monument. Mais alors, me direz-vous, qu'est donc ce monument? N'est-il là que pour embêter les savants honnêtes au détriment des charlatans de tout acabit? Est-il l'œuvre de Satan? Que nous cache cette boîte de Pandore? Toutes ces questions et toutes celles que vous pouvez poser recevront la même sempiternelle réponse: nous ne le savons pas! Si beaucoup de gens ont leur idée sur la raison d'être du monument, nous qui cherchons à découvrir la vérité sommes bien loin de l'avoir trouvée. Seulement vingt-sept pour cent du volume du monument a été l'objet de fouilles appliquées. Les soixante-treize pour cent restants demeurent inconnus. Et croyez-moi, ce n'est pas par manque de zèle. Près de quatre cents scientifiques, techniciens et administrateurs gravitent autour du monument. Au delà de mille Pelleteurs travaillent bénévolement à le déblayer.

Un tintement de pelles fendit le silence. Dugan en fit abstraction.

— En ajoutant les militaires, les journalistes, plusieurs curieux de marque et un commerce naissant, nous nous retrouvons avec une communauté qui, malgré un taux de roulement appréciable, atteindra bientôt les trois mille membres. Croyez-moi, le monument est pris au sérieux. Même si ce que nous découvrons va à l'encontre d'idées reçues, nous ne le masquerons pas, nous ne le cacherons pas. Les hommes de science sont de par leur état des Saint-Thomas. Le scepticisme est à la base de toute connaissance. Ceux qui croient sans voir sont peut-être bienheureux, mais ils ne sont pour rien dans l'avancement des sciences et de l'humanité. J'ai beaucoup plus d'estime pour ceux qui doutent et réservent leur jugement que pour ceux qui gobent tout avec un appétit tenant des trous noirs sidéraux.

Dugan délaissa son texte et eut un sourire coquin.

— Au fait, dit-il, j'en profite pour annoncer aux gogos du monde entier que je termine présentement le deuxième tome de mes aventures avec les extra-terrestres. Il y a une scène amoureuse avec une extra-terrestre qui ne manquera pas de plaire. Si la vente du deuxième tome est bonne, je prévois en écrire un troisième. J'ai beaucoup de plaisir à pondre ces salades. Cela me détend.

Des rires fusèrent de la foule. Dugan prit un air plus grave pour clore son discours.

— Le monument du désert libyque est tellement énorme que même les aveugles de l'esprit finiront par s'y buter. Le monument du désert libyque, n'en déplaise à certains, fait désormais partie de notre univers. Un univers qu'il ne manquera pas de bouleverser. Je vous remercie de l'attention que vous avez bien voulu m'accorder.

Les applaudissements et les tintements de pelles montrèrent l'appréciation de la masse du public. En fait, ceux qui étaient venus pour entendre du sensationnel n'étaient pas déçus. L'origine non humaine du monument plaisait beaucoup. Quant aux autres qui espéraient des démentis et une démystification, leurs applaudissements furent polis sans plus. Ils n'étaient pas prêts à accepter les propos de Dugan comme des paroles d'Évangile.

— Vous y croyez à sa profession de foi dans la vérité scientifique? demanda l'un d'eux à un collègue.

— Je ne sais plus, dit-il. S'il avait dit que le monument n'était qu'une relique égyptienne, je l'aurais cru et vous aussi! Peut-on le traiter de menteur uniquement parce que ce qu'il dit ne rejoint pas nos aspirations?

— Et donner raison aux charlatans? Jamais!

Le silence revint relativement vite. Mike Dorsett, qui appréciait la valeur d'un discours au niveau des décibels produits par les applaudissements, nota un «B». Les seuls «A» qu'il avait décernés l'avaient été pour ses propres conférences.

— Maintenant, dit Mike Dorsett, nous passons à la période des questions...

Les micros dispersés dans la salle étaient déjà pris d'assaut. Dugan était satisfait de sa performance. Il n'avait pas bégayé, n'avait pas trébuché sur des mots difficiles à prononcer. Somme toute, il avait livré son message avec brio. Saurait-il se défendre aussi bien en répondant aux questions? Il l'espérait avec nervosité et excitation. La première question se formulait. Il y tendit toute son attention.

— Monsieur Dugan...

L'intervenant possédait une splendide barbe. Ses yeux myopes lui donnaient un air intellectuel très poussé.

— ... vous venez d'admettre que le monument est l'œuvre d'extra-terrestres. Alors pourquoi continuez-vous à renier votre aventure avec eux? Ils vous ont fait confiance. Ils vous ont donné une mission. Vous ne répondez guère aux espérances qu'ils ont mis en vous. Vous devez respecter la parole que vous leur avez donnée. Après tout, c'est grâce à eux si vous avez découvert le monument. Votre ingratitude risque de compromettre nos rapports futurs avec les extra-terrestres.

L'intellectuel se tut. Il attendait une réponse. Mais où était la question? Dugan entreprit de clarifier la situation.

— J'ai dit qu'il y avait de fortes probabilités que le monument ne soit pas un artefact humain. À aucun moment, je n'ai référé à des extra-terrestres. Quant à ma rencontre du troisième type, il n'y a rien de plus faux et je suis bien placé pour le savoir.

— Je ne vous crois pas, clama l'intellectuel.

— Nous sommes dans un pays où vous pouvez croire ce que vous voulez, dit Dugan d'un ton acerbe. Libre à vous d'en faire un usage abusif. J'espère que vous ne manquerez pas d'acheter le deuxième tome de mes aventures avec les extra-terrestres.

Dugan devenait incisif. Mike Dorsett intervint.

— Ceci est une période de questions et non une polémique. Nous passons à un nouvel intervenant.

L'intellectuel voulut répliquer mais son micro n'était plus en fonctionnement. Il quitta la salle avec beaucoup de dignité tout en murmurant contre la censure, le fascisme et la conjuration de contre-vérité.

— J'ai bien apprécié votre exposé, commença un homme âgé. J'y ai par contre noté plusieurs invraisemblances et quelques erreurs. Premièrement, les sciences sociales ne se limitent pas à l'étude de l'homme et de ses excréments. Les sciences sociales étudient l'homme dans tout ce qu'il est, a été et sera. L'homme est un continuel devenir. L'homme a une intelligence et il se définit par cette intelligence. Vous dites qu'un homme sans intestins n'est pas un homme au sens biologique du terme, moi je vous dis qu'un homme sans intestins, sans estomac, sans jambes ni bras, s'il a une intelligence reste un homme au sens sociologique du terme. Les sciences sociales et humaines étudient l'homme, l'homme avec un grand H et non l'homme biologique qui n'est qu'un amas de chair et d'os. L'hominisation se définit comme l'acquisition de la pensée. Tout ce qui pense est homme. Nous ne sommes pas sectaires. Nous sommes ouverts aux hommes de toutes apparences. Il faut éviter de tomber dans le piège du racisme et des horreurs que cela entraîne.

Des applaudissements accompagnèrent ces paroles. Dugan ne se voyait pas en pur esprit. L'idéal animant le vieil homme lui parut farfelu. Mike Dorsett crut bon d'intervenir de nouveau. Il adorait intervenir.

— Professeur Martin, nous connaissons tous les efforts que vous déployez pour combattre le racisme. Nous vous remercions de cette mise en garde. Je demanderai aux futurs intervenants d'être brefs dans leurs questions. Notre temps est compté.

Le professeur Martin revint à son siège.

— Je lui ai rivé son clou à ce raciste, susurra-t-il à son entourage.

La parole fut donnée à un adolescent. Dugan se demanda ce qu'on allait encore lui sortir comme fadaises. C'était à croire que personne n'avait porté attention à son discours. Chacun y avait vu ce qu'il voulait y voir. L'un y avait vu des extra-terrestres, l'autre un énoncé pro-raciste. Quelle était la marotte du prochain? L'adolescent commença par débiter ses nom et occupation.

— John Chabot, étudiant en biochimie. Monsieur Dugan, un article de Sébastien Desmond parlait, il y a à peine un mois, de la découverte de micro-mémoires contenant, aux dires du docteur Leuranc, la description d'une opération de chirurgie moléculaire. Où en sont les recherches sur ces micro-briquettes?

Enfin, une vraie question!

— Ce sujet est probablement l'aspect le plus troublant du monument. Les faits rapportés par Sébastien Desmond sont rigoureusement exacts. Jusqu'ici quelques centaines de plaquettes ont été décodées. C'est peu si on songe aux millions qui attendent de l'être. Les docteurs Leuranc et De Mornay y travaillent sans relâche et n'ont pas encore émis de communiqué. La biologie moléculaire est un domaine que je connais mal. Je me sentirais malvenu d'en parler alors que ces deux savants se taisent. Quant aux micro-plaquettes, le dernier *Scientific American* en parle abondamment. Celles que l'industrie produit actuellement auraient une capacité de un million de transistors. Or, les plaquettes du monument équivalent à dix millions de transistors. C'est énorme. Les comparaisons avec les transistors peuvent laisser froid. Pour mieux visualiser, disons que les micro-plaquettes trouvées dans le monument sont capables d'emmagasiner et de traiter en une seule seconde l'information contenue dans un millier de livres.

Un murmure parcourut la foule.

— Vous voyez d'ici le travail inhumain qui consiste à déchiffrer les millions de plaquettes de la salle C-22. Je comprends fort bien les professeurs Leuranc et De Mornay de négliger d'émettre des communiqués. Le temps leur manque cruellement. D'ici un mois, le personnel affecté aux micro-plaquettes sera décuplé. De quarante il passera à quatre cents. Et si ce n'est pas assez, nous augmenterons de nouveau les effectifs. Ceux qui connaissent un tant soit peu l'informatique et la biologie moléculaire n'auront plus à craindre le chômage. Comme vous le voyez, nous prenons les moyens nécessaires pour traiter convenablement l'information contenue dans les micro-plaquettes.

L'étudiant ne put qu'en convenir.

Et les questions se poursuivirent. À quoi bon toutes les rappeler? Certaines n'avaient ni queue ni tête et n'auraient pas été considérées comme questions au sens biologique du terme. Il y eut des déclarations de foi en la vie extra-terrestre. Un Pelleteur crut bon de s'enquérir de la santé du Prophète. À travers le lot pointait parfois une question pertinente.

Dugan finissait de répondre à une affirmation concernant les dessins de Nazca en Amérique du Sud.

— Je penche plutôt pour l'interprétation du calendrier astronomique qu'ont donnée Maria Reiche et Paul Kosok. Mais si vous voulez y voir des balises indiquant le chemin menant au monument du désert libyque, je n'ai pas d'argument prouvant le contraire. Cela n'en est pas moins fort improbable. Et contrairement à ce que vous affirmez, les dessins de Nazca ne m'ont pas guidé vers le monument. Sa découverte est purement fortuite.

Dorsett fit signe à l'intervenant suivant. Le col romain qu'il affichait l'identifiait aisément à la religion catholique. L'abbé Derez était l'un des rares ecclésiastiques qui s'étaient penchés sur le développement du génie génétique. Sa position à ce sujet était d'ailleurs mal définie et ambiguë.

— J'aimerais parler de manipulations génétiques, dit-il. Dans cette salle, peu semblent réaliser l'importance de ce que contiennent les micro-briquettes du docteur Leuranc. Lorsqu'il a dit qu'une nouvelle ère commençait, que nous étions à l'an zéro de l'ère moléculaire, il n'avait pas tort. La science moléculaire est déjà entrée de plain pied dans la manipulation génétique. Le génie génétique est devenu très rentable. Le monde des affaires l'a compris. Bientôt tous le comprendront.

«Une autre conférence!» songea amusé Dugan.

— En jouant, continua l'abbé, sur les gènes d'une vulgaire bactérie sise dans l'intestin humain, *Escherichia coli*, nous réussissons à lui faire produire de l'insuline humaine. Je dis bien «humaine»! De vulgaires bactéries se voient, par une simple manipulation génétique, substituer au pancréas déficient de près de cinq pour cent de la population adulte nord-américaine. Si aujourd'hui les bactéries peuvent devenir des vaches à insuline, demain elles nous fourniront en interféron, en vitamines, en protéines. Mais si les avantages de la révolution génétique sont énormes, les risques ne le sont pas moins. On a déjà créé une bactérie qui bouffe le pétrole. Imaginez la tête des Arabes et de leurs clients si les nappes de pétrole se voyaient réduites à néant par une infection bactérienne! Jusqu'ici je n'ai fait que parler des bactéries, mais dans le secret des laboratoires on travaille depuis longtemps sur les mammifères. Il y a même eu une expérience génétique tentée sur des humains souffrant de thalassémie. Et c'est là qu'est le danger. Si la science des gènes est capable du meilleur, elle peut aussi produire le pire. Elle ouvre la porte à l'élitisme, au racisme, à l'eugénisme. Elle risque de troubler l'équilibre écologique de la planète en modifiant des espèces animales et végétales et en bouleversant les rapports entre eux. La génétique bouleversera tout, mettra tout sens dessus dessous. Centaures, sphinx, satyres ne seront plus des fables. La création de Dieu sera chavirée.

Le prêtre regarda avec violence Dugan. Après ce long plaidoyer, il aboutissait enfin.

— Dans la Genèse, on parle de l'Arbre de la Connaissance du Bien et du Mal. Monsieur Dugan, j'ai de plus en plus l'impression que cet arbre de la science et de la connaissance dont Dieu nous a défendu l'accès n'est qu'une image pour désigner l'étrange monument du désert libyque. Quant à moi, je me dépêcherais de l'enterrer. Il ne peut apporter à l'homme que du malheur.

— Tiens donc! rétorqua Dugan. Avec une telle mentalité, la découverte du feu serait morte sous une pelletée de terre et l'homme ne serait jamais descendu de l'arbre. Le progrès fait peur et c'est tout naturel. On se dit: «Un tiens vaut mieux que deux tu l'auras.» Je n'ai nulle intention de pourfendre cette mentalité conservatrice qui est aussi inhérente à l'homme que son désir de changement. C'est le yin et le yang de l'évolution humaine. Il me fait plutôt plaisir qu'un monument dont l'origine se perd dans la nuit des temps soit vu comme un facteur de progrès de l'espèce humaine. Les pyramides ne peuvent en dire autant.

Dugan était fatigué d'aller d'une question stupide à l'autre. Depuis près d'une heure, il se prêtait à ce petit jeu. Il décida d'y couper court.

— Il est certain que le monument n'a pas fini de soulever des questions et des passions. Il me fera plaisir d'y répondre dans une prochaine conférence. En attendant, veuillez croire que les communiqués émanant du monument libyque ne sont pas faits à la légère. Aussi incroyables qu'ils puissent être, ils ne font que relater des faits vérifiables, jamais d'hypothèses ou d'a priori. Je vous remercie d'avoir bien voulu me recevoir.

Dugan signifiait son congé. Mike Dorsett se dépêcha d'intervenir pour le remercier. On applaudit avec une certaine ferveur. La salle ne se vida pas. Dugan comprit qu'il n'en avait pas terminé. Des îlots d'intervenants se formaient et chacun d'eux voulait le rencontrer. Il lança un regard vers Élizabeth Hornik. Il ne vit qu'un siège vide. Cela le déçut. Avait-elle oublié le dîner?

Dorsett vint lui serrer la main. Frédéric reçut sans chaleur les félicitations d'usage. Un premier groupe monta sur l'estrade et se dirigea vers Dugan. L'individu qui en était le chef aurait fait bonne figure dans un film d'aventuriers: les cheveux grisonnants, le visage buriné par le soleil, le menton carré et volontaire. Il s'approcha à grands pas, oublieux des obstacles. Sans trop savoir pourquoi, Dugan s'en méfia aussitôt. Il n'avait pas tort. Cet individu n'était nul autre que Norbert Chamoux. Il était accompagné de sa secrétaire et de trois disciples.

— Monsieur Dugan, je suis Norbert Chamoux.

Chamoux fit une pause pour laisser l'anthropologue assimiler cette révélation. Espérait-il le foudroyer? Dans ce cas, il dut déchanter.

— Personne n'est parfait, lui répondit Dugan. J'ai lu deux de vos ouvrages. Ce n'est pas beaucoup lorsqu'on songe au nombre incroyable d'élucubrations que vous avez mises sur papier mais c'est suffisant pour vous classer dans la catégorie des amuseurs publics. Je ne vois pas très bien pourquoi vous voulez me parler. J'aime autant que vous sachiez que j'ai eu ma ration de stupidités pour la journée et que je n'ai guère l'intention d'ergoter sur des complots de contre-vérité ou sur des Vénusiens prométhéens.

Chamoux ne s'attendait pas à une réception si peu engageante. Il rangea aussitôt Dugan parmi les gens intelligents. Son mode de classification était simple. Ceux qui portaient créance à ses œuvres n'étaient guère brillants; ceux qui n'en croyaient pas un mot l'étaient beaucoup.

— Je ne viens pas pour discuter de notre vue respective de l'histoire humaine. Je vois que vous n'êtes pas réceptif...

Dugan sourit. Chamoux le traitait de borné.

— ... je viens vous demander de bien vouloir me laisser voir le monument du désert libyque. J'ai essayé maintes fois de le voir mais on m'en a toujours refusé l'accès. J'ai droit, autant que n'importe qui de voir ce monument.

— À quel titre? demanda sans aménité Dugan.

— En tant qu'historien, écrivain et journaliste.

— Cela fait beaucoup pour bien peu, dit Dugan en souriant malicieusement.

Chamoux s'empourpra. La colère lui donnait ses plus belles envolées oratoires. Il adorait se fâcher.

— Ne vous choquez pas inutilement, le coupa Dugan. Même si je ne vous considère nullement, je répondrai favorablement à une demande écrite de votre part en ce sens. Ne m'en déplaise, vous remuez assez d'air pour qu'on vous remarque et votre public, malgré sa piètre qualité, possède un poids dont je dois tenir compte.

— Ainsi, vous ne me refusez plus l'accès au monument? se gargarisa Chamoux.

— Commment aurais-je pu vous refuser une permission que vous n'avez jamais demandée?

Élizabeth Hornik parvint à se faire voir de Dugan. Elle lui fit signe de la main. L'anthropologue lui répondit de la tête. Il était heureux qu'elle n'ait pas oublié le dîner promis. Il eut encore quelques échanges vinaigrés avec Chamoux avant de pouvoir s'en débarrasser. Il se dirigea vers Élisabeth mais fut intercepté par un flot de pro-extraterrestres désireux de s'instruire sur le contenu du deuxième tome de ses aventures. Quelques-uns lui suggérèrent même certaines scènes à inclure au troisième tome. Puis, Dugan eut droit à un pendentif en or de la part d'une délégation de Pelleteurs.

— Pourquoi un tel présent? questionna Dugan.

— Vous êtes très haut dans la hiérarchie de La Pelle. Avec le Prophète, vous êtes celui à qui nous devons le plus.

Dugan resta estomaqué.

— Je n'ai en aucune façon adhéré à votre mouvement.

— Ce n'est pas nécessaire. Vous êtes le Grand Proche et par le fait même un personnage sacré.

Dugan dut serrer les mains de tous les Pelleteurs et subir le baiser des Pelleteuses. Un barbu le saisit par le bras. Ce maniaque lui avoua sous le ton de la confidence avoir été l'architecte du monument lors d'une de ses vies antérieures. Dugan l'en félicita. Vint aussi une belle jeune femme qui lui proposa un interview pour la revue *Playboy*. Dugan refusa poliment. Et quoi d'autre? Ce n'est qu'assis dans un taxi avec à sa droite Élizabeth Hornik que l'anthropologue put se détendre.

— J'espère que vous avez bon appétit, dit-il à l'adresse de la journaliste.

— Toujours! dit-elle. Je n'ai jamais eu de difficulté avec ma ligne.

Dugan admira en silence cette ligne.

— Vous êtes jolie, dit-il. Vous l'ai-je déjà dit?

— Oui! dit-elle. C'est une des premières choses que vous m'ayez dites.

— Ce n'est pourtant pas là un compliment dont j'abuse. Vous devez décidément être très belle.

Il l'admira de nouveau. Pourquoi n'était-elle pas devenue mannequin ou star? Pourquoi avait-elle choisi le journalisme?

Il s'en informa.

— Je voulais voyager, connaître les gens, le monde. Je suis très curieuse. J'aime fouiller et découvrir. Et vous, pourquoi êtes-vous devenu anthropologue?

— Pour les mêmes raisons que vous.

— Ah! s'étonna Élizabeth. Je ne vois pas le rapport entre la soif des voyages et le fait de passer dix ans en solitaire dans le désert.

— Moi non plus! dit Dugan. Parfois je me questionne sur le bien-fondé des conseils de l'orienteur pédagogique de mon collège. Je dois cependant admettre que j'ai beaucoup fouillé.

La journaliste eut vite le rire à la gorge. Dugan lui plaisait. Elle était heureuse d'être avec lui.

Le repas fut des plus réussis. Dugan pétilla de toute l'intelligence et du charme qu'il avait emmagasinés en dix ans de désert. Il sut si bien séduire qu'il se paya Élizabeth Hornik pour dessert. Elle ne demandait pas mieux.

— Je ne me savais pas sur le menu, le taquina la jeune femme.

— Si, si! Vous y étiez. Tout en bas en petits caractères.

Dieu qu'elle était belle et désirable. Dugan la prit une seconde fois. Il n'était pas très adroit et le savait. Élizabeth eut le génie de lui faire croire le contraire.

* * *

De Mornay acheva de lire la dernière page du traité du professeur Leuranc sur la créationnisme biomoléculaire.

— Renversant de simplicité! dit-il. C'est de loin votre meilleur écrit.

— Évidemment! dit Leuranc en souriant de joie.

— Quand comptez-vous le publier?

— Il est déjà imprimé. Une distribution restreinte au sein des scientifiques est prête. Mon éditeur prépare une diffusion de masse. Il croit tenir le best-seller du siècle. Il va jusqu'à comparer ce livre à *De l'origine des espèces au moyen de la sélection naturelle* de Charles Darwin. Tout ceci me flatte énormément. Je sens que je vais m'amuser. Je dois cependant en parler avec Dugan avant de donner le feu vert. Son retour d'Amérique ne devrait plus tarder.

— Et s'il tarde trop?

— Je lui enverrai mon livre autographié.

Pour nous, cette jeep n'a rien d'intéressant mais dans mille ans, lorsqu'on la redécouvrira, ce sera tout un événement.

L'ouvrier

Chapitre IX

L'hélicoptère le débarqua près des roulottes. Jacques De Mornay l'attendait.

— Bonjour! dit Dugan.

— Nous ne savions pas quand vous reviendriez, dit Jacques. Vous ne vous êtes pas trop ennuyé du monument?

— Ennuyé!? Ma foi non! Je n'ai jamais eu tant de plaisir à vivre. Si vous saviez!

Dugan sentit le besoin de se confier.

— Vous vous rappelez la journaliste Élizabeth Hornik?

— Fort bien! répondit De Mornay. Une très belle femme! Elle avait le don de vous faire bégayer.

Le trouble que ressentait Dugan en présence de la journaliste n'était donc pas passé inaperçu.

— Était-ce si visible?

— Disons que c'était décelable. C'est le professeur Leuranc qui m'en a fait la remarque.

Ce vieux grigou avait l'œil exercé des chercheurs. Peu de choses lui échappaient. Dugan ne pouvait qu'en convenir.

— J'ai rencontré Élizabeth là-bas, confia-t-il. Précisons que je lui avais auparavant donné rendez-vous. Enfin bref, j'ai passé cinq jours avec elle.

— Et...?

— Merveilleux! En cinq jours, j'ai fait plus souvent l'amour que durant toute ma vie. J'ai dansé dans une discothèque; j'ai fait du patin à roulettes. Je ne me rappelais pas que vivre pouvait être si plaisant. Cela m'a changé du désert.

Et comment! Ces journées avaient comblé Dugan. Maintenant, il savait ce que signifiait le bonheur.

— N'en mettez pas trop, dit De Mornay. Vous allez me décourager d'expertiser les plaquettes. Moi, je me suis tapé une infirmière de l'ONU, des jambes merveilleuses. Elle avait un caractère bouillant qui nuisait à mes recherches. Le professeur Leuranc m'en a fait le reproche. J'ai donc entrepris une technicienne en informatique. Elle est beaucoup plus réservée.

Dugan fut consterné par la liberté avec laquelle De Mornay parlait des femmes. Son aventure avec Élizabeth n'était pas une simple passade. Ce n'était surtout pas une aventure. C'était... c'était... c'était quoi au juste?

— Vous semblez perdu dans vos réflexions, dit De Mornay.

— Vous parlez des femmes avec une telle désinvolture que j'en viens à me demander si je suis anormal de voir en Élizabeth quelque chose de beaucoup plus primordial. Je crois avoir goûté le bonheur à ses côtés.

De Mornay n'était pas intéressé à sombrer dans la romance. Il ne voulait pas rouvrir de vieilles blessures.

— J'aurais aimé que le professeur vous entende, dit-il. Il y a longtemps que je ne l'ai vu rire.

— Je fais un peu fleur bleue, admit Dugan. Mais je crois vraiment qu'Élizabeth saurait me combler. Elle seule pourrait mettre fin à ce sentiment de vide et d'insatisfaction qui m'a toujours poursuivi.

Il regarda le monument.

— Elle et le monument, ajouta-t-il songeur. Je ne dois pas oublier le monument. Je...

Dugan hésita. Il se demandait pourquoi il se confiait ainsi à De Mornay. Probablement qu'il en ressentait le besoin.

— ... je me suis ennuyé de ce monument. J'ai un ménage à faire dans mes sentiments. Je ne sais plus très bien où j'en suis.

De Mornay eut un sourire en coin qui réussit à cacher la tristesse de son regard. Les propos de Dugan le touchaient tout particulièrement.

— Trêve de bavardages! dit Dugan en se forçant à sourire. Où en est la recherche sur les plaquettes?

— Le professeur Leuranc a hâte de vous parler, répondit De Mornay. Le contenu d'une série de plaquettes lui a rendu son humeur de chenapan coquin. Il n'était pas très heureux lorsqu'il a su que vous rallongiez votre séjour aux USA.

— Et de quoi veut-il m'entretenir?

— Il n'apprécierait pas que j'érode la surprise qu'il vous prépare.

— Est-ce si important et si fantastique?

— Je vais l'informer de votre arrivée et nous vous rejoignons à votre roulotte. Nous y serons plus à l'aise pour parler.

Jacques laissa Dugan immobile. À peine arrivé, le monument se rappelait à lui. Qu'est-ce que le vieux professeur voulait lui dire? Avait-il réussi à prouver que le monument n'était rien d'autre qu'un immense laboratoire de biologie moléculaire? Chose certaine, Dugan ne pouvait être surpris. Il s'attendait à tout.

* * *

À peine avait-il déballé ses bagages qu'on cogna à sa porte.

— Entrez! cria Dugan.

Ludovic Staniss, le géologue, entra.

— Puis-je vous parler? demanda-t-il d'un ton courtois et cérémonieux.

— Asseyez-vous! dit Dugan. Avez-vous eu assez de temps pour finaliser votre étude sur la pierre du monument?

— Il y a belle lurette qu'elle est finalisée.

Il sortit une liasse de feuilles de sa serviette et la déposa sur la table à café séparant les deux hommes.

— Voici l'étude. Je voulais être sûr de ce que j'avançais avant de vous la soumettre.

On cogna de nouveau à la porte. Leuranc entra, suivi de De Mornay. Ils prirent chacun un siège. Le professeur Leuranc semblait fatigué mais plein d'entrain. Ses yeux pétillaient de malice.

— Ludovic Staniss, dit Dugan en leur présentant le géologue, a terminé son étude sur la pierre du monument. Il s'apprêtait justement à m'en résumer les résultats.

Dugan fit signe au géologue de continuer.

— J'en ai déjà discuté avec les docteurs Leuranc et De Mornay. Leur opinion me semblait nécessaire.

— Évidemment! approuva le docteur Leuranc d'un ton mi-figue mi-raisin.

Il se préparait un coup fourré. Dugan calma une nervosité naissante en chiffonnant un morceau de papier.

— En quoi cette pierre peut-elle intéresser des biologistes? Est-ce que cette pierre contiendrait des fossiles?

Leuranc ricana tout bas et chuchota un «évidemment» lourd de sens. Ludovic Staniss prit son rapport et l'ouvrit sur une série de photos qu'il tendit à Dugan.

— Que voyez-vous? demanda-t-il à l'anthropologue.

— Une roche cassée qui semble s'arrondir dans les photos suivantes.

— S'arrondir! ricana Leuranc. Il faudra que je la replace. Oui, je me promets bien de la replacer. S'arrondir, répéta-t-il en rigolant.

Sa moustache en frémissait de plaisir.

— Qu'est-ce qu'il y a de si drôle? demanda Dugan.

— Vous croyez assister à une érosion, à un «arrondissement» de rocher, dit Leuranc. Or, les roches ne s'arrondissent pas en vingt-quatre heures et ces photos ont été prises dans un intervalle de vingt-quatre heures. Non, cette pierre ne s'arrondit pas, elle se cicatrise!

— Se cicatrise! répéta hébété Dugan. Est-ce à dire que...?

Leuranc, De Mornay et Staniss lui firent oui de la tête.

— Mais alors, c'est vivant!

— Vous y êtes, dit De Mornay. Le monument est un énorme organisme vivant tirant son énergie non du soleil, comme nous l'avions supposé, mais de la terre. L'énergie qu'il utilise est géothermique.

Dugan jeta dans la corbeille son papier chiffonné et en prit un autre. Il s'attendait à tout mais pas à ça.

— C'est tellement loufoque! dit-il.

— En y pensant bien, ce n'est pas si loufoque, dit Ludovic Staniss. Lorsque j'étais enfant, j'ai toujours été surpris par l'absence de vie chez les minéraux. Les animaux vivent, les végétaux vivent mais pas les minéraux. Pourquoi? Cette absence de vie des pierres me fascinait. Car qu'est-ce que la vie? Un assemblage d'atomes, rien de plus! Assemblez du carbone de telle façon, vous avez du charbon. De telle autre, vous avez un diamant. Prenez du carbone, mélangez le avec certain minéraux et vous avez la vie. Qu'il y ait une forme minérale vivante ne me surprend pas: c'est la logique des choses. La vie n'avait pas à se limiter à l'animal et au végétal. La vie est infinie.

— Évidemment! approuva Leuranc. Ceci étant dit, nous pourrions peut-être passer à quelque chose de plus sérieux. Nous pourrions parler un peu de biologie moléculaire.

Dugan n'avait pas encore digéré la vie du monument. Il comprit que le professeur se préparait à lui servir une indigestion.

— Un instant, dit-il. Voir dans le monument une espèce vivante domestique mérite un peu de réflexion.

— Pourquoi parlez-vous d'espèce vivante domestique? interrogea Staniss.

— Notre civilisation a domestiqué le poulet, le bœuf, le porc. Nous nous sommes emparés de plusieurs graminées telles le blé, l'orge, l'avoine. Toutes ces espèces ont été modelées par l'homme pour répondre à ses besoins. Or, la civilisation ayant vécu ici a fait de même avec cette forme de vie minérale. Elle s'en servait comme maison. J'irais même jusqu'à dire comme ville.

— Permettez-moi d'apporter une correction, interrompit De Mornay. Si l'homme a modelé des espèces sauvages suivant ses besoins et ce à travers un long cheminement de sélection des gènes, la civilisation du monument a tout simplement créé cette pierre vivante, comme elle a créé tout le reste.

— Très juste! dit Leuranc en approuvant vigoureusement de la moustache. Si à partir d'acides nucléiques on peut faire des os et des coquilles, pourquoi pas des pierres et des maisons?

Dugan se demanda si le vieux professeur ne délirait pas.

— Cette civilisation jouait avec l'ADN comme nos enfants joueront avec les ordinateurs, continua le professeur. Cela ne vous a jamais surpris que, du virus à l'homme, tout soit codé à partir des mêmes bases moléculaires? Toute créature vivante est la réalisation d'un programme inscrit dans ses gènes. Et ce programme a été conçu et réalisé ici même. Nous sommes les créatures de ce monument.

— Que racontez-vous? questionna Ludovic Staniss qui était à mille lieues de s'attendre à de telles révélations. Insinuez-vous que l'homme est l'aboutissement d'un travail effectué dans ce monument?

— L'homme, la chenille, la bactérie! Tout! Absolument tout!

— Mais cela n'a pas de sens! s'exclama Staniss. Non seulement vous allez à l'encontre de Darwin, mais vous niez en plus la nature divine de l'homme.

Dugan, Leuranc et De Mornay se lancèrent tour à tour des regards d'incrédulité.

— Croyez-vous en Dieu? questionna Dugan.

Staniss resta interloqué.

— Bien sûr! dit-il. La grande majorité de l'humanité croit en Dieu. Il est inutile de me regarder comme si j'étais un animal de foire.

— Évidemment! ne put s'empêcher d'ironiser Leuranc.

— Évidemment, répéta sans entrain Dugan. La réaction de Ludovic nous donne une vague idée de la réception que le public fera à votre hypothèse sur le monument.

— Ce n'est plus une hypothèse, dit De Mornay. Durant votre absence, nous sommes tombés sur une plaquette résumant une partie des travaux des ADNiens.

— Les quoi?

— Les ADNiens. C'est le nom que le professeur Leuranc a donné à la civilisation du monument. Cette plaquette ne nous laisse plus aucun doute. Le monument fut effectivement un immense laboratoire de biologie moléculaire. C'est ici que fut créée la vie.

— D'ici une semaine, dit le professeur, nous rendrons publique la raison d'être du monument. Peut-être avant si des fuites se produisent. Je me prépare à ravir à Darwin sa place de choix dans les manuels scolaires.

Dugan délaissa les mille et un morceaux du papier qu'il chiffonnait et déchirait.

— Une semaine, dit-il. C'est bien peu. Qui est au courant?

— Formellement, il n'y a que nous quatre et mon éditeur, répondit Leuranc. Mais bien des gens œuvrant dans le milieu génétique ont cette hypothèse en tête. Mon traité sur le créationnisme biomoléculaire arrivera à point.

— À votre place, je vérifierais de nouveau, dit Ludovic Staniss. Si jamais vous errez, votre carrière scientifique est finie à jamais.

— Nous vérifions depuis plus d'un mois, rétorqua Leuranc. Quant à ma carrière scientifique, elle est derrière moi. Ceci sera mon chant du cygne et je me promets un vrai chœur de philosophes et d'humanistes pour m'accompagner.

— Cela ne peut être vrai, dit Ludovic Staniss.

— Votre pierre vivante n'a pas réussi à vous ouvrir suffisamment la cervelle. Pensez-vous que les gens croiront facilement que le monument est un énorme animal minéral? lui répondit Leuranc.

— J'ai toutes les preuves pour venir à bout de leur scepticisme. D'ailleurs, après un peu de surprise, les gens ne pourront que s'émerveiller et...

Staniss se tourna vers Leuranc

— ..., ne vous en déplaise, il en glorifieront Dieu.

— Mon cul! s'exclama Leuranc. Ce qui est vraiment merveilleux c'est que des gens puissent croire en Dieu. Chaque fois que j'y pense cela m'émerveille et cela ne fait pas que m'émerveiller.

Le professeur Leuranc se leva et se dépêcha d'aller aux toilettes. Staniss en fut ébranlé. Il essaya de trouver une aide en Dugan.

— Ne comptez pas sur moi pour vous apppuyer, dit Dugan. Il y a longtemps que je me passe de Dieu.

— Mais plus de quatre milliards d'hommes croient en Dieu! Se pourrait-il que l'homme se soit gouré depuis l'aube des temps? J'en doute! Et tout ce qui nous entoure: les arbres, les fleurs, les oiseaux! Tout nous parle de Dieu.

— Moi, cela me parle plutôt de biologie moléculaire, rétorqua De Mornay.

Staniss hocha la tête devant la mauvaise foi de ses interlocuteurs. Il décida d'user de logique.

— Vous croyez que l'homme a été créé par les ADNiens. Mais alors, qui a créé les ADNiens?

— Je ne le sais pas, répondit De Mornay.

— Nous y voilà, triompha Staniss. Tout se doit d'avoir un pourquoi et un comment! Et Dieu est le pourquoi et le comment ultime!

— Et qui a créé Dieu? questionna De Mornay.

— Dieu se suffit à lui-même. Dieu est de toujours et de partout. Dieu est la réponse ultime.

— Là, vous me perdez! rigola De Mornay. Vous expliquez l'univers par Dieu et vous me dites que Dieu ne s'explique pas. Ne serait-il pas plus simple de dire que l'univers ne s'explique pas? Pourquoi créer une entité mythique à qui vous conférez une éternité que vous refusez à l'univers? Pourquoi l'univers ne se suffirait-il pas?

Le professeur Leuranc sortit des toilettes.

— Il ne faut pas considérer les croyants comme des imbéciles, dit Staniss. N'oubliez pas qu'Einstein croyait en Dieu.

— Vous m'avertirez quand ce sera terminé, dit le professeur Leuranc.

Et il retourna aux toilettes.

Ludovic parut déboussolé. Il n'était pas habitué de défendre sa foi et n'avait pas l'intention de jouer au missionnaire.

— Vous ne comprenez pas, dit-il, et je ne sais comment vous l'expliquer. Pour moi, Dieu est une réalité. Dieu ne peut pas ne pas exister.

— Et quelle est votre réaction, demanda Dugan, lorqu'on vous dit que les ADNiens ont fécondé la terre?

— J'ai de sérieux doutes.

— Les docteurs Leuranc et De Mornay peuvent vous le prouver.

— S'ils se trompent...

— Ils peuvent vous le démontrer noir sur blanc.

Staniss réfléchit. Et si les faits allaient à l'encontre de sa foi profonde? N'était-il pas un scientifique? Et puis, cette création adnienne ne niait nullement Dieu. Intelligemment, Staniss battit en retraite.

— Je ne veux pas paraître plus buté que je ne suis, dit-il. Me savoir le résultat d'une expérience scientifique ne m'enchante pas. Je préfère de beaucoup une paternité divine, si ténue soit-elle. D'un autre côté, je ne ferai pas l'autruche. Si cela est avéré, il me faudra changer ma conception du monde. Mais cela ne se fera pas en un jour, ni sans heurts. Ce que vous avancez est si inimaginable.

Leuranc sortit de nouveau des toilettes. Il n'avait rien perdu du repli stratégique de Ludovic.

— Rassurez-vous, dit-il, Dieu s'en sortira. Les milieux religieux ont réussi à digérer l'évolution des espèces de Darwin, ils nageront comme des poissons dans l'eau à l'intérieur du créationnisme biomoléculaire que nous nous apprêtons à divulguer. J'en suis venu à croire que le besoin religieux de l'homme a été programmé par les ADNiens. N'empêche que nos révélations vont faire un joli merdier.

Leuranc ricana.

— Il faut bien se payer un peu de plaisir dans la vie, dit-il pour résumer son état d'âme.

* * *

Le docteur Darsey fut heureux de voir les deux biologistes et le géologue quitter la roulotte de Dugan. Il devait lui parler d'homme à homme avant la conférence qu'il se promettait de donner. Ce qu'il avait découvert par le plus grand des hasards méritait beaucoup de discrétion pour éviter les fuites d'ici la conférence. Il ne cogna pas, se contentant d'ouvrir avec entrain la porte. Il jeta un coup d'œil dans le salon: personne.

— Frédéric, es-tu là?

Dugan triait le vaste courrier accumulé durant son absence. Il reconnut la forte voix de Darsey.

— J'arrive, dit-il.

Lorsqu'il pénétra dans le salon, Darsey se servait une limonade.

— Assied-toi, dit Darsey. Ce que j'ai à te dire est bouleversant. Tu te rappelles mon incrédulité face à l'absence de déchets, de fossiles et d'immondices?

— Fort bien! répondit Dugan.

— Maintenant je sais pourquoi!

— Et pourquoi?

— Le ménage a été fait!

Darsey sourit de toutes ses dents tant il était fier de sa découverte. Frédéric Dugan songea aussitôt aux méfaits du soleil brûlant sur les crânes des savants.

— Très intéressant, dit-il. Et quand cette idée vous est-elle venue?

— Ce n'est pas une idée. Je puis le prouver.

La lubie de Darsey s'avérait plus grave que pressentie.

— Mais laisse-moi t'expliquer. Comme tu le sais, toutes les roulottes sont munies de toilettes biologiques. Ces toilettes nient toute ma vie, aussi, par principe, j'ai décidé de chier dans une salle perdue du monument. Chaque fois que la nécessité se présentait, j'allais m'y décharger. Je me disais que les anthropologues des siècles à venir auraient de quoi se mettre sous la dent. J'étais heureux de donner ainsi un coup de pouce à ces générations futures d'anthropologues. Or...

Darsey leva un doigt pour souligner le côté théâtral de ce qu'il allait dire.

— ... Or, dis-je, après avoir fait fi de cette activité durant quelques jours pour des raisons personnelles, quelle ne fut pas ma surprise de voir qu'il ne restait rien de mon petit tas d'excréments!

— Vous voulez dire que vous n'êtes pas allé à la selle pendant quelques jours et que...

— Non! Non! Je n'ai jamais été constipé de ma vie. Disons que pour des raisons strictement personnelles je ne suis pas allé chier dans la salle du monument pendant quelques jours.

— Et où êtes-vous allé?

— Ceci est personnel et je ne veux pas en discuter. J'ai le droit d'aller chier là où bon me semble.

Dugan n'insista pas.

— Donc, le petit tas d'excréments n'y était plus. On l'avait ramassé. J'ai mené une enquête discrète pour voir si un de mes confrères anthropologues s'était approprié mon tas de merde et j'ai pu voir à leur réaction que ce n'était pas le cas. J'ai vérifié auprès du département sanitaire. Personne ne semblait savoir où étaient passés mes immondices. Comme tu le vois, la situation ne s'éclaircissait pas. Quant à moi, j'étais quelque peu frustré de voir que mes efforts pour ne pas chier dans une toilette biologique n'avaient abouti à rien. Quoique discrète, mon enquête intrigua beaucoup de gens. Je mis dans la confidence deux de mes collègues, qui décidèrent eux-aussi, à ma demande, de chier dans la salle assignée à cet effet. Très vite, nous reformâmes un tas de merde que nous photographiâmes et mesurâmes. Puis nous arrêtâmes de l'alimenter. Chaque jour, nous prenions des mesures et des photos. Inutile de dire que plusieurs se moquaient de nous. Certains sous-entendaient que le soleil avait eu raison du peu de sens commun qui nous restait. Encore une fois, j'ai eu raison de côtoyer le ridicule car ce que j'ai découvert est foudroyant.

Darsey regarda Dugan dans les yeux.

— Le monument bouffe de la merde! dit-il en appliquant un vigoureux coup de poing sur la table à café.

Dugan ne sembla pas réagir suffisamment au goût du professeur.

— Tu ne sembles pas surpris, dit Darsey. Pourtant c'est la découverte la plus fondamentale que nous ayons faite jusqu'ici. Le monument bouffe de la merde! Mais, c'est capital! Je vais convoquer une conférence de presse. Le monde doit savoir. N'est-ce pas que cette découverte laisse dans l'ombre toutes les autres?

— Non, dit Dugan. C'est intéressant mais...

— Intéressant! En voilà un jugement! Moi qui pensais que tu allais sauter de frénésie. J'aurais dû agir selon ma première idée et ne pas écouter Françoise. Elle voulait absolument que je t'en parle avant de le crier au monde. Pourquoi l'ai-je écoutée. J'ai attendu vingt-quatre heures pour me retrouver devant un ingrat qui n'a même pas la bienséance de me féliciter. On dirait, Frédéric, que tu n'en as plus que pour la biologie machin-truc. Tu as renié l'anthropologie, cette science à qui tu dois tout.

— Vous tombez dans l'exagération, dit Dugan.

— Bien sûr! dit Darsey. J'ai toujours exagéré. Pour se faire comprendre, il faut exagérer. Ceux qui ne sont pas flamboyants crèvent dans la médiocrité.

— Cessez de péter le feu et écoutez moi. Le géologue Ludovic Staniss vient de sortir d'ici. Son rapport traîne encore sur la table. Il appert que le monument a une vie propre. Le monument est vivant. Ce que vous avez découvert n'est qu'une émanation de cette vie.

— Qu'est-ce que tu racontes? Le monument est vivant!

Darsey digéra péniblement l'information. Puis, comme elle faisait son affaire, il l'accepta.

— Mais alors, cela explique pourquoi il bouffe la merde. Ma découverte est plus que fondamentale.

— Si vous voulez mon avis, il la bouffe et la recycle comme une toilette biologique mais en beaucoup plus efficace. Ce n'est probablement pas la seule chose qu'il puisse bouffer. Avant de faire une conférence de presse, vous feriez mieux de bien étudier le phénomène. Je ne veux pas que vous donniez l'impression aux journalistes qu'ils se trouvent dans l'estomac d'un monstre les digérant tranquillement. Ayez au moins la pudeur de savoir de quoi vous parlez! lança avec humeur Dugan.

Darsey resta bouche bée devant la violence de la critique.

— Voyons Frédéric, dit-il. On se connaît depuis longtemps. C'est vrai que j'ai des défauts. Je suis théâtral, impulsif, original. Ma flamboyance fait beaucoup rire mais je n'en demeure pas moins quelqu'un de sensé. Tu sais bien que derrière mes fanfaronnades se cache un homme qui est capable de dialoguer et constamment prêt à se remettre en question.

Ce fut au tour de Dugan de rester sans voix.

— J'ai toujours eu, continua Darsey, de la difficulté à établir des rapports humains valables avec les êtres. Tantôt, je te parlais des raisons personnelles qui m'avaient amené à cesser d'aller chier pendant quelque temps dans le monument. J'ai fait un retour sur moi-même. Je ne suis pas satisfait de ma vie. Tu sais comment je rigole quand je raconte mes fiançailles et mon quasi-mariage avec Winnifred Mead. Ce n'est que pour cacher qu'en refusant cette intimité j'ai gâché ma vie. Je l'aimais et je sais qu'elle ne serait pas devenue la sorcière qu'elle est si je l'avais épousée. L'un et l'autre nous serions devenus des personnes entières; nous nous serions enrichis mutuellement. Et, il y aurait eu les enfants.

Était-ce là le professeur Darsey que Dugan connaissait? Difficile à croire.

— Vous regrettez de n'avoir pas épousé Winnifred Mead? ne put que s'étonner Dugan.

— Oui, répondit d'un ton rêveur Darsey. Je le regrette. Tu aurais dû la connaître lorsqu'elle avait vingt ans. Belle comme une fée et de l'humour à revendre. J'ai été con de la laisser aller.

Darsey sembla sortir de sa rêverie.

— Je... Cela m'a fait du bien d'en parler. J'aimerais que tout ceci reste entre nous.

— Je n'en soufflerai mot.

De toute façon, personne ne l'aurait cru.

— Et toi, dit Darsey, tu n'as pas d'amour manqué? Sais-tu que Françoise a fait une dépression lorsque tu as quitté l'université pour t'enfoncer dans le désert?

— Une dépression? répéta Dugan, incrédule.

Ses rapports avec Françoise s'étaient toujours limités à de la camaraderie. Jamais rien d'intime n'était survenu entre eux.

— Si! Si! Une dépression! Elle a leurré son entourage en excusant son état par une mononucléose, mais c'était bel et bien une dépression.

— Voyons! protesta Dugan. Entre Françoise et moi, il n'y avait rien sauf de la camaraderie. D'ailleurs elle avait tous les mâles qu'elle désirait. Pourquoi aurait-elle lancé son dévolu sur le médiocre que j'étais? Sa dépression devait être effectivement une mononucléose ou une toxoplasmose. Il n'y a pas de quoi en faire un roman savon.

Le vrai Darsey aurait volé en éclats sous l'impertinence. Il aurait argumenté avec vigueur, foudroyant l'adversaire de mépris, le remplissant de remords et l'aurait achevé par une déclaration lapidaire.

— Comme tu voudras, dit le nouveau Darsey. Pour ce qui est du monument, je ne ferai pas de conférence de presse. Nous attendrons de mieux connaître la nature de ce phénomène avant de le révéler au monde.

Il salua et quitta la roulotte d'un pas léger que Dugan ne lui avait jamais vu. Qu'était-il donc arrivé à Darsey?

— On ne se connaît pas soi-même. Comment peut-on prétendre connaître les autres? philosopha avec mélancolie Dugan.

Puis reprenant sur lui-même:

— Qu'est-ce que je raconte? Darsey a perdu son équilibre, un point c'est tout! Il devrait voir un médecin dans les plus brefs délais.

Je n'aime pas assez l'humanité pour l'aider à franchir un nouveau pas sans qu'on me congratule. Je veux être payé pour mes mérites. Je veux que l'on sache que c'est moi. Je ne veux pas qu'on se pose des questions sur moi comme on s'en pose aujourd'hui sur l'inventeur de la roue et le découvreur du feu. Je ne suis pas un anonyme, ni un altruiste. Cette découverte ne profitera à personne si elle ne me profite pas.

L'ouvrier

Chapitre X

Heureux d'avoir vaincu sa constipation en matinée, c'est l'âme sereine que le pape écoutait les propos de son homme de confiance.

— ... Ils atteignent déjà les vingt millions de fidèles, dit Mgr Rossi.

Le chiffre n'eut aucun effet sur le visage paisible du pape. Il était encore extasié d'être allé à la selle. Mgr Rossi n'en fut pas dupe. Le pape vieillissait. Sa Sainteté s'occupait de plus en plus de son estomac et du travail de ses intestins et de moins en moins de l'Église. Cette situation était d'autant plus triste que ce pape avait été un grand pape. Durant les dix premières années de son règne, il avait revigoré l'Église et lui avait donné un élan de vitalité qui avait étonné et ébahi. Mais ce temps était loin. Depuis cinq ans, la santé du pape allait en déclinant. Ses organes vieillissaient rapidement et le cerveau avait pris le diapason d'un estomac paresseux. Ce pape n'était plus que l'ombre du géant qu'il avait été.

— La progression des Pelleteurs s'accentue, continua Mgr Rossi. Ils profitent pleinement de l'immense publicité entourant le monument du désert libyque. Les autorités libyennes auraient l'intention de se détacher de l'Islam pour faire de La Pelle la religion officielle de leur pays. Dans les pays chrétiens, la Pelle gagne de plus en plus d'adeptes au sein des universitaires. Ceux qui hier se disaient marxistes se déclarent aujourd'hui Pelleteurs. À Rome, plusieurs jeunes affichent un pendentif de la fameuse Pelle. Partout des cercles de Pelleteurs naissent. Cette religion draine notre jeunesse et devient une menace pour l'Église.

Le pape était agacé. Il n'aimait pas qu'on lui parle de menace pour l'Église. Il avait eu son lot de soucis et désirait une fin de règne sans tracas. Il en était venu à refuser sciemment de considérer tout ce qui pourrait nuire au fragile équilibre de son organisme. Il n'était pas dupe de l'affaiblissement de ses facultés mais considérait cette dégénérescence comme la dernière épreuve que Dieu lui imposait sur cette terre.

— L'Église est l'œuvre du Christ. Elle ne saurait être menacée. Ceci n'est qu'un petit tourbillon dans la mer du temps.

De la main, il signifia congé à son bras droit. C'était l'heure de la sieste. Cette visite l'avait fatigué.

Mgr Rossi sortit songeur des appartements papaux. La Pelle le préoccupait de plus en plus. Au début, il avait ricané en apprenant l'existence de cette secte. Puis, il avait froncé quelque peu les sourcils. Maintenant, il la craignait. Deux jours plus tôt, il avait appris la naissance d'un groupuscule de Juifs en Israël qui, convertis à La Pelle, reconnaissaient en Élis le vrai Messie. Ah! Si ce groupuscule était né quinze ans plus tôt, le présent pape n'en aurait fait qu'une bouchée!

Maintenant, il n'en avait ni la force, ni le vouloir. Le pape se laissait mourir tranquillement en cultivant la béatitude de l'inaction.

Sur le bureau de Mgr Rossi, un communiqué de presse attendait. L'homme d'Église y jeta un œil furtif, qui s'arrondit sous l'effet de la surprise et finit par adopter une mimique horrifiée.

— Ce monument est l'œuvre de Satan! s'exclama-t-il en battant les bras de stupeur.

* * *

Dugan fixait avec dépit les minuscules bidules électroniques que l'on avait dénichés un peu partout dans sa roulotte. Devant lui, Alder Leuranc et Jacques De Mornay semblaient s'en amuser.

— Les journalistes n'ont guère été fair-play, dit De Mornay.

— C'est de la racaille, dit Leuranc. Avoir truffé votre roulotte de mouchards ne me surprend pas d'eux.

— J'ai demandé que l'on examine toutes les roulottes pour éliminer toute possibilité future d'écoute électronique, dit Dugan.

— Évidemment, dit Leuranc, mais le mal est fait. Notez que personnellement, je ne m'en plains pas. Dans quelques heures, vos amis journalistes auront saturé les journaux et la télévision des indiscrétions de leurs mouchards. Le monde entier saura que l'homme a été créé dans ce monument et qu'il n'est que le résultat d'une vaste recherche de biologie moléculaire. J'entends déjà les pleurs et les grincements de dents des curés et rabbins. Encore une fois, je pourrai admirer la bêtise humaine dans ce qu'elle a de meilleur.

— Ce sera un beau merdier, dit Dugan.

— Et comment! se réjouit Leuranc. Dans un premier temps, ils nieront cette conception de créationnisme biomoléculaire mais, très vite, certains en verront tous les avantages. L'humanité préférera de beaucoup être le fruit voulu et réfléchi d'une recherche scientifique que de n'être que l'aboutissement hasardeux d'une évolution des espèces l'apparentant au singe.

— Vous oubliez Dieu, dit Dugan.

— Moi, je l'oublie, dit Leuranc mais ceux qui récupéreront cette idée du créationnisme biomoléculaire ne manqueront pas de l'y inclure.

— J'appuie le professeur Leuranc, dit De Mornay. Si l'humanité a gobé la création divine et essayé de digérer la théorie de l'évolution, elle n'aura aucune difficulté à s'adapter au créationnisme biomoléculaire. Cette nouvelle vision de l'homme ne manque pas de charme. Les nostalgiques du créationnisme biblique seront les premiers à y adhérer. Ils y verront l'explication scientifique de la Genèse.

Les propos des deux biologistes calmèrent les appréhensions de Dugan. Il est vrai que les aspirations humaines se trouvaient coincées dans l'évolutionnisme darwinien. Le créationnisme biomoléculaire rendrait à l'homme tous ses rêves.

— Je me fais probablement des peurs, dit Dugan. Ma connaissance des sciences humaines me fait cependant craindre des réactions plus vives. L'humanité s'est mise sur un piédestal qu'elle n'est pas prête à quitter.

— Qui parle de l'y enlever? Peu importe sa médiocrité, l'humanité ne voudra jamais descendre du podium de son orgueuil, dit Leuranc en manifestant une certaine irritation.

Il n'aimait pas s'étendre vainement sur des sujets philosophiques.

— Parlons plutôt de mon bouquin sur le créationnisme biomoléculaire, dit-il. L'avez-vous lu?

— Non! dit Dugan. Vous venez à peine de me le remettre.

— Dans ce cas, laissez-moi vous le résumer. Vous savez que j'ai mis la main sur des plaquettes décrivant le scénario des ADNiens. C'est passionnant. Les ADNiens, après avoir mis au point une structure nucléique à base de carbone, l'ADN, qui est en fait un langage génétique, ont entrepris de monter des programmes qu'ils améliorent d'expérience en expérience. Ils commettent plusieurs erreurs, mais d'erreur en erreur, ils apprennent et progressent vers des conceptions d'organismes végétaux et animaux de plus en plus efficaces. C'est palpitant. C'est à la fois un acte de création et un processus évolutif qui se marie avec la théorie de Darwin. J'ai vraiment entre les mains les archives de la création terrestre.

— Les ADNiens montent des programmes?! s'étonna Dugan.

De Mornay et Leuranc se firent plus exhaustifs. Le langage génétique était le même pour une bactérie ou un homme. C'était le traitement de ce langage qui amenait soit la production d'un homme ou d'une bactérie.

— De même, dit De Mornay, qu'à partir d'un langage ordiné comme le Pascal ou le Basic on réalise des programmes pour traiter la comptabilité ou jouer aux échecs, à partir d'ADN, les ADNiens pouvaient réaliser des programmes aboutissant à l'émergence d'*Escherichia coli* ou de *Homo sapiens*.

— Et ce programme se trouve inscrit dans les chromosomes de chaque espèce? compléta Dugan.

— Chaque espèce a son propre caryotype, approuva Leuranc. Le monde du vivant est un monde ordiné et programmé. Il est merveilleux de penser que les ADNiens ont réussi à mettre sur pied un système générant son propre support et capable de se reproduire en assurant une diversité individuelle. Ces ADNiens étaient des savants fantastiques. Il faut leur lever notre chapeau.

Le téléphone sonna. Dugan y répondit.

— Bien sûr! dit Dugan après un moment d'écoute. Nous procéderons à une conférence de presse dès cet après-midi.

Il écouta de nouveau.

— Si nécessaire, nous ferons une deuxième conférence demain... Nous n'avons jamais eu l'intention de cacher quoi que ce soit. Nous n'avons pas non plus l'intention d'avancer des hypothèses non vérifiées. Ce qui fait la manchette aujourd'hui suite à une fuite, l'aurait fait de toute façon dans les jours à venir. Un livre du professeur Leuranc sur le sujet est déjà en voie de diffusion.

Les propos de son interlocuteur eurent le don de faire grimacer Dugan. Il se fit plus incisif.

— Je n'ai pas le temps de discuter de tout ceci. Nous en traiterons lors de la conférence de cet après-midi.

Il raccrocha le combiné.

— Cela commence bien, dit-il en s'adressant aux deux biologistes. Savez-vous qui était à l'autre bout du fil?

De Mornay et Leuranc restèrent silencieux.

— Le secrétaire de l'ONU! Il n'était pas très heureux. L'idée du créationnisme biomoléculaire n'a pas l'heur de lui plaire. Il voulait pratiquement en négocier certains points. Il avait déjà lu votre livre.

Les yeux de Leuranc pétillèrent.

— Évidemment! dit-il d'un ton sarcastique.

Le téléphone sonna de nouveau.

— Nous allons vous laisser, dit De Mornay. Vous allez être passablement occupé dans les heures qui viennent.

— Il vous faudra faire face à la bêtise humaine, ricana le vieux professeur.

Les deux biologistes quittèrent la roulotte pendant que Dugan décrochait le combiné. Dehors, ils croisèrent Ludovic Staniss. Ce dernier paraissait nerveux.

— Ils savent! dit-il à l'adresse des biologistes.

— Qui sait quoi? s'informa De Mornay.

— Les journalistes savent que le monument est vivant! Quelqu'un a parlé. Je dois en avertir Dugan.

— Je crains qu'il ne puisse vous accorder beaucoup de temps, dit Leuranc. Des mouchards ont enregistré notre conversation de l'autre jour. Dans quelques heures le monde entier saura que le monument est vivant et que l'homme est un produit d'expériences génétiques. Le pauvre Dugan n'aura pas une minute à lui. Il devra faire face à la musique.

Leuranc ne cachait pas sa joie.

— Je voulais justement vous parler de cette vie du monument, continua le vieux professeur.

— Vous avez du nouveau? s'intéressa aussitôt Ludovic.

— Nous avons fractionné un morceau de pierre et après maintes expériences, nous...

Leuranc fit signe à De Mornay de continuer. Après tout, son élève avait mené de main de maître les recherches et avait tout le mérite de la découverte.

— Nous avons isolé certains composés organiques, dit De Mornay. Ces composés ont la particularité de ne pas être à base de carbone mais de silicium.

— De silicium! répéta le vieux professeur. Imaginez! Du silicium!!! C'est merveilleux! Ce monument possède un alphabet génétique différent du nôtre! Et alors que le langage de la vie carbonique se compose de quatre «lettres» chimiques, l'alphabet du monument n'en a que deux, tout comme nos ordinateurs! N'est-ce pas merveilleux? On serait en droit de se demander si l'homme n'est pas en train de faire avec l'ordinateur ce que les ADNiens ont fait avec nous. L'homme est peut-être en voie de créer un nouveau type de vie.

Staniss ne partageait pas l'enthousiasme de Leuranc. Pour tout dire, il ne saisissait pas la portée de cette découverte.

— Je me laisse emporter, dit Leuranc. Je divague. N'empêche que c'est fantastique. Il faudra s'en reparler. Nous avons en tête une hypothèse incroyable qui expliquerait tout. Mais avant, nous devons vérifier.

— Mais de quoi parlez-vous? interrogea Staniss.

— Chut! mima Leuranc avec le doigt sur la bouche. N'en parlez à personne. J'en ai déjà trop dit.

Sur ce les deux biologistes s'éloignèrent. Le géologue se gratta la tête. Ce Leuranc allait finir par l'agacer. Staniss n'était pas très heureux de voir la biologie s'emparer du monument comme champ d'étude. Cette incursion devait cesser. Le monument revenait de droit à la géologie. Il en glisserait un mot à Dugan. Si on ne mettait pas le holà, la biologie allait s'approprier tous les champs d'études traditionnellement dévolus aux autres sciences. Cette discipline était devenue un vrai cancer.

* * *

À l'abri d'une tente dotée de l'électricité, des toilettes et de l'eau courante, Élis vérifiait en compagnie du conseil des Proches, la progression phénoménale de l'*Élisien*.

— Nous allons bientôt le traduire en deux dialectes indiens, le tamoul et le bengali. L'*Élisien* sera donc disponible en trente-sept langues et sept dialectes.

— Il faut stimuler les efforts de traduction, dit Élis. La langue ne doit pas limiter la divulgation de La Pelle. Il ne faut pas oublier que les deux tiers de l'humanité sont analphabètes. Où en sont nos efforts pour leur révéler La Pelle?

— Des cercles missionnaires devraient bientôt s'ouvrir aux Indes et au Pérou, répondit un des Proches. Nous connaissons cependant des difficultés à percer le bloc communiste. Des cassettes et des disques reproduisant l'*Élisien* sont disponibles. Nous louons du temps d'antenne aux chaînes de radio et de télévision.

Le petit livre qu'avait écrit Élis pour résumer les principes de La Pelle s'avérait un succès total. Au cours des deux dernières semaines, La Pelle avait vu convertir à sa doctrine près de cinq millions de fidèles. L'argent coulait à flot. L'Église de La Pelle pouvait compter sur des revenus mensuels de trente-cinq millions de dollars américains.

— La Pelle apporte la vérité à l'humanité, dit Élis. Ce n'est qu'en assumant pleinement cette vérité que l'homme pourra sortir du carcan qui l'emprisonne pour s'accomplir vraiment et devenir le dieu de puissance et de perfection qu'il est vraiment. Le péché originel de l'homme réside dans son oubli de ce qu'il est. Nous devons le lui rappeler et ainsi l'humanité tout entière se rachètera. L'homme est son propre sauveur. L'homme est son messie.

Une jeune femme pénétra dans la tente. Les Proches et Élis observèrent aussitôt le plus grand des silences. On ne devait les déranger que dans le cas de révélations sur le monument. La jeune femme déposa le journal sur la table devant Élis et retourna à la chaleur du désert.

Les gros titres du journal ne manquèrent pas de causer des murmures, voire un certain enthousiasme. Élis s'empressa de calmer l'exubérance de ses ouailles.

— Cette nouvelle ne fait que confirmer les premiers préceptes de l'*Élisien* où il est déclaré que le monument est le giron de l'humanité. Nous devons continuer à favoriser les recherches sur le monument. Peu à peu, c'est l'*Élisien* dans son intégrité qui se verra confirmé.

La révélation de la conception biomoléculaire de l'homme ne manquerait pas d'amener encore plus de fidèles à La Pelle. Plus le temps passait, plus Élis était convaincu de son destin prophétique : il était le vrai Messie.

— Mes Proches peuvent aller méditer.

Il congédia ses collaborateurs selon la formule rituelle. D'ici la fin de la journée, il devait recevoir le chef de l'État libyen. Il sortit un épais dossier relatant la vie de cet homme bien particulier et entreprit de l'étudier.

Si j'avais été Adam, je n'aurais pas eu besoin d'Ève pour cueillir la pomme me délivrant de l'emprise de Dieu. Au besoin, je l'aurais inventée.

Le Pelleteur

Chapitre XI

Près d'une semaine s'était écoulée depuis la tempête déchaînée par l'indiscrétion électronique des journalistes et la publication de la théorie du créationnisme biomoléculaire de Leuranc. Même si dans les cercles de penseurs la bataille faisait toujours rage, au désert libyque le calme semblait revenu. Chacun vaquait à ses occupations.

Le soleil se préparait à se fondre avec l'horizon. Le travail assidu de trois mille Pelleteurs s'offrait à la vue de Dugan. Un crissement léger l'avertit de l'arrivée d'un interlocuteur.

— Dans ce désert, les couchers de soleil sont merveilleux, dit Françoise.

Dugan approuva lentement de la tête. La présence soudaine de Françoise ne le surprenait pas. Depuis quelques jours, elle tournait autour de lui. Que lui voulait-elle? Et pourquoi cette impression lascive qui se dégageait d'elle?

— J'aime bien ces couchers, dit Dugan. Pendant dix ans, ils furent souvent les seules joies agrémentant ma solitude.

Un silence que Françoise croyait nostalgique mais qui pesa à Dugan s'installa. Il n'osait la regarder. Françoise affichait de splendides cuisses qui éveillaient en lui des désirs dont il se sentait coupable. Il avait l'impression de tromper les sentiments qu'il éprouvait pour Élizabeth Hornik. Pourquoi Françoise venait-elle le hanter avec ce corps qu'il sentait disponible? Frédéric chassa toutes ces idées saugrenues. Son imagination ne cesserait jamais de lui jouer des tours. Françoise ne désirait nullement le séduire. Elle cherchait un peu de compagnie, une oreille pour l'écouter. Dugan avait souvent joué ce rôle dix ans plus tôt. Il avait été longtemps son confident.

— Comment va le professeur Darsey? s'informa-t-il.

— La polémique créée par la création biomoléculaire lui a rendu tout son entrain. Il tire à boulets rouges sur tout ce qui bouge.

Le tendre sourire de Françoise ajouta de la chaleur et de l'amitié aux propos. L'éclairage particulier offert par le coucher du soleil lui conférait un air de nostalgie qui ajoutait à sa beauté. Dugan songea à Élizabeth Hornik qui avait le désavantage de se trouver à des milliers de kilomètres.

— J'ai lu un des articles de Darsey, dit-il pour conjurer le désir montant en lui. Il n'y va pas de main morte. Il y décrit le docteur Leuranc comme un vieillard au cerveau ramolli. Il n'est guère plus tendre à mon endroit. Il exige que je sois radié de l'association des anthropologues. Enfin, il explique avec force détails que ses observations sur la vie du monument précèdent celles du géologue Staniss, ce qui en fait le vrai découvreur de cette vie. Il insiste pour que ce nouveau règne vivant porte son nom. La modestie ne l'étouffe pas.

— Elle ne l'a jamais étouffé, dit Françoise.

— Il s'est toujours considéré comme le nombril du monde, approuva Dugan. J'avais pourtant cru qu'il s'était quelque peu assagi.

— Dernièrement, il a traversé une période morose. Mais depuis une semaine nous avons droit à du Darsey grand cru.

Dugan n'avait nulle envie de trop s'étendre sur la personnalité colorée de Darsey. Il était plus que temps de savoir si les poses lascives de Françoise étaient effectivement une invitation à des rapports sexuels ou si son imagination se gourait complètement.

— Et toi, dit-il, demeureras-tu encore longtemps sous sa coupe? N'as-tu pas des projets personnels?

Françoise n'hésita pas à répondre. Elle avait longuement ruminé sur son avenir et pris les décisions qui s'imposaient.

— Je quitte le docteur Darsey, dit-elle. Je vais refaire ma vie. Je projette d'avoir un enfant.

— Un enfant! s'étonna Dugan.

Il imaginait difficilement l'ingénieuse Françoise dans le rôle de mère de famille. Il se rappela les frasques de son ancienne compagne de travail. Mais un bref regard suffit à lui faire réaliser que dix ans avaient passé. Françoise n'était plus l'ingénue qu'il avait connue. Elle était devenue une femme mature traînant avec elle une ombre de tristesse.

— Je veux un enfant mais pas de père. Cet enfant ne sera élevé que par moi. Il sera à moi, rien qu'à moi.

Dugan se représenta la petitesse de la Terre au sein de l'univers. Ses problèmes et ceux de Françoise lui apparurent un bref instant dans toute leur insignifiance, mais Françoise et lui n'étaient pas l'univers et leurs problèmes avaient par rapport à eux toute leur importance.

Françoise n'avait pas d'idée préconçue concernant le sexe de l'enfant. En poussant davantage l'introspection, on aurait pu voir une légère tendance en faveur d'un garçon.

— Un garçon serait bien, dit-elle. Une fille aussi... Pourvu qu'il ou qu'elle soit en bonne santé, c'est tout ce que je demande.

Depuis une semaine, Françoise n'avait su comment aborder la question. Maintenant qu'elle se trouvait au cœur du sujet, elle opta pour la demande franche et directe.

— Frédéric, j'aimerais que tu me fasses cet enfant.

Cette perspective de paternité assena un coup de massue à Dugan. Il en oublia le coucher du soleil.

— Moi? dit-il.

— Oui, toi! répondit Françoise. Tu n'es pas un Don Juan, ni un Apollon mais il y a en toi les qualités que j'aimerais retrouver chez mon enfant. Et puis, tu ne t'engages à rien. Cet enfant sera à moi à cent pour cent. Tu n'auras aucun droit ou devoir envers lui. Tout ce que je te demande c'est de me faire l'amour. Ce n'est quand même pas excessif.

D'aucuns se seraient empressés d'acquiescer à la demande de Françoise.

— Je ne sais que répondre, dit Dugan. Il faudrait que j'y réfléchisse.

— Pourquoi? dit la jeune femme. J'en suis actuellement à ma période ovulatoire. Je n'ai pas envie d'attendre un autre mois. Physiquement, je sais que je te plais. Pourquoi ne commencerions-nous pas dès ce soir?

Dugan se voyait aux prises avec des principes puritains qui défiaient la logique. En répondant aux attentes de Françoise, ne nierait-il pas l'amour qu'il portait à Élizabeth? D'un autre côté, Élizabeth se trouvait en Amérique alors que Françoise...

— Et si cet enfant voulait connaître son père, supposa Frédéric.

— Chose certaine, il ne pourra jamais vouloir te connaître si tu ne me le fais pas.

* * *

Le professeur Leuranc s'était replongé dans un mutisme renfrogné. On le voyait parfois, le dos courbé, le regard possédé par ses recherches, trottinant de ses petits pas secs de vieillard. Il était des plus évident qu'il rencontrait un os; ce qu'il découvrait ne lui faisait pas plaisir.

Par deux fois De Mornay avait essayé de savoir ce qui n'allait pas. Leuranc s'était contenté d'«évidemment» qui avaient coupé court au dialogue.

Il était bien quatorze heures lorsque le professeur Leuranc sortit du monument. Il se dirigea vers sa roulotte. Il se pressait pour échapper au soleil. Un individu sûr de lui lui bloqua le chemin. Le professeur

Leuranc murmura un «évidemment» irrité et entreprit de contourner l'obstacle.

— Professeur Alder Leuranc, dit l'homme d'une voix forte et confiante, je suis heureux de vous rencontrer.

Le vieux professeur leva les yeux sur le malotru qui l'empêchait de se rendre à sa roulotte pour y goûter un repos bien mérité.

— Évidemment! dit-il.

Leuranc continua son chemin et ne se retourna que pour lancer à Norbert Chamoux un regard haineux avant de s'enfermer dans la fraîcheur de sa roulotte. La secrétaire de Chamoux n'avait rien perdu de la scène.

— Quel goujat! dit-elle. Il refuse toute collaboration. La conjuration de la contre-vérité l'a sûrement convaincu de se taire.

— Il faudra être vigilant, dit Chamoux. Il ne faudra compter que sur nous pour découvrir les faits irréfutables prouvant que ce monument vivant est un animal interstellaire ayant servi de vaisseau spatial aux Vénusiens venus sur Terre il y a cinq mille ans et peut-être davantage.

— Ce sera difficile, dit Nicole. Jusqu'ici personne ne veut nous aider. Il ne nous reste plus que onze jours.

Trois jours s'étaient déjà écoulés depuis leur arrivée. Ils n'avaient droit qu'à un séjour de deux semaines.

— Nous avons un avantage sur tous les chercheurs s'acharnant sur le monument, dit Chamoux. Nous savons ce que nous cherchons. De plus nous ne sommes inféodés à aucune influence. La conjuration de la contre-vérité ne peut rien contre nous.

— Et si on attentait à nos vies! dit Nicole avec un frisson dans la voix.

«Pauvre conne!» pensa Chamoux. Chaque jour, Nicole lui révélait un degré de plus dans la crédulité de l'homme.

— Soyons vigilants! répondit Chamoux en épiant les alentours comme si un danger planait sur leurs têtes.

* * *

Au début, Winnifred Mead n'avait considéré les Pelleteurs que comme un succédané à un monument qui défiait la femme. Mais, peu à peu, un intérêt véritable s'était créé. Depuis bientôt deux jours, elle avait été acceptée dans le grand cercle des Pelleteurs. Le Prophète en personne lui avait passé le pendentif autour du cou et lui avait proposé de mettre sur pied une structure d'émulation des Pelleteurs. L'idée du Prophète était simple. Tout un chacun pouvait devenir Pelleteur et entrer dans le grand cercle, mais pour pénétrer dans les cercles intérieurs, il fallait acquérir des compétences, réaliser de haut faits; le Pelleteur devait être encouragé à se dépasser, à exploiter les possibilités cachées en lui. Le défi proposé par le Prophète avait été reçu avec enthousiasme par Winnifred.

Jusqu'ici elle n'avait fait qu'étudier les civilisations, maintenant on lui demandait d'en créer une. Son bagage d'ethnologue, ses longues études des communautés allaient enfin être mis à profit. Avec l'aide de deux Proches, elle entreprit de définir les cercles intérieurs, les conditions d'admission ainsi que les rites y étant attachés. La Pelle devait rendre à l'homme sa divinité. La tâche était immense mais l'idéal proposé sublimait l'impossible. Winnifred s'y lança à corps perdu.

Est-ce ma faute si tout est si morne, si rien ne m'intéresse, si ma vie passe devant mes yeux comme celle d'un spectateur qui se regarde regarder?

Le Pelleteur

Chapitre XII

Dugan quitta le conseil d'administration avec son lot de soucis. Les cinq mille techniciens, scientifiques, cols blancs et cols bleus gravitant autour du monument coûtaient cher. Chaque semaine trois millions et demi de dollars U.S. étaient versés en salaires. À cela il fallait ajouter les coûts des ordinateurs, la nourriture, le logement, le transport: le monument engloutissait un peu plus de vingt millions par mois. Jusqu'ici l'ONU et des dons de sociétés philanthropiques avaient réussi à maintenir l'effort de recherche. Depuis deux semaines, depuis la divulgation de la théorie du créationnisme biomoléculaire d'Alder Leuranc, plusieurs sources de revenus s'étaient taries. On avait un urgent besoin de neuf millions d'ici dix jours. Suite au refus de l'ONU de garantir un tel prêt, on devrait sabrer dans l'effort de recherche et procéder à des mises à pied. Dugan imagina la nuée des mécontents faisant la queue devant sa porte.

«Ils n'avaient qu'à ne pas abuser», se dit-il.

La progression rapide de l'effort de recherche avait submergé les administrateurs de l'ONU. Un manque de contrôle avait permis des abus de toutes sortes. Une pause était la bienvenue. Elle allait permettre de nettoyer les effectifs et d'éliminer la grande majorité de ceux qui profitaient du monument pour se graisser la patte. Dugan songea à l'ingénieur Jonathan Schmitch, celui-là même qui avait découvert la raison d'être des plaquettes. Schmitch s'était procuré par l'entremise du monument une quantité considérable d'équipements scientifiques qu'il s'était fait livrer au Texas: une entourloupette de deux millions de dollars. Si Schmitch se méritait l'Oscar de la filouterie, plusieurs scientifiques avaient agi de même à des degrés moindres. Dugan s'en voulait amèrement d'avoir insisté pour remettre la responsabilité des budgets dans les mains des scientifiques. Il avait fait montre d'une belle naïveté que les administrateurs ne cessaient de lui rappeler. Depuis, une centralisation sévère s'était effectuée. Les abus n'avaient pourtant pas cessé. Encore aujourd'hui on avait mis le doigt sur un technicien qui était payé pour cent soixante-huit heures de travail par semaine depuis deux mois. Après recherche, on s'était aperçu que ce technicien n'existait pas, qu'il n'avait jamais existé; les chèques avaient pourtant été encaissés.

— Là où il y a des hommes, il y a de la pourriture, pensa Dugan.

Encore heureux que les Pelleteurs ne lui coûtassent pas un sou. Ils déblayaient le monument avec un soin et une patience remarquables. Leur nombre avait été fixé par le Prophète à trois mille. On peut facilement comprendre le soin jaloux que tout Pelleteur choisi apportait à son travail lorsqu'on songe que sur dix mille volontaires un seul était appelé à déblayer le Lieu Saint.

Dugan avait reçu un exemplaire de l'*Élisien* autographié par le Prophète. Il y avait jeté un coup d'œil rapide. La doctrine d'Élis ne manquait pas d'originalité. Dugan n'était pas surpris de voir l'intérêt que soulevait La Pelle. Au cours de son histoire l'humanité s'était repue avec des panthéons oniriques de dieux. Les Hébreux vinrent opérer une révolution en introduisant le monothéisme. La Pelle allait plus loin: elle inaugurait une religion sans dieu, une forme d'athéisme religieux. Était-ce là l'aboutissement d'une lente évolution où l'Homme finissait par prendre en charge sa destinée plutôt que d'en transférer la responsabilité à un Être mythique? Dugan n'était pas le seul à se poser la question; beaucoup de libres penseurs ergotaient sur le sujet.

* * *

Ce soir-là, le professeur Leuranc se sentit anormalement vieux. Il convia par téléphone De Mornay à passer la soirée avec lui. Jacques ne se fit pas prier. Il s'excusa auprès d'une jeune technicienne et se dépêcha vers la roulotte de celui qu'il considérait comme son père. Depuis deux semaines le professeur lui avait à peine adressé la parole. Les confidences du vieux savant se calculaient au compte-gouttes.

Il le trouva somnolant sur un divan. Jacques attendit patiemment l'éveil de son patron.

— Ah! Tu es là, dit le vieux professeur. Je ne t'ai pas entendu arriver.

— Je croyais que vous dormiez.

— Oh non! À mon âge, on ne dort plus. On ne fait que s'étendre et ressasser ses souvenirs. Depuis quelque temps, il m'arrive de me perdre dans mon passé. Je dois faire un effort pour me rappeler que j'ai soixante-douze ans. L'âge fait ses ravages.

— Voyons professeur! De nous tous, vous êtes celui qui a l'esprit le plus sain.

— L'esprit suit le corps, dit Leuranc. Je deviens gâteux.

— Vous exagérez, professeur.

— Si! Si! Je deviens gâteux. Hier matin, en me levant, j'ai cherché pendant plus d'une heure mon ballon de football. Il m'a fallu tout ce temps pour me rendre à l'évidence que je n'avais plus vingt ans et que j'avait fait depuis belle lurette mon deuil du sport. Ce soir, en entrant, j'ai cherché Simone. Je ne l'ai pas cherchée longtemps mais je l'ai cherchée quand même.

— Simone? interrogea De Mornay.

— Elle bouffe des racines depuis quarante ans. C'était ma femme.

De Mornay avait toujours cru Leuranc célibataire. Il apprenait avec surprise qu'il était veuf.

— Un bête accident de circulation, continua le vieux professeur. Elle est morte avec les deux petits; Yannick avait cinq ans, Marco à peine deux ans. Ils étaient tellement beaux, tellement intelligents et éveillés...

Des larmes commencèrent à perler sur les joues du vieux professeur. Il les essuya d'un geste de colère.

— Quel gâteux je fais, dit-il. Me voilà en train de pleurnicher.

En sept ans, jamais Leuranc n'avait commis la moindre allusion à sa femme et à ses enfants. De Mornay se voyait confronté avec une tragédie qu'il était à mille lieues de soupçonner. Était-ce là la source de l'aigreur légendaire du vieux professeur?

— Parfois je me console, dit le vieux professeur, en m'imaginant que Simone serait devenue une vraie mégère et que mes deux gosses auraient abouti dans la connerie stéréotypée des gens comme il faut. Je m'imagine fort bien en divorcé maudissant mes deux corniauds de fils.

Leuranc sourit de l'hypothèse. Dans le fond, il l'avait peut-être échappé belle.

— Trêve de balivernes, dit-il en voulant chasser sa nostalgie. Je suis curieux de voir où en sont tes recherches sur la structure primaire du code génétique de l'*Animal monumentus*.

Une discussion très technique s'engagea. Résumons habilement en spécifiant qu'avec l'aide des ordinateurs et de la biotechnique, De Mornay avait accompli en deux semaines ce qu'un groupe de chercheurs de l'après-guerre n'aurait pu réaliser en plusieurs années.

— Incroyable! résuma à sa façon Leuranc. Les savants de ma génération peuvent mourir en paix. Nous sommes dépassés.

De Mornay n'était pas mécontent de lui-même. Il pensait vaguement à la possibilité de dénicher un prix Nobel.

— Dans quelques années, continua Leuranc, les enfants de cinq ans en sauront plus que le vieux débris que je suis. L'évolution de la connaissance n'a pas de cesse et, malgré ce flot de savoir, l'homme demeure un abruti. C'est à n'y rien comprendre.

La misanthropie de Leuranc ne ratait pas une occasion de se manifester. Au détour le plus inattendu d'une phrase, elle apparaissait, à la surprise générale.

— Et vos recherches? questionna De Mornay.

Le vieux professeur prit un air renfrogné.

— Je ne te cacherai pas que je tombe sur un os.

— L'ordinateur ne parvient pas à traduire valablement les plaquettes? suppose De Mornay.

— L'ordinateur n'est pas en cause. Le contenu des plaquettes va à l'encontre de notre quotidien et de l'histoire de l'humanité.

À quoi le vieux professeur faisait-il allusion?

— J'en suis rendu à l'homme, confia-t-il. C'est une vraie histoire à dormir debout.

Une telle expression dans la bouche du père du créationnisme biomoléculaire en aurait fait sourire plus d'un. De Mornay avança sur sa chaise en signe d'intérêt.

— Au début, dit Leuranc, les premières expériences de création de la vie ont effectivement été entreprises autour de l'atome de silicium. Ce monument en est un exemple frappant. Ce n'est que plus tard qu'on mit au point un langage génétique beaucoup plus efficient ayant une charpente carbonique.

Le professeur avait déjà longuement épilogué sur le sujet avec De Mornay.

— La dernière fois que nous en avions discuté, vous étiez rendu aux reptiles, lui rappela Jacques.

— Aux reptiles! s'étonna le professeur.

— Vous trouviez surprenant d'ailleurs de n'avoir trouvé aucune indication sur les virus.

Le vieux professeur se rappela leur dernière conversation.

— Bien sûr! dit-il. Où avais-je la tête? Nous en étions donc aux reptiles.

À bâtons rompus, le professeur expliqua les faux espoirs que les Adniens avaient mis dans les reptiles; abandonnant ceux-ci à leur triste sort, ils abordèrent les marsurpiaux, puis les mammifères.

— Les mammifères furent pour les Adniens une grande réussite. Ils en firent une espèce privilégiée qu'ils essayèrent de perfectionner sans cesse. C'est à ce niveau qu'intervint pour la première fois l'idée de l'homme.

Leuranc se tut pour laisser à De Mornay le loisir de rire. Jacques n'émit pas le moindre sourire. Le vieux professeur en fut étonné.

— Quoi? dit-il. Ne trouves-tu pas ridicule de voir que les Adniens associaient l'idée de perfection avec le projet humain?

— Toute misanthropie exclue, répondit De Mornay, il faut admettre que l'homme, par sa pensée conceptuelle, domine la création, qu'elle soit divine ou biomoléculaire. Je ne suis pas surpris de voir que les Adniens aient entrepris le projet humain avec un souci particulier : l'homme est un être particulier.

— Lorsqu'on connaît le résultat du projet humain, il y a de quoi rigoler, dit Leuranc. À ton âge, tu possèdes peut-être encore des illusions sur l'homme. Elles ne tarderont pas à être déçues, crois-moi!

De Mornay crut sage de ne pas approfondir davantage les vicissitudes humaines. C'était là un sujet sur lequel le professeur Leuranc pouvait faire preuve d'une belle volubilité.

— Quoi d'autre sur le projet humain des Adniens?

— Je te l'ai dit : c'est une histoire à dormir debout. Les Adniens envisageaient sérieusement de faire de l'homme le joyau de leur création. Ils voulaient le doter d'une intelligence supérieure englobant des pouvoirs que nous considérons aujourd'hui comme supranormaux, telles la téléportation de la matière, la télépathie, la télékinésie. De plus le cerveau humain serait ainsi fait que l'homme pourrait consciemment régir ses organes, jouer sur son ADN, voir à la synthèse des protéines. À se fier aux plaquettes, l'homme eût été une superbe mécanique, éternelle, et douée de capacités extraordinaires.

De Mornay se sentit flatté de voir les espoirs que les Adniens avaient mis en l'homme.

— Le gâchis produit n'a aucune mesure avec le projet initial, poursuivit Leuranc. Je ne sais si c'est par manque de technique ou par un changement de stratégie, mais quelque chose est venu saper ce plan qui aurait fait de chacun de nous l'égal d'un dieu.

— Les plaquettes du scénario font-elles allusion à des difficultés de conception?

— Aucunement, dit Leuranc. Elles ne font état d'aucune anicroche et c'est là que je démissionne. On ne réussira jamais à me faire croire que l'*Homo pseudo-sapiens* est un dieu. Il y a sûrement une plaquette manquante qui viendrait expliquer pourquoi les Adniens ont dévié de leur scénario original pour produire les bouffons que nous sommes.

— Le projet humain des Adniens ne semble pas correspondre à la réalité humaine que nous vivons, admit De Mornay après une brève réflexion.

Cet acquiescement rasséréna le vieil homme.

— Toi aussi, dit-il, tu conçois le non-sens du contenu des plaquettes. Tous n'ont pas notre objectivité. Je vois d'ici la joie malsaine des philosophes en apprenant ces révélations. Je les vois se pavaner avec leur concept de l'Homme-Dieu. L'homme s'est trop pris au sérieux. En aucun moment, je n'accepterai que mes recherches gonflent davantage les voiles trouées de l'orgueil humain. L'homme est un animal, un miasme.

— La vision des super-hommes des Adniens reste troublante, dit De Mornay. C'est pour le moins bizarre.

— Je m'attendais à trouver dans ces plaquettes la preuve irréfutable de la médiocrité de l'homme. Je voulais faire chiâler tous les philosophes, les moralisateurs et les croyants que la terre a enfanté, et me voilà avec une découverte qui ferait leur bonheur. Il y a de quoi dégueuler. Et pourtant, comme tu dis, c'est troublant. Le vieil imbécile que je suis ne peut oublier la mince possibilité voulant que les plaquettes aient raison. L'homme est peut-être un dieu qui se méconnait. Il y a de quoi me donner la rogne jusqu'à la fin de mes jours.

* * *

Élizabeth Hornik et son équipe de reportage arrivèrent au village des Pelleteurs dans la matinée. La journée devait être consacrée à l'installation du matériel. Pendant que techniciens, cameramen et ingénieurs s'affairaient, Élizabeth en profita pour tâter le terrain. Elle passa la journée à flâner parmi les Pelleteurs. Elle retraça plusieurs individus qui acceptèrent d'être interviewés dans les jours à venir. Élizabeth fut complètement abasourdie lorsqu'elle apprit que Winnifred Mead, la grande dame de l'ethnologie, avait adhéré à La Pelle. Affairée par la problématique des cercles intérieurs et des épicycles, Winnifred Mead ne put consacrer que bien peu de temps à Élizabeth. Elle promit cependant de lui accorder une entrevue dans les jours à venir.

Avec quelques membres de son équipe, Élizabeth acheva la journée en dînant avec un groupe de Pelleteurs. Embrasés par la flamme des nouveaux convertis, les Pelleteurs parlèrent longuement de La Pelle. Puis, s'excusant, ils allèrent se coucher.

— Ils ne veillent pas tard, dit un cameraman. Jusqu'ici, je trouvais que leur religion avait de l'allure : aucune prière, pas d'interdiction sur l'alcool, le tabac, les femmes et le porc. Mais s'il faut se coucher à vingt heures tous les soirs, ils viennent de me perdre.

On rigola un peu.

— Toute religion est une aberration, promulgua avec cynisme l'ingénieur de son.

— Minute! protesta le réalisateur.

— Toi, tu es une aberration vivante! lança l'ingénieur de son. Tu es intelligent, cultivé. Tu as l'esprit ouvert, de l'humour à revendre et, malgré tout, tu es presbytérien convaincu.

— Il n'y a pas d'incompatibilité, dit le réalisateur. Tu ris de ce que tu ne connais pas.

Élizabeth faussa compagnie au groupe. Elle n'avait aucune envie d'assister à l'étalage de rhétorique qui se préparait. Sans se presser, elle quitta le village des Pelleteurs pour se rendre au campement des scientifiques. Même si elle se le cachait, elle avait hâte de revoir Dugan. On pouvait se demander si elle n'avait pas accepté ce reportage comme prétexte pour le retrouver. À une telle question, Élizabeth aurait répondu par la négative. Jamais elle n'aurait admis que ses actes puissent être influencés par ses sentiments pour un homme. La journaliste avait reçu plusieurs lettres de Dugan. Elle les avait lues mais n'avait répondu à aucune. En tant que féministe, elle refusait tout assujettissement à un homme. Le sentiment qu'elle ressentait pour Dugan lui apparaissait à la fois agréable et dangereux. Elle se devait de garder la tête froide pour ne pas se retrouver dans le lot des femmes exploitées et déçues.

Le campement des scientifiques s'était passablement agrandi depuis le départ d'Élizabeth. Elle eut quelque peine à retracer la roulotte de Dugan. La porte n'était pas verrouillée. Élizabeth entra en catimini. Elle trouva l'anthropologue attablé à son bureau. Il écrivait fébrilement en affichant parfois un malin sourire teinté de cynisme et d'ironie. Le troisième tome de ses aventures avec les extra-terrestres prenait forme.

— Je ne te dérange pas trop? dit-elle.

Dugan leva les yeux en sursaut et la regarda, hébété. Elle était là! Élizabeth Hornik, la femme qu'il aimait, était là! Sa mine ahurie n'échappa pas à la journaliste et lui fit plaisir. Elle mesurait avec une délectation orgueilleuse le pouvoir qu'elle avait sur lui.

— Je suis bien réelle, le taquina-t-elle.

Dugan se pressa d'aller vérifier. Les lèvres d'Élizabeth étaient bonnes, son parfum enivrant et sa peau douce et excitante. Il contrôlait difficilement sa nervosité. La seule présence de cette femme lui faisait plier les genoux et nouait son estomac. Il avait peine à réfléchir. Il dut assembler toutes ses énergies pour masquer son trouble.

— Tu n'es pas le produit de mon imagination, dit-il. Tu es bien réelle. Mais que fais-tu ici? Je me refuse à croire que tu n'es venue que pour moi.

Élizabeth était heureuse du désir et de la joie qu'elle éveillait en Dugan.

— Et pourquoi refuserais-tu de le croire? Que je sois chargée d'un reportage sur les Pelleteurs n'est peut-être qu'un prétexte pour te voir.

— Tu es là et rien d'autre n'a de valeur, dit Dugan. Je me demande déjà comment te retenir.

— Contentons-nous du présent, dit Élizabeth.

Le regard dont elle couva Dugan fit monter la pression sanguine de ce dernier.

— Pour le moment, je serais fou de ne pas m'en contenter, dit-il en l'étreignant dans un baiser assoiffé d'amour et de tendresse.

Élizabeth ne put s'empêcher de noter que Dugan manquait de technique mais pas de passion.

La pensée n'est rien, l'action est tout. La pensée vient de l'action et doit lui être subordonnée.

Le Pelleteur

Chapitre XIII

La Ruche s'appelait ainsi à cause du travail incessant qu'on y menait; elle couvrait vingt mille mètres carrés. Au début, les chercheurs avaient installé leurs équipements et bureaux le long des murs. Puis, à mesure que leur nombre croissait, le centre de la vaste salle fut envahi. Un spécialiste de la bureautique était intervenu pour mettre de l'ordre dans cette explosion incontrôlée de laboratoires, matériels scientifiques, cantines et toilettes biologiques. Il dut faire face à de véritables luttes de territoire et se résigna à recourir à ce qu'il appelait avec humour l'«expropriation» pour parvenir à ses fins.

La Ruche ne servait qu'aux recherches de biologie moléculaire sur les plaquettes. On y travaillait vingt-quatre heures sur vingt-quatre. De Mornay et Leuranc y possédaient chacun un espace insonorisé que beaucoup leur enviaient. Enfermé dans son cénacle, le vieux professeur passait des heures à pitonner sur son microordinateur. Jacques le sentait revêche et de mauvaise humeur. Le concept humain des Adniens l'asticotait considérablement. Jacques n'osait le déranger et lui seul était habilité à le faire.

On cogna à la porte. De Mornay fut surpris par l'identité du visiteur. Dugan n'avait pas coutume de venir dans la Ruche.

— Que se passe-t-il? demanda Jacques.

Dugan dodelina quelque peu de la tête. On percevait son hésitation.

— Rien, dit-il.

— Rien! s'amusa De Mornay. C'est vraiment inhabituel. D'ordinaire, on rebondit d'une découverte à l'autre.

Dugan sourit. Il est vrai que les péripéties ne manquaient pas au monument. Il était difficile de s'y ennuyer.

— Enfin, presque rien, dit Dugan.

— Et que contient ce presque?

Dugan hésitait toujours.

— Je ne sais pas pourquoi je te dérange avec ça, dit-il. J'ai surtout envie d'en parler avec quelqu'un.

— Vas-y! dit De Mornay d'un ton réceptif et aimable.

Il n'en fallait pas plus pour vaincre la résistance de Dugan.

— Élizabeth est revenue, dit-il.

C'était donc ça.

— Et tu es heureux? demanda Jacques.

— Oui! Mais je ne sais comment la retenir. Elle ne vient que pour un reportage sur les Pelleteurs et doit de nouveau me quitter.

— Beaucoup de journalistes sont affectés de façon permanente au monument. Pourquoi ne ferait-elle pas une demande en ce sens?

— Tu ne la connais pas. Élizabeth n'a aucunement l'intention de venir s'enterrer au désert libyque. Elle adore son nouveau travail à la télévision et ne commettrait aucun geste pouvant nuire à sa carrière. Elle est ambitieuse et elle possède le talent pour atteindre ses ambitions. C'est aussi une féministe. J'ai l'impression qu'elle refuse tout attachement sincère avec un homme par souci d'indépendance et par peur de se faire piéger dans une cuisine avec des marmots. Je ne sais comment m'y prendre. J'en viens à regretter le temps pas si lointain où les rapports homme-femme étaient définis en faveur de notre sexe. Élizabeth resterait avec moi. Nous aurions des enfants et tout serait dit.

— Ce style de vie n'est pas ce que recherche Élizabeth, dit Jacques.

— Je ne le sais que trop. Je ne suis même pas foutu de la retenir près de moi. J'ai essayé. Elle m'a aussitôt demandé si je voulais la suivre. Je lui ai rappelé l'existence du monument et la nécessité de ma présence en ces lieux. Elle a rétorqué en rappelant sa propre existence.

La porte s'ouvrit. Un jeune homme, les cheveux en brosse, entra.

— Jacques, dit-il, regarde ça!

De Mornay prit la disquette qu'on lui tendait et l'introduisit dans son ordinateur. Après avoir enfoncé quelques touches, des images de molécules apparurent.

— Regarde les notes au bas de l'écran, dit le jeune homme.

— Il doit y avoir une erreur, dit Jacques.

— Il n'y en a pas.

— Dans ce cas, le code génétique n'est pas universel. Quel animal est-ce?

— Un monocellulaire! Un cilié! D'après ceci, tous les ciliés auraient un code génétique à part. Il y a de quoi émettre une communication scientifique.

— Je le crois, approuva Jacques qui vérifiait le contenu de la disquette.

— En informeras-tu le professeur Leuranc?

— Il est plutôt marabout en ces temps-ci. Je préfère ne pas le déranger. Prépare la communication. Je vais l'approuver.

— Parfait, je te laisse la disquette. J'ai une copie.

Le jeune homme sortit sans avoir prêté la moindre attention à Dugan.

— L'*Animal monumentus* n'avait-il pas déjà fait tomber le concept de l'universalité du code génétique? demanda l'anthropologue.

— Oui et non! C'était l'exception baroque. Le monstre de cirque dont on ne tient pas vraiment compte. L'universalité du code génétique tient du fait que chez toutes les espèces on peut induire une protéine spécifique par le même code. C'est d'ailleurs ainsi qu'on réussit à faire produire de l'insuline humaine à des bactéries. On introduit le gène «insuline humaine» sur le chromosome de la bactérie. Cette bactérie lit le gène humain et produit la protéine humaine demandée. Elle agit comme une cellule humaine. C'est un peu comme si, sur la Terre, il n'y avait qu'une langue que parleraient indistinctement les Papous, les Esquimaux, les Américains et les Russes. Or Matthew vient de découvrir sur une plaquette adnienne que les ciliés ne parlent pas cette langue génétique universelle. Si on introduit un gène «insuline humaine» sur le chromosome d'un cilié, il sera incapable de le lire.

— Fort bien! Et quelle est la différence avec l'*Animal monumentus*?

— Les ciliés n'ont pas le même code que nous mais partagent le même alphabet, un peu comme le font l'anglais et le français. L'*Animal monumentus* use d'un alphabet moléculaire différent, un peu comme ce qui sépare le français et le chinois.

La porte s'ouvrit. Une grande femme à la peau noire pénétra dans la pièce. Elle tendit des feuilles à Jacques.

Jacques délaissa l'ordinateur. Dugan loucha sur les feuilles mais n'y comprit rien.

— C'est fantastique! dit Jacques.

— J'ai eu de la chance, dit la jeune femme. Je venais de cataloguer le caryotype d'une espèce de reptile qui n'a probablement jamais existé lorsque c'est apparu à l'écran. Le professeur ne manquera pas d'être intéressé.

— Sûrement, mais il n'est pas de très bonne humeur en ces temps-ci.

— Je suis certaine que le caryotype de la drosophile l'intéressera, insista Joan. Il faut l'avertir. Il a tellement travaillé sur cette mouche.

— En quoi cette mouche est-elle si intéressante? demanda Dugan.

— En génétique, dit Jacques, les chromosomes de deux animaux ont été particulièrement étudiés: une bactérie, *Escherichia coli*, et une mouche, la drosophile. La drosophile est intéressante à cause des chromosomes géants facilement observables que l'on retrouve dans ses glandes salivaires. De plus, elle s'élève facilement en laboratoire et présente un grand nombre de races et de mutations. Des savants chevronnés ont passé des années, voire même leur vie, à enrichir la connaissance du caryotype de la drosophile. Joan vient de découvrir la version adnienne du caryotype de cette mouche.

De Mornay tendit deux paquets de feuilles à Dugan.

— L'un est le caryotype patiemment constitué par de longues recherches scientifiques, l'autre nous vient d'une plaquette adnienne. Les deux caryotypes coïncident à quatre-vingt-quinze pour cent. Cela peut sembler paradoxal mais cette découverte fera l'effet d'une bombe dans le monde de la génétique. Tous ceux qui ont approché cette science ont été confrontés à la mouche du vinaigre. Les généticiens qui tournaient encore le dos au monument ne pourront plus légitimer leurs œillères.

— Je me rappelle ces mouches, dit Dugan. Certaines avaient des yeux rouges, d'autres noirs ou blancs; les ailes étaient soit grandes, moyennes ou atrophiées. Il fallait tout calculer et faire des statistiques. Je m'étais franchement ennuyé durant ce cours.

— Et nous donc! blagua Joan.

— Je crois que je vais avertir le professeur, dit Dugan. Cela le déridera un peu et lui rappellera son jeune temps.

Deux minutes plus tard, le professeur Leuranc était avec eux. Il examinait les caryotypes de son œil exercé.

— Évidemment! dit-il.

Il se tourna vers Joan. La jeune femme le dépassait d'environ dix centimètres.

— Puis-je garder ces papiers? J'aimerais les étudier plus profondément. La comparaison peut-être très instructive.

— Bien sûr, professeur!

Sur ce, Leuranc tourna les talons et retourna dans son cénacle.

— Ça alors! dit Joan. Je n'ai jamais vu le professeur ainsi. Il semble préoccupé et fatigué. Ne crains-tu pas pour sa santé?

— Oui, confirma De Mornay. Lui aussi s'en inquiète. Il n'est plus un jeune homme et il le sait.

Ludovic Staniss, les cheveux en bataille, ne prit pas la peine d'excuser son entrée intempestive.

— Jacques, dit-il, viens voir! C'est ahurissant!

Il remarqua Dugan.

— Vous aussi, monsieur Dugan. Venez!

Laissant Joan, Jacques et Dugan suivirent le géologue.

— Vos recherches sur le monument progressent-elles? demanda Dugan qui courait presque pour suivre Ludovic.

— C'est justement ce que je veux vous montrer. Hier, dans une salle vide, nous avons enlevé le plafond, un morceau de trente mètres carrés. Une vraie masse. Nous avons employé des forets et des scies spéciales. Nous avions laissé le bloc sur le plancher. Ce matin nous avons voulu le déplacer afin de l'expertiser et...

Le trio approchait des lieux des travaux.

— Voilà! dit Ludovic Staniss.

Un immense bloc de pierre gisait à leurs pieds. Au-dessus d'eux, on distinguait le trou dans la voûte de la chambre. Des cicatrices marquaient les endroits ou les forets et la scie avaient opéré.

— C'est pratiquement du vandalisme, dit De Mornay.

— On m'avait parlé d'un échantillon, dit Dugan. Il y a eu confusion sur la taille. Je n'aurais jamais permis un tel prélèvement.

— Qu'importe, dit Ludovic. Dans quelques mois, rien n'y paraîtra. Même ce bloc ne nous sera d'aucune utilité. La vie de ce monument est déroutante. Nous avions laissé cette pierre sur le plancher pour la nuit et maintenant nous ne pouvons plus la bouger. Le monument est en train de la bouffer. Le bloc se fond dans le plancher.

Dugan se pencha pour examiner le bloc. Il s'enfonçait effectivement dans le plancher.

— Nous avons voulu le dégager avec des forets; ce fut peine perdue. Alors qu'ils pénétraient aisément la pierre hier, aujourd'hui ils n'y parviennent plus. Nous avons brûlé trois mèches. C'est à n'y rien comprendre.

Dugan s'adressa à De Mornay.

— Qu'en penses-tu, Jacques?

Jacques semblait fasciné par le trou laissé dans la voûte. Dugan dut répéter sa question pour attirer son attention.

— Oh! dit De Mornay. Je ne saisis pas très bien le processus biochimique de récupération. Une équipe de biologistes y travaille. Nous avons demandé l'aide de deux physiciens. Ils n'y comprennent rien mais croient que les couches périphériques des électrons de silicium interviendraient lors du phénomène. Ils sont actuellement en train de jongler avec le concept délirant de l'antimatière.

— Et les mèches qui ne réussissent plus à percer la pierre? interrogea Staniss.

— Ce monument a une vie. Peut-être possède-t-il un système immunologique! Est-ce la première fois que vous forez ainsi?

— Non! Je l'ai fait une fois il y a trois mois pour soutirer une carotte.

— Sans le savoir, tu as probablement vacciné le monument. Il a eu tout le temps de développer des anticorps pour contrer les forets. Dès qu'il s'est senti attaqué, il a envoyé ces anticorps pour contrer l'ennemi. Tout le secteur près de l'attaque doit être immunisé contre les forets.

Staniss resta sans voix. L'hypothèse avancée par De Mornay l'avait matraqué.

— Voyons! finit-il par dire. Le processus atomique et énergétique impliqué pour que cette pierre devienne résistante à de l'acier de cette qualité est inimaginable. Cette hypothèse est peu crédible.

— Les trois mèches émoussées ne seraient pas de ton avis, répondit De Mornay. Il ne faut pas prendre à la légère la vie de ce monument.

— Le monument pourrait-il être intelligent? questionna Dugan.

— Pour le moment, rien ne le laisse supposer, dit De Mornay. Nous soupçonnons un système immunologique. Les organismes vivants ont tous des réactions immunitaires. Nous ne leur conférons pas une intelligence pour autant.

De Mornay reporta de nouveau son attention sur le trou béant du plafond.

— Cette ouverture donne sur quelle chambre? demanda-t-il à Ludovic.

— La KX-27, une chambre vide comme tant d'autres.

— Ah bon!

De Mornay marqua une certaine déception.

— Je m'imaginais une salle non répertoriée. Une espèce de chambre murée ayant échappé aux archéologues.

— Le monument recèle déjà suffisamment de mystères, dit Dugan en rigolant. Il est superflu d'en inventer.

Ludovic s'était figé. Il fixait l'ouverture donnant sur la chambre KX-27.

— Apportez l'échelle! ordonna-t-il à deux Pelleteurs.

— Pourquoi? questionna Dugan.

— Nous n'avons jamais vérifié si la pièce au-dessus était bien la KX-27. Nous nous fiions aux plans.

* * *

Leuranc comparait les caryotypes de la drosophile. À première vue, rien ne démontrait une déviation entre le projet adnien et la mouche étudiée par les généticiens.

Leuranc délaissa cette comparaison. Il aurait tant aimé voir des changements manifestes entre les deux. Il aurait pu ainsi démontrer que les plaquettes des Adniens ne correspondaient pas à la réalité.

Son téléphone sonna. Que pouvait bien lui vouloir De Mornay?

— Professeur! On a découvert une nouvelle salle contenant des plaquettes!

Quinze minutes plus tard, des milliers de plaquettes fraîchement découvertes subissaient le regard intéressé du vieux professeur.

— Cette salle était complètement murée, lui expliquait De Mornay. N'eussent été les travaux de Ludovic, nous ne l'aurions jamais découverte.

— Évidemment! commenta Leuranc.

Les plaquettes contenant la clé du mystère ne pouvaient qu'être là. Le vieux professeur avait hâte de biffer une fois pour toutes le concept de l'Homme-Dieu qui se dessinait jusqu'ici. Il se tourna vers Dugan.

— Comment se fait-il qu'un si grand espace n'ait pas été soupçonné? N'a-t-on pas procédé par projection tridimensionnelle pour s'assurer qu'il n'y ait pas de recoins cachés ou oubliés?

— Si, dit Dugan. Nous sommes en train de vérifier mais le responsable, le docteur Darsey, est en voyage.

— Darsey! Le type à la vessie! Celui dont le monument a bouffé les excréments!

— Oui! confirma Dugan.

— N'est-ce pas lui qui traite d'ineptie ma théorie du créationnisme biomoléculaire?

Frédéric acquiesça de la tête.

— Évidemment! J'ai hâte de voir comment il va expliquer cette salle qui a échappé à ses recherches. Jacques, j'aimerais que tu vérifies les travaux de ce clown. D'autres erreurs ont pu être commises et à mon âge, je n'ai pas le temps de compter sur le hasard pour qu'elles soient corrigées. Avez-vous trouvé autre chose que ces plaquettes?

— À première vue, il n'y a rien d'autre, dit Dugan. Une inspection méthodique sera menée.

— Frédéric, tu ferais mieux de surveiller toi-même ces fouilles. Ce Darsey me fait le plus mauvais effet.

— En son absence, je superviserai le tout, dit Dugan. Les archéologues arriveront dans quelques minutes. Ce sont des Pelleteurs. Leur zèle sera à la mesure de leur considération pour le monument.

— Évidemment! ricana Leuranc. Pouvons-nous décoder dès maintenant ces plaquettes?

— Non! répondit Dugan. Il faudra attendre le passage des archéologues. Dès qu'elles seront disponibles, je vous avertirai.

— Que de temps perdu, dit Leuranc. Espérons que cela sera rapide. Je n'ai pas une vie à attendre.

Leuranc s'en retourna à son bureau en marmottant contre la bureaucratie et les anthropologues.

* * *

— Comprenez-nous bien, expliquait Winnifred Mead. Les Pelleteurs croient que l'homme n'a jamais su assumer pleinement les capacités latentes en lui. L'homme qui existe actuellement n'est qu'un pâle reflet de ce qu'il est vraiment. Le Prophète compare l'homme à ce qu'était le bout de désert cachant le Monument. Dans chaque homme dort un monument. Il faut le déterrer, le libérer.

La grande dame de l'ethnologie se voulait convaincante tout en restant simple. L'entrevue qu'elle accordait à Élizabeth Hornik allait recevoir une diffusion internationale. Il importait que La Pelle tire le maximum de cette publicité gratuite.

— Les Pelleteurs semblent avoir un grand souci de leur condition physique, dit Élizabeth Hornik. Dans le fond, votre message ne se résume-t-il pas à la maxime: «Un esprit sain dans un corps sain»?

Élizabeth s'efforçait de démystifier le message des Pelleteurs, de lui enlever tout le gras pour ne garder que l'essentiel: une philosophie visant un meilleur accomplissement physique et intellectuel.

— Nous ne sommes pas une compagnie de mise en forme, répondit Winnifred Mead. Depuis quarante ans, l'homme a grandement amélioré les capacités physiques de son corps. Plus personne ne crie au miracle lorsqu'un athlète court le mille en moins de quatre minutes. Les marathoniens se comptent par milliers. L'homme a pris conscience des capacités de son corps. Moi, vous, tout un chacun peut, à force d'entraînement, parvenir à maîtriser son corps et lui faire accomplir ce qu'hier encore on croyait impossible. Qu'en est-il maintenant de la connaissance humaine? Il y a cent ans que connaissions-nous? Nous en étions encore à la chaise à porteurs, au pousse-pousse et à la lampe à l'huile. Aujourd'hui les satellites artificiels polluent l'espace et la micro-informatique est en train de libérer le cerveau humain des travaux répétitifs. Il n'aura suffi que de cent ans pour passer de l'antiquité à l'ère moderne. Avez-vous déjà songé qu'il y a un siècle la civilisation humaine n'était guère plus évoluée que celle du temps des Romains? Il ne vous est jamais venu à l'esprit que les Romains auraient pu être les premiers hommes à marcher sur la lune? Car, enfin, à quoi doit-on le boom technologique des cent, je devrais dire des cinquante dernières années? Il aura suffi que des hommes se réunissent dans un effort de recherches! Jamais il n'y aura eu autant de chercheurs, de savants, que dans les derniers cinquante ans. Maintenant qu'en est-il de l'homme? Comme toujours on est aveugle à ce qui nous crève les yeux! Quatre-vingts pour cent du cerveau humain n'est pas utilisé. À quoi sert-il? Mystère! On parle de télépathie, de lévitation. Qu'en est-il? Mystère! Nous avons parmi nous des Pelleteurs qui maîtrisent leurs battements cardiaques. Ils peuvent arrêter leur cœur pendant quelques secondes, ou lui faire battre la chamade. Un autre parvient à régulariser l'action de son estomac. L'homme a non seulement en lui le potentiel de maîtriser son corps mais il peut aussi jouer à distance sur les objets. Vous avez sûrement entendu parler d'individus capables de plier des cuillères à distance ou d'enflammer une allumette par la force de leur volonté.

— Ces phénomènes relèvent de la parapsychologie, intervint Élizabeth Hornik.

Winnifred Mead ne tint pas compte de la remarque de la journaliste. Elle revint à l'essentiel du message de La Pelle.

— La théorie du créationnisme biomoléculaire du professeur Leuranc est venue donner une base scientifique à ce que le Prophète nous a révélé. Ce monument est le Giron de l'Humanité. L'homme y fut créé avec un potentiel énorme. Il semble que nous ayons perdu la connaissance nous permettant d'utiliser ce potentiel. La Pelle veut que l'homme retrouve son intégrité perdue, qu'il reconquière les clefs débloquant l'énorme potentiel gaspillé pendant des millénaires. L'homme se doit de reconquérir le paradis perdu, qui n'est en fait que la prise en charge de ce qu'il est vraiment.

— Et qu'est-il vraiment? questionna Élizabeth Hornik en espérant prendre l'ethnologue au dépouvu.

Winnifred Mead sourit avant de lancer une boutade qui devait avoir un impact considérable dans l'imagination de millions de gens.

— Superman peut aller se rhabiller! dit-elle.

Le silence revient toujours. Entre deux dunes, entre deux coups de pelle, entre deux battements de cœur, il est là pour nous rappeler on ne sait trop quoi.

Le Pelleteur

Chapitre XIV

Darsey annula ses conférences et revint précipitamment au désert libyque. Il était en furie.

Il n'acceptait pas facilement la découverte d'une salle ayant échappé à ses recherches. Il était bien décidé à trouver le coupable. Lorsqu'il apprit que sa méthodologie de fouilles avait été passée au peigne fin par Jacques De Mornay, il vit rouge.

— Françoise, pourquoi as-tu permis que l'on fouine dans mes affaires?

— Jacques De Mornay avait reçu l'aval de Dugan. Et puis, je ne réussissais pas à vous rejoindre.

— Tu aurais dû t'entêter. Refuser toute collaboration. Je suis très mécontent de toi.

— Vous ne le serez plus longtemps, dit Françoise. Je vous quitte.

Darsey s'attendait à la défection de Françoise. Il était au courant de sa lubie d'avoir un enfant. Il s'était même proposé comme géniteur.

— Tiens! Tiens! dit Darsey. Je suppose que tes menstruations n'ont pas eu lieu, que le test du lapin est positif?

— Exactement.

— Et qui as-tu choisi comme père?

— Cet enfant n'a pas de père. Ce sera mon enfant!

— Me voilà confronté au créationnisme françoisien, ricana Darsey.

Ah! Ces femmes! Les états d'âmes de Françoise auraient l'occasion de changer cent fois d'ici l'accouchement. Qui sait si elle ne finirait pas par se faire avorter?

Darsey refréna sa colère. Il n'avait aucun motif d'être si violent envers Françoise. Au contraire, il avait de l'affection pour elle. Il appuya les deux mains sur son bureau. C'est sur un ton très doux qu'il continua le dialogue.

— Tu ne veux vraiment pas me dire le nom du père?

— Non!

— Tu sais que j'aurais aimé l'être?

— Oui.

— Si je n'étais pas assez valable comme père, j'espère que tu penseras à moi comme parrain. Je ferais un excellent parrain.

Une larme coula sur la joue de Françoise. Darsey était bourru mais c'était un bon diable.

— Promis, dit-elle.

Darsey la serra contre lui. Il avait des picotements dans les yeux.

— Ne m'oublie pas, dit-il. Écris-moi. Tu es un peu la famille que je n'ai jamais eue.

Darsey essuya un début de larme et se recomposa une attitude d'homme colérique.

— C'est bien beau tout ça mais j'ai un compte à régler avec ce fouineur de De Mornay.

D'un pas décidé, bousculant tout sur son passage, il se rendit directement au bureau de Jacques, en plein cœur de la Ruche. Il ouvrit la porte avec fracas. Devant l'absence de Jacques De Mornay, il donna un coup de pied à une corbeille à papier.

Un petit vieux à la moustache frétillante passa la tête par la porte.

— Cherchez-vous quelqu'un? demanda Leuranc.

Darsey reconnut le récipiendaire du prix Nobel. Il se calma un peu. Il avait beau tourner en dérision le professeur Leuranc lors de ses conférences sur le créationnisme biomoléculaire, il n'en portait pas moins respect à ce vieux bonhomme.

— Je cherche Jacques De Mornay.

— Jacques doit être en train de dormir. Il a passé la nuit à travailler. Je pourrais peut-être vous aider. Je suis Alder Leuranc.

— Frank Darsey, pour vous servir.

Les deux hommes se serrèrent la main.

— Je dois vous avouer, professeur, que je ne suis pas de très bonne humeur. Je n'avais pas sitôt quitté le monument qu'on me cherchait des poux. Je déteste ce style de grenouillage. Paraîtrait que De Mornay aurait eu accès à ma méthodologie de travail. Je n'accepte pas que l'on fouille dans mes affaires. Est-ce que je viens fouiller dans les vôtres?

— Ma foi non! dit Leuranc. D'ailleurs vous n'y comprendriez pas grand-chose.

— Là n'est pas la question! déclara Darsey qui s'échauffait.

— Évidemment, dit Leuranc. Jacques a été surpris et ébahi par le travail que vous avez mené. Moi-même, je dois vous féliciter.

La colère naissante de Darsey s'écroula. Jamais félicitations ne l'avaient autant désarçonné.

— Merci! dit-il. J'ai toujours été très rigoureux sur le terrain des fouilles. C'est indispensable. Je n'ai rien à me reprocher concernant la prospection de ce monument. J'ai travaillé pratiquement vingt-quatre heures sur vingt-quatre. Je ne sais comment même une épingle aurait pu nous échapper. Cette chambre secrète ne peut pas exister. C'est impossible.

— Jacques a trouvé le grain de sable fautif, dit calmement Leuranc.

Darsey toisa Leuranc. Il le soupçonna de s'amuser à ses dépens.

— Quoi donc!? dit-il sur la défensive.

— Il y avait un «bug» dans la programmation du logiciel de projection tridimensionnelle que vous utilisiez: un point mal placé. Ceci corrigé, l'ordinateur s'est empressé de donner toutes les coordonnées de la chambre secrète; même que l'espace concerné clignotait en rouge sur la projection.

— Ah! Ces programmeurs! tempêta Darsey. Ils font toujours tout de travers. On s'imagine que leur programme marche sur des roulettes, ils nous le certifient; tous les tests le prouvent et voilà qu'on est en train de perdre sa réputation à cause d'un petit point décalé. J'ai bien envie de les poursuivre en justice.

— Évidemment! approuva Leuranc. En attendant, j'ai hâte qu'on libère les plaquettes. Cela fait trois jours que nous les avons découvertes et je n'ai pas encore pu les étudier.

— Ces plaquettes ont attendu des milliers d'années, quelques jours de plus ou de moins..., tempéra Darsey.

— Évidemment! dit Leuranc d'un ton revêche. N'empêche que j'aimerais les étudier avant de mourir. Ce qu'elles contiennent sera probablement inestimable pour notre connaissance de l'homme et de l'univers. Il faudrait accélérer le processus.

— Ce qui doit être fait sera fait et bien fait, dit Darsey. Nous prendrons tout le temps nécessaire pour le faire.

Leuranc n'insista pas.

— Évidemment! dit-il.

Il laissa Darsey sur place et alla s'enfermer dans son cénacle. Depuis deux jours, il ne faisait rien d'autre qu'attendre la libération des plaquettes. Pour passer le temps, il se promenait un peu partout dans la Ruche afin de vérifier le travail de chacun. Tous les techniciens et savants étaient sur le qui-vive et tous avaient hâte que l'on libère les fameuses plaquettes.

* * *

Dugan avait aperçu le pendentif de La Pelle au cou de nombreux techniciens et scientifiques travaillant au monument. Il ne pouvait s'empêcher de sourire en songeant que leur Prophète se prétendait le vrai Messie. Mais en ce début de matinée, il avait une bonne raison de voir en Élis le vrai Messie.

— Vingt millions par mois, résuma Dugan pour s'assurer d'avoir bien compris la proposition d'Élis.

L'air conditionné du bureau de Dugan détonnait avec les vêtements de Bédouin que portait Élis. Une corde blanche ceignait le voile couvrant sa tête et un pendentif de La Pelle tombait sur sa poitrine.

— La Pelle est intéressée à ce que les recherches sur le monument se poursuivent, dit Élis. Elle est prête à combler les pertes de revenu subies depuis la controverse née autour de la théorie du créationnisme biomoléculaire du docteur Leuranc.

Vingt millions de dollars par mois! La Pelle ne lésinait pas. Les problèmes financiers qui tracassaient Dugan se voyaient résolus. Mais accepter la proposition ne revenait-il pas à se livrer pieds et poings liés à La Pelle? Il y avait un risque, mais pour vingt millions de revenus mensuels, il n'était pas question de faire la fine bouche et de refuser. C'est pour la forme que l'anthropologue fit part à Élis de ses appréhensions.

— Bien sûr que nous sommes intéressés, répondit Élis. Nous n'agissons pas ainsi sans raison. Ce monument recèle la vérité sur l'origine de l'homme. Nous ne voulons pas qu'il se taise. Au contraire, nous voulons qu'il rayonne sur le monde. Sais-tu que pour certains ce monument serait le véritable Messie?

— Quoi! s'étonna Dugan. Je croyais que c'était toi le Messie.

— Ils se trompent car je suis effectivement le Messie, mais n'empêche qu'ils le croient. C'est pour te dire l'importance de ce monument. Sans lui, je ne pense pas que La Pelle réussisse à sortir l'humanité de la décrépitude où elle végète depuis des millénaires. L'homme doit cesser de construire sur le mensonge. Il doit connaître la vérité et seul le monument est en mesure de la lui apporter.

Dugan se décida à poser cette question qui lui démangeait la langue depuis si longtemps.

— Es-tu sérieux? questionna-t-il. Crois-tu vraiment être le Messie?

— Je sais bien que tu me crois un peu fou, dit Élis. Mais regarde froidement les faits. En tant que scientifique, comment expliques-tu la découverte de ce monument, le message d'espoir et d'action qu'il apporte à l'homme, ma présence sur les lieux, la naissance de La Pelle et sa montée fulgurante? C'est en analysant tous ces événements que la vérité m'est apparue: dans la conjoncture actuelle de l'Histoire, je ne peux être autre chose que le Messie. Je n'ai nulle envie d'abdiquer devant le rôle que le destin m'octroie. Je suis le seul pouvant combler le poste et je le ferai, devrais-je y laisser ma vie. Je dois sauver l'humanité et je la sauverai! L'Homme redeviendra un dieu!

La sincérité d'Élis ébranla Dugan. Élis était-il réellement fou ou effectivement amené par une situation historique sans précédent à jouer le rôle du Messie?

— Tu dérailles, dit Dugan. L'Homme ne sera jamais un dieu. Depuis des millénaires, l'Homme vogue de conneries en imbécillités, et toi, tu t'imagines pouvoir changer tout ça! On ne peut changer la nature de l'Homme.

— Je veux que l'Homme retrouve sa vraie nature.

— Tu perds ton temps.

— L'humanité perd son temps depuis des centaines de milliers d'années. Je suis le premier à m'y attaquer. Je ne réussirai peut-être pas, mais j'aurai donné le point de départ à un mouvement qui balayera le vingt et unième siècle. Il est temps que l'Homme se donne des buts à la mesure de ses vraies capacités. La Pelle va étudier l'Homme et lui rendre ses droits.

— Foutaises! dit Dugan.

— Jour après jour, le monument fait passer ces foutaises dans le domaine du crédible. Pour le moment, le monument est le moteur de La Pelle.

— Et pour que ce moteur ne s'enraye pas, ajouta Dugan, vous êtes prêts à lui faire bouffer vingt millions par mois.

Élis acquiesça de la tête.

— Votre moteur risque de vous broyer.

— L'avenir le dira. Nous prenons le pari.

* * *

Le séjour de Chamoux et de sa secrétaire avait pris une orientation inattendue. Nicole, qui avait toujours été attachée aux basques de Chamoux, semblait devenir plus tiède. Norbert n'était pas dupe. Elle qui, chaque fois qu'il lui faisait l'amour, s'extasiait dans le plaisir de l'orgasme, ne lui présentait plus qu'un regard vide où se lisait une douce indifférence.

Une journée où Chamoux discutait de la conjuration de la contre-vérité, il fut surpris par un sourire ironique de Nicole.

— Pourquoi ce sourire Nicole?! demanda avec rage Chamoux.

Riait-elle intérieurement de l'incapacité de bander qu'avait eu Chamoux la nuit précédente? Était-ce sa faute à lui si Nicole l'excitait moins?

— La conjuration de la contre-vérité n'a jamais existé, dit Nicole.

— Quoi? s'exclama Chamoux. Tu nies l'évidence? Tu ne crois plus à la conjuration de la contre-vérité menée par les Juifs pour cacher à l'Homme ses origines?

— Je n'y crois plus, dit-elle. Tout ce qui était caché à l'Homme ne l'était pas par une association secrète de Juifs mais par du sable. Or le sable n'est plus et le monument est maintenant visible. Nous allons enfin tout connaître sur l'Homme.

— Ce monument n'est qu'un animal interstellaire ayant servi de vaisseau spatial aux Vénusiens, nos véritables ancêtres.

— Ce monument a plusieurs millions d'années. Je ne sais pas très bien s'il est animal ou minéral, mais il recèle la vérité cachée de nos origines.

Chamoux savait Nicole crédule. Jamais il n'avait rencontré quelqu'un mordant si facilement dans l'incroyable. Nicole était la reine des gogos. Si elle ne croyait plus aux fables de Chamoux, elle devait avoir mordu à un appât plus invraisemblable encore. Mais qui pouvait battre Chamoux dans ce domaine? En toute modestie, Norbert ne se connaissait pas de rival.

— Toi, dit-il en pointant Nicole d'un doigt accusateur, tu me caches quelque chose. Il est temps que le chat sorte du sac!

Nicole tira sur le collier pendant à son cou.

— Une pelle! s'étonna Chamoux. Tu t'es convertie à La Pelle!

Pourquoi n'y avait-il pas pensé plus tôt? Cette nouvelle religion le battait de plusieurs coudées dans l'invraisemblance. Et que peut un simple journaliste guerroyant contre une conjuration de la contre-vérité face à une religion promettant à l'Homme le retour du paradis terrestre? Dans le fond, il pouvait se faire des mea-culpa. Il aurait dû depuis longtemps fonder sa propre religion. Les gogos ont soif de religion. Depuis quelque temps, La Pelle agissait comme un siphon et attirait à elle la presque totalité des jobards. Chamoux avait vu près de quarante pour cent de son public se tourner vers La Pelle en un mois. À ce rythme, il ne lui resterait plus d'audience d'ici quelques semaines et ce serait la fin d'un gagne-pain jusqu'ici très lucratif. Il se devait de réagir. Pour le moment rien ne lui venait à l'esprit, mais Chamoux faisait confiance à sa bonne étoile. Il aurait sûrement une idée pour se sortir de cette mauvaise passe.

* * *

Lorsqu'il se réveilla, Élizabeth n'était plus avec lui. Nu comme un ver, Frédéric alla jeter un coup d'œil à la cuisine. Déjà habillée, Élizabeth prenait un café. Elle le vit et prit un air grave.

— Je retourne en Amérique, dit-elle.

— Quoi! s'étonna Dugan, mal à l'aise dans sa nudité. Hier encore, tu projetais d'allonger ton séjour d'une autre semaine!

— Hier matin, je ne savais pas que mon équipe de reportage avait perdu deux de ses membres. Jack, le réalisateur, et Bernie, l'ingénieur de son, se sont convertis à La Pelle. L'un était presbytérien pratiquant et l'autre athée sincère. Je n'ai nullement envie de terminer ma vie dans la peau d'une Pelleteuse pleine de ferveur pour déblayer le monument sacré. Je retourne illico presto en Amérique. Je fuis ce monument. Tu devrais m'imiter. Si tu restes, le monument va t'engloutir comme il a englouti Jack et Bernie. Dans ce désert, on oublie que ce monument n'est qu'un grain de sable à la surface de la Terre. On en vient à ne voir que lui. Je n'ai pas envie d'être piégée.

— Voyons, voulut tempérer Dugan. Ce monument ne te bouffera pas. Tu es au-dessus des singeries des Pelleteurs.

Élizabeth détailla la nudité de Dugan. Il était bien charpenté. Aucun bourrelet de graisse ne venait arrondir des formes bien angulaires. Cet homme avait vécu seul pendant dix ans dans le désert. Il y avait en lui une rationalité qui lui permettrait de survivre au monument et à La Pelle.

— Je ne suis pas comme toi, dit Élizabeth. Je suis une idéaliste et Winnifred Mead s'en est aperçue. Je vais me faire bouffer si je reste. Winnifred Mead se prépare à m'enrôler. Cette femme est une bâtisseuse d'empire et je n'ai aucune envie de remplir le rôle d'une brique.

Dugan ne fut pas insensible à la peur qui perlait des propos d'Élizabeth. Elle fuyait un piège qui se refermait sur elle. Un frisson le traversa en s'imaginant la journaliste dans la robe blanche des Pelleteurs.

— Quand pars-tu? demanda-t-il.

— Ce matin. Nous devons quitter d'ici une heure.

— Je m'habille et je t'expédie, dit-il.

Élizabeth s'attendait à un acquiescement moins rapide de la part de Frédéric.

— Tu ne me retiens pas?

— Non! Je pourrais difficilement aimer une brique. Je préfère te savoir loin et toi-même, qu'ici et Pelleteuse. Mais, je t'avertis, tu fais mieux de répondre à mes lettres. Car, vois-tu, je ne sais pas encore comment je vais m'y prendre pour soutirer ton accord, mais j'ai l'intention de t'épouser et de te faire des enfants. Je veux vivre et être heureux avec toi.

Tant de franchise laissa songeuse Élizabeth. Plus tard, dans l'avion, elle admit n'avoir jamais rien entendu d'aussi agréable.

C'est quoi l'homme? Seulement vingt-trois paires de chaînes d'acides nucléiques. Une seule paire décide de votre sexe; un accroc et vous voilà mongol.

L'ouvrier

Chapitre XV

Leuranc dut attendre une semaine avant que les archéologues libèrent les plaquettes.

— Ce Darsey l'a fait intentionnellement, dit-il à De Mornay. Il a voulu nous punir d'avoir fouillé dans ses affaires. Cet individu m'a volé une semaine de ma vie. Il mériterait la prison.

De Mornay avait distribué une série de plaquettes aux techniciens et leur avait bien fait comprendre l'urgence du décodage. Avec le professeur Leuranc, il attendait les résultats. Le vieux savant s'impatientait.

— Évidemment! dit-il. Il faut attendre, toujours attendre, je n'ai pourtant pas que ça à faire. Je vais aller pisser.

Lorsqu'il fut de retour, la situation n'avait pas évolué.

— Évidemment! dit-il. Plus je vieillis, plus je suis pressé et plus on s'ingénie à me faire attendre. J'ai bien envie d'aller décoder moi-même ces plaquettes.

— Les résultats ne devraient pas tarder, dit Jacques. Je vais aller voir ce qui se passe.

— Je t'accompagne, dit Leuranc. Cette inaction me pèse. Je n'y suis pas habitué. Et puis, disons-le, je suis nerveux. Le contenu de ces plaquettes devrait me purger de tous mes doutes et mettre de la lumière dans le projet adnien.

Jacques et Leuranc s'arrêtèrent près d'une technicienne.

— Commencez-vous à obtenir des données? demanda Leuranc.

L'écran de l'ordinateur était vide.

— Rien ne va! répondit la technicienne. J'ai tout essayé. Je suis incapable de tirer la moindre information de cette plaquette.

La technicienne enfonça une nouvelle suite de touches.

Nerveux, Leuranc regardait par dessus son épaule. L'écran restait vide. Un jeune technicien s'approcha du groupe.

— Jacques, dit-il, les plaquettes sont vierges.

— Que dis-tu? s'étonna De Mornay.

D'autres techniciens vinrent confirmer la nouvelle.

— Évidemment! dit Leuranc en ricanant de dépit. Quoi de plus normal! Nous sommes tombé sur la réserve de plaquettes vierges des Adniens. Quand je pense qu'on m'a tenu en haleine pendant une semaine pour des plaquettes ne contenant pas le moindre iota d'information. C'est dégoûtant.

D'un pas vif, Leuranc quitta l'assemblement et se dirigea vers son bureau.

— Vérifiez les toutes! dit Jacques aux techniciens. On ne sait jamais.

Il se dépêcha d'aller retrouver le professeur. Leuranc s'était assis et fixait le vide en grattant sa moustache.

— C'est une belle dégueulasserie, dit-il pour résumer le fond de sa pensée.

— Professeur, dit De Mornay, voulez-vous me raconter ce que vous avez derrière la tête?

Leuranc regarda, étonné, son élève.

— À quoi fais-tu allusion?

— Vous n'êtes pas content de ce qu'on découvre. Quelque chose vous obsède. J'aimerais savoir quoi.

— Je te l'ai dit! Les plaquettes représentent l'homme comme un dieu et cela ne correspond pas à la réalité. L'homme est un pourri.

— C'est tout?

— Il y a aussi cette absence de toute mention des virus. Tant et aussi longtemps qu'on n'aura pas trouvé de plaquettes parlant des virus, j'aurai l'impression que je travaille pour rien. J'ai la conviction que nos recherches se dirigent vers un cul-de-sac mais je n'ai rien de vraiment tangible pour asseoir mes présomptions. Même les caryotypes des drosophiles apportent de l'eau au moulin des Adniens. Tout indique que je suis à contre-courant et cela m'exaspère. La découverte de la réserve des plaquettes vierges des Adniens n'a rien pour rehausser mon humeur.

Un technicien fit irruption dans le bureau.

— Venez, dit-il. Plusieurs plaquettes contiennent des informations.

Leuranc fut debout avec une agilité qui démentait son âge.

— Vite! Allons voir!

Il sortit en poussant devant lui le technicien qui essayait d'expliquer ce qui était arrivé.

— Jacques avait choisi des plaquettes provenant toutes de la même étagère.

— Évidemment! dit Leuranc. Et sur d'autres étagères, les plaquettes ne sont pas vierges. J'avais tout compris. Me prenez-vous pour un imbécile?

Leuranc ne porta plus attention aux gargouillis du technicien. Il s'arrêta près d'une imprimante crachant des informations. Il parcourut rapidement le texte puis alla à une autre imprimante. Jacques le suivait. À la dixième imprimante, Leuranc montra son déplaisir.

— Rien! dit-il. Absolument rien!

Il revint à la troisième imprimante et en détacha les feuilles.

— Ce n'est pas ce que je cherche mais mes amis éthologues en pleureront de joie.

— Qu'est-ce? s'informa De Mornay.

— La preuve irréfutable qu'un comportement peut être inné. Les behavioristes vont crever de rage.

Il tendit les feuilles à De Mornay.

— Fais-toi une copie et étudie le tout. Quand tu auras fini, nous irons provoquer des sueurs froides chez notre ami Dugan.

* * *

Dugan rêvait à Élizabeth lorsqu'il fut tiré de son sommeil par des coups répétés à la porte. Il enfila son pyjama pour cacher son érection et alla répondre. Lorsqu'il vit le sourire coquin sur le visage de Leuranc, les pires appréhensions lui vinrent.

— Accordez-moi quelques minutes, dit l'anthropologue. Le temps de me rafraîchir un peu. Je sens que je vais en avoir besoin.

Il prit une douche froide afin de bien éclairer ses idées. Leuranc et De Mornay ne venaient sûrement pas le réveiller aux petites heures du matin pour des peccadilles. Les plaquettes de la chambre secrète avaient dû révéler de quoi le faire sursauter.

— Allons-y, messieurs! dit-il en rejoignant les deux savants.

Enveloppé dans sa robe de chambre, Dugan s'assit confortablement, bien décidé à faire face à la tempête.

Leuranc étala sur la table à café une liasse de papiers.

— Voici la séquence d'acides nucléiques induisant la parade nuptiale chez l'*Anatinus*, une espèce de canard.

Dugan n'eut aucune réaction. Il fixa bêtement les formules chimiques qui se succédaient. Son visage était blême.

Ce qu'il avait longtemps craint se produisait. Les Adniens allaient relancer de plus belle la bataille entre l'inné et l'acquis. Il ne put que grimacer en réponse au sourire coquin du professeur.

— Quant à ceci, dit Leuranc en étalant de nouvelles feuilles, c'est le code génétique induisant la migration du sterne arctique.

De Mornay exposa à son tour une suite de formules.

— Code génétique responsable du comportement du *Cuculus canorus* après l'éclosion de l'œuf.

— Le *Cuculus canorus*, c'est le coucou, n'est-ce pas? demanda Dugan.

— Évidemment, répondit Leuranc.

Dugan visualisa rapidement le coucou pondant un œuf dans le nid d'une autre espèce. Peu après sa sortie de l'œuf, le petit coucou faisait basculer du nid les autres œufs, voire les petits de ses parents adoptifs. Puis, il s'appropriait par des hyper-stimuli l'affection que les parents auraient normalement distribuée à leur véritable progéniture.

Une question lui revenait sans cesse à l'esprit. Il décida de la poser.

— Avez-vous trouvé trace de comportement induit par les gènes chez l'homme?

— Presque, dit De Mornay. Nous étudions des suites d'acides nucléiques qui, en interraction avec des stimuli du milieu, induiraient ce qu'on appelle en gros l'instinct maternel.

Dugan s'enfonça davantage dans son fauteuil. Il allait y avoir du carnage chez les bien-pensants de ce monde. Le concept de l'homme vu comme une cire vierge modelée uniquement par le milieu n'allait pas laisser la place à l'homme biomoléculaire sans se débattre.

— Vous vous préparez à agiter un joli merdier, dit-il. Je vois d'ici la levée de boucliers des sciences humaines. Il fut un temps où je taxais de fascisme et de racisme tous ceux qui prétendaient que la psyché humaine puisse être influencée de près comme de loin par les gènes.

— Mais toi, dit Leuranc, tu as pris la peine d'étudier en profondeur les arguments de ceux qui disaient que le génotype induisait non seulement des caractères physiques, telle la couleur des yeux, mais aussi des comportements et des traits psychologiques telles l'agressivité et l'intelligence. Tu les as étudiés et tu t'es rendu compte que ce n'était pas si bête.

Dugan se rappela ses études en éthologie, la science de l'étude comparative du comportement animal. Au début, sa haine du racisme lui avait fait refuser en bloc toute allusion à une origine innée de quelque comportement que ce soit. Le summun de son aveuglement avait été cette étude où il avait essayé de démontrer que le caneton apprenait à nager dans l'œuf par des mouvements que la cane imputait à sa nichée durant la couvaison. Son professeur avait bien ri et lui avait dit: «Jeune homme, vous faites de la politique et non de la science. Vous allez vous rendre compte que les canetons sont apolitiques et qu'ils n'ont pas des pieds palmés pour rien.» Comme de fait, les canetons incubés et ceux couvés par une poule s'ébattirent dans l'eau avec la même allégresse que ceux ayant eu un couvage naturel.

— Ce ne fut pas facile, dit Dugan, d'admettre que mon refus des comportements innés était motivé non par des critères scientifiques mais par mes idéaux politiques.

— C'est effectivement là que le bât blesse! triompha Leuranc. Nous vivons dans une société ayant promulgué que tout homme est égal à la naissance. Au début, ce postulat politique visait à abattre l'étanchéité des classes sociales et discréditait le droit divin que se conféraient les rois. Par un tour de passe-passe, on en a fait une loi scientifique que les psychologues et sociologues devaient suivre aveuglement malgré les faits criants démolissant cette théorie. Au lieu d'étudier l'homme, ces pseudo-sciences en construisirent un à la mesure du credo social. Il suffit de penser au behaviorisme pour se cramper de rire.

— Les bien-pensants, dit De Mornay, n'accepteront jamais que des traits psychologiques comme l'intelligence soient associés au génome. Et leur refus sera motivé par des idéaux humanitaires auxquels on ne peut que souscrire.

— Ce sont des ignorants! trancha Leuranc. Ils mélangent tout et ne savent rien. Ils ne comprendront jamais l'importance fondamentale du milieu sur l'expression des gènes. Ils n'ont aucune idée du dynamisme et de l'élasticité du phénotype par rapport au génotype. Les sciences humaines, c'est de la foutaise.

Dugan se sentit attaqué par ce jugement sans appel.

— Niez-vous, dit-il, que des individus se serviront de ces découvertes pour justifier le racisme, les génocides? Certains y verront même une justification de l'état de dépendance où sont tenues les femmes dans maintes sociétés. Niez-vous tout ça?

Leuranc regarda Dugan avec surprise. Cette tirade enflammée l'étonnait.

— Je n'ai jamais nié la bêtise humaine, eut-il comme tout commentaire.

Dugan ne sut que répondre.

* * *

La nouvelle de la présence de gènes responsables de comportement chez maints animaux tomba comme une pomme de discorde dans les milieux scientifiques du monde entier. Ceux qui n'avaient pas su avaler le concept de la création biomoléculaire rirent de nervosité tout en sortant leurs griffes et leurs crocs.

Pendant plus d'une semaine, on discrédita au maximum le monument et ses plaquettes. Puis, coup de théâtre, Alder Leuranc annonça que les découvertes du monument sur le génome humain avaient permis à des savants japonais de synthétiser une lipoprotéine qui allait permettre de réduire, voire même d'éliminer les maladies vasculaires dues à un dépôt de cholestérol dans les artères. Les médecins du monde entier crièrent au miracle. Quiconque avait souffert ou avait connu quelqu'un ayant souffert de troubles coronariens jeta un regard plein de respect et d'espoir sur le monument. On ne pouvait se moquer davantage d'un monument dont les découvertes se préparaient à sauver des millions de vie.

Le soir de cette annonce, Alder Leuranc, Jacques De Mornay et Frédéric Dugan sablèrent le champagne ensemble.

— Je lui ai rivé son clou à la bêtise humaine, dit Leuranc en savourant sa victoire.

— Ne l'enterrez pas trop vite, dit Dugan.

— Je sais très bien que c'est elle qui nous enterrera mais, en attendant, cette petite victoire met un peu de baume sur mes vieux os.

Leuranc prit une gorgée de champagne.

— J'ai reçu de nombreuses demandes d'éthologues désirant se joindre aux études sur les plaquettes, dit Dugan.

— Répondez leur favorablement, conseilla Leuranc. Ces savants sont de véritables physiologistes du comportement. Leur apport sera précieux.

— Ne craignez-vous pas que les analogies que font les éthologues entre les comportements animaux et humains nous donnent une fausse idée de l'homme?

Leuranc parut agacé par la question.

— Aucunement! dit-il. Toute étude scientifique de l'homme doit être entreprise en se penchant sur ce qu'il fait et non sur ce qu'il dit ou pense. Si la révélation de l'existence d'une base biomoléculaire à certains comportements animaux et humains amène les savants à regarder l'homme non plus comme un être pensant dans une cloche de verre mais comme une espèce animale parmi tant d'autres, je peux vous assurer que notre connaissance de l'homme fera des pas de géants. Il est plus que temps que l'homme remette ses pieds sur le plancher des vaches.

— Il y a aussi de nombreux sociologues et psychologues qui aimeraient mettre le nez dans les plaquettes, dit Dugan.

— Les suites de purines et pyrimidines formant l'ADN les décourageront rapidement. Ils peuvent toujours venir jeter un coup d'œil mais ils ne seront d'aucune utilité.

— Des visites guidées pourraient être organisées, proposa De Mornay. Ainsi on ne pourra nous accuser d'un manque de transparence.

L'idée plut à Dugan. Dès le lendemain, il s'attela à sa réalisation. D'un autre côté, il invita aussi bien les sociologues et les psychologues que les éthologues à se joindre aux recherches sur les plaquettes. En tant qu'anthropologue, Dugan était loin de partager l'opinion du professeur Leuranc sur l'inutilité des sciences humaines.

* * *

Winnifred Mead ne put s'empêcher d'être impressionnée par la Ruche. Elle dut demander par deux fois son chemin avant d'arriver au bureau du professeur Leuranc.

Elle cogna à la porte. Par la vitre, elle vit le professeur se retourner et la regarder. Elle se permit un sourire. Leuranc vint ouvrir.

— Évidemment! dit-il en examinant la robe des Pelleteuses. Que faites-vous ici?

— Je suis Winnifred Mead, dit l'ethnologue.

Leuranc ne connaissait personne de ce nom. Il avait trop peu d'estime pour les sciences humaines pour s'intéresser à leurs principaux porte-paroles.

— Cela ne me dit pas ce que vous voulez. Je suis vraiment très occupé.

— Depuis une semaine, j'essaie de prendre rendez-vous. Vous n'avez jamais retourné un seul de mes appels. J'ai besoin de vous parler.

— De quoi?

— De la femme!

— La femme! s'étonna Leuranc.

— Vous faites des découvertes sur l'homme, vous devez aussi en faire sur la femme!

— Et pourquoi voulez-vous parler de la femme? J'ai des préoccupations beaucoup plus pressantes.

— Je me suis battue toute ma vie pour sortir la femme des rôles insignifiants où l'homme l'a toujours confinée. J'ai visité et étudié de nombreuses tribus où la femme avait un rôle plus valorisant que celui qu'elle occupe dans nos sociétés modernes. J'ai tout fait pour prouver que rien sur le plan génétique n'expliquait la domination des femmes par les hommes. Je veux m'assurer que vos découvertes ne détruiront pas mon œuvre.

Leuranc ne fut pas insensible au réel souci qui transpirait des paroles de Winnifred. Le sort que certaines civilisations réservaient aux femmes avait souvent choqué le vieux professeur.

— Vous êtes féministe, dit-il, et je comprends vos craintes. Vous avez peur que les plaquettes ne révèlent une vérité qui ruinerait votre vie.

Winnifred approuva de la tête.

— Je peux certainement essayer de calmer vos appréhensions, continua Leuranc.

Il fit entrer Winnifred et lui désigna une chaise.

— Je serai bref, dit-il. Génétiquement la femme se distingue de l'homme par deux X sur la vingt-troisième paire des chromosomes au lieu d'un X et un Y. Ce léger changement est suffisant pour entraîner des variances physiques importantes concernant non seulement les organes génitaux mais aussi l'ensemble de la physiologie. La femme est statistiquement moins grande, plus fragile...

— Un instant, l'arrêta Winnifred. Je suis aussi grande que vous et probablement plus forte. C'est un faux concept de s'imaginer que les femmes sont plus petites, plus fragiles. Si dès notre jeune âge, nous étions encouragées à faire plus de sport, notre corps se développerait en conséquence. L'homme nous a toujours empêché tout développement musculaire afin de pouvoir nous dominer.

Leuranc n'avait jamais rien entendu d'aussi dément.

— Génétiquement, dit-il, la femme possède moins de fibres musculaires que l'homme...

Winnifred ne le laissa pas finir.

— Il y a beaucoup de femmes qui peuvent faire la barbe à bien des hommes pour ce qui est de la force musculaire. Je ne viens pas pour discuter de l'aspect physique mais de l'aspect psychologique.

— Mais comment pouvez-vous dissocier l'un de l'autre? Tout ceci est intimement imbriqué!

Winnifred ne répondit pas. Elle connaissait trop les arguments mâles pour rabaisser la femme. Dans une société où les muscles étaient de moins en moins utiles, cette faiblesse apparente des femmes n'était plus un handicap.

— Est-ce que vos découvertes confèrent plus d'intelligence aux hommes qu'aux femmes?

— L'intelligence comprend une multitude d'aspects, répondit Leuranc. Nous n'en sommes pas là dans notre étude des plaquettes. Cependant, plusieurs savants ont déjà trouvé des différences notables entre l'intelligence des hommes et des femmes.

— Que dites-vous?

— Les femmes ont toujours démontré une plus grande facilité à contrôler le langage. Le bégaiement est un phénomène presque exclusivement masculin. En général, les jeunes filles savent lire plus tôt que les garçons et ont plus d'aisance à apprendre les langues étrangères. Par contre, les garçons démontrent une supériorité visuelle et maîtrisent mieux l'espace en trois dimensions. Certains de mes collègues vont même jusqu'à avancer un fonctionnement différent entre le cerveau des filles et des garçons.

Un fol espoir naquit chez Winnifred.

— Au lieu de justifier l'état d'assujettissement de la femme, dit-elle, se pourrait-il que les plaquettes indiquent de nombreux domaines où la femme est supérieure à l'homme?

— C'est fort possible! dit Leuranc.

Enchantée par cette hypothèse, Winnifred prit congé. Maintenant tout lui paraissait clair. Pendant que l'homme se contentait de la force de ses muscles, la femme, afin de survivre à la répression qu'elle subissait, avait dû développer ses facultés intellectuelles. La femme était fin prête pour prendre le relais de l'homme.

Leuranc se gratta la moustache. Il avait le sentiment que sa visiteuse n'avait rien compris de ce qu'il lui avait dit.

Lorsque je serai mort, on pourra dire tout ce qu'on veut sur mon compte. On pourra me calomnier, me ridiculiser, car le ridicule finit toujours par frapper, mais on ne pourra m'enlever la simple joie d'avoir pelleté une dune n'ayant connu que le vent.

Le Pelleteur

Chapitre XVI

— Ahhh...h...h...

Le pape expectora de soulagement. Il se redressa, se nettoya à l'aide de papier-toilette et tira la chasse d'eau. Il renifla ses mains. Elles sentaient la merde. Il les frotta négligemment contre ses habits et sortit des toilettes. Il sourit béatement à son jeune secrétaire qui en déduisit que les matières fécales de Sa Sainteté allaient bientôt se mélanger à celles des plus humbles citoyens romains.

— Mgr Rossi attend que vous puissiez le recevoir, rappela avec effacement le jeune secrétaire.

Depuis trois jours, Mgr Rossi poireautait dans l'antichambre. Il attendait le bon vouloir du Souverain Pontife.

— Je vais le recevoir, dit celui-ci, rendu de bonne humeur par la délivrance de ses intestins.

Mgr Rossi apparut. Ses yeux vifs luisaient au creux d'un cercle de fatigue.

— Votre Sainteté, dit-il, La Pelle fait des ravages. Nous devons agir.

Encore cette secte maudite! Le pape lança un regard peu amène à son homme de confiance. Cela faisait bien cinq fois qu'on le dérangeait à ce sujet.

— Et que devons-nous faire? s'informa malicieusement le pape.

— Un concile! répondit catégoriquement Mgr Rossi. Nous devons redéfinir la doctrine catholique à la lumière du monument. Si nous ne réagissons pas, La Pelle aura tôt fait de nous voler nos ouailles.

«Un concile! Alors que je m'apprête à trépasser!» songea le pape. Il ne comprenait pas la soudaine stupidité de Mgr Rossi, qui n'avait même pas la décence de le laisser mourir en paix.

— Voyons! tempéra le pape. Un groupuscule ne saurait se comparer à l'Église une, sainte, catholique et apostolique. Nous avons affronté au cours des siècles des périls bien plus graves. Il fut une époque où trois, voire quatre papes se disputaient le Saint-Siège. L'un d'eux aurait même été une papesse.

Le pape sourit au souvenir de ce fait historique. Il se rappela cette chaise trouée sur laquelle, depuis ce temps, tout pape devait s'asseoir afin qu'on puisse vérifier s'il possédait les attributs mâles indispensables à la papauté.

— La Pelle n'est plus un groupuscule! Le mouvement draine déjà trois cent cinquante millions de fidèles: autant, sinon plus que l'Église catholique! Nous devons réagir sans tarder. C'est le temps ou jamais d'interpréter la Genèse et la mission du Christ en relation avec le monument.

Le pape n'apprécia pas la suggestion.

— Nous n'embâtardirons pas le credo catholique pour un monument sans valeur qui sera oublié et enterré d'ici quelques années. Ce serait du suicide. Nous ne sommes pas une multinationale qui doit toujours prévoir les mouvements du marché. Nous sommes l'Église du Seigneur. Nous sommes l'instrument de Dieu sur Terre pour sauver les âmes.

Le pape eut une résurgence stomacale. Son fragile équilibre physiologique risquait d'être perturbé par cette discussion stupide. Il porta une main à son estomac.

— Je ne veux plus entendre parler de La Pelle, dit-il.

Son visage se crispa légèrement pour montrer la profonde douleur charnelle qu'il endurait sans se plaindre.

— Allez réfléchir à l'absurdité de vos propos, continua le pontife. Pour ma part, je dois prier pour le repos des enfants battus. La prière demeure notre meilleure arme.

Il fit signe à son jeune secrétaire de reconduire Mgr Rossi. Ce dernier ne bougea pas. Pourquoi avait-il fallu que ce grand pape devienne ce débris n'ayant d'autre souci que le cheminement physiologique de la nourriture qu'il ingurgitait?

— Allez en paix, mon fils! insista de nouveau le pape.

— Saint Père, dit Mgr Rossi, en se rendant bien compte du non-sens de son insistance, je vous prierais de réfléchir à ma proposition.

Un bref moment, le pape songea à excommunier ce trouble-fête. Le bon sens l'en empêcha.

— Bien sûr, mon fils, dit-il. Et maintenant, laissez-moi seul. Je dois prier.

Mgr Rossi sortit, la rage au cœur. Il songea aux prophéties de Nostradamus voulant que le présent pape fût le dernier à monter sur le trône de saint Pierre.

— S'il peut crever! dit-il en oubliant tout esprit chrétien.

Il fit aussitôt un signe de croix pour conjurer le mauvais sort. Au fond de lui-même, il était peiné pour ce pape qu'il avait tant admiré et à qui il devait tant.

Seul sur son trône, le pape envisageait calmement la possibilité de démissionner. Il n'avait plus ni la santé, ni le moral pour guider l'Église. D'un autre côté, sa fin approchait. Il hésitait. Ne devait-il pas plutôt s'en remettre à Dieu?

* * *

Tout en joggant, Jacques et Dugan discutaient.

— Je crois qu'elle m'aime, dit Dugan. Elle a répondu à mes quatre lettres. Le ton y est un peu froid mais Élizabeth est ainsi. Elle me manque vraiment. Une chance que j'ai ce monument pour oublier son absence.

— Irais-tu jusqu'à quitter le monument pour vivre avec elle?

Dugan hésita. Il songea aux dix ans de désert ayant abouti à la découverte du monument.

— Je ne sais pas, dit-il. Ce monument signifie beaucoup pour moi.

— Alors, tu ne l'aimes pas, jugea froidement De Mornay.

— Oh si, je l'aime! Comment peux-tu être si catégorique?

— J'ai connu une fille il y a quelques années. Nous nous sommes vraiment aimés.

— Et...?

— Et nous nous aimons toujours. C'est une scientifique russe. Elle a refusé de rester aux USA et moi je ne voulais pas me rendre en URSS. Nous nous écrivons. Dans ma dernière lettre, je lui ai dit que nous étions en train de gâcher notre vie. Je lui ai même proposé un terrain neutre pour vivre: l'Europe de l'Ouest. Je lui laisse le choix du pays.

— Et si elle accepte?

— Je quitte tout. Même mon affection pour Leuranc ne saurait me retenir.

Dugan réfléchit longuement.

— C'est à cause du monument que je suis sorti de ma médiocrité et qu'Élizabeth a levé les yeux vers moi. Sans lui, je ne suis rien. Quitter le monument me ferait perdre Élizabeth.

— Dans ce cas, vous ne vous aimez pas. Enfin, pas comme moi j'aime Nadia.

— On peut aimer différemment, cela ne signifie pas que l'on aime moins.

* * *

L'œil guilleret, Alder Leuranc se pencha sur le travail que deux jeunes savants venaient de lui soumettre. Il y était question du mode de synthèse de quatres types de protéines induisant le sommeil chez l'homme.

— Évidemment, dit-il en préambule, c'est très intéressant. Il est d'autant plus triste de penser que cela n'a pas la moindre valeur.

Les deux savants le regardèrent, sidérés.

— Cette découverte vaut des milliards de dollars, se permit l'un d'eux. Nous sommes en mesure de créer le somnifère parfait.

Leuranc ricana tout en sourcillant abondamment.

— Regardez-moi, dit-il. Je suis vieux, un peu gâteux et assez près de la décrépitude. Pourquoi? Parce que mes gènes ne fonctionnent plus comme ils fonctionnaient lorsque j'avais vingt ans. Si l'action de mes gènes n'avait pas été altérée, j'aurais toujours l'apparence d'un jeune homme joyeux, athlétique et quelque peu effronté. Mais qu'est-ce qui vient altérer les gènes?

— D'autres gènes, des gènes de vieillissement! répondit l'un des jeunes savants. Ces gènes entrent en action sous certains stimuli.

Leuranc ricana de nouveau.

— Évidemment, dit-il, c'est là une hypothèse valable.

— On parle aussi, dit l'autre savant, de virus imbriqués aux gènes et contrecarrant progressivement leur action, d'où la diminution de la production de protéines et le vieillissement.

— Autre hypothèse plausible, dit Leuranc. Le résultat demeure le vieillissement par une déshydratation des tissus. Or, messieurs, jusqu'ici, à partir des plaquettes expliquant le génome humain, êtes-vous tombés sur des gènes produisant des protéines de vieillissement?

— Ma foi, non! admit l'un des savants.

— Et parle-t-on des virus?

— Rien sur les virus, convint l'autre savant.

— Fait-on appel quelque part à l'idée de vieillissement chez l'homme?

— Non plus!

— Donc l'homme serait éternel! résuma Leuranc.

Les deux savants s'agitèrent. Cette vue d'ensemble leur apparaissait pour la première fois.

— Avec mes rides, mes rhumatismes et mon gâtisme, suis-je l'image de l'immortalité?

— Non! admirent les deux savants.

— Évidemment que non! reprit Leuranc. Les plaquettes ne tiennent pas compte de la réalité. Le projet humain que nous étudions sur les plaquettes n'est pas celui que les Adniens ont mis au point. Nous étudions un homme qui n'a jamais existé. Votre étude sur la synthèse des protéines induisant le sommeil chez l'homme n'a de valeur que pour le projet humain contenu dans les plaquettes. Rien ne prouve qu'il est applicable à l'espèce humaine telle que nous la connaissons.

Les deux savants étaient bouche bée. L'un d'eux hocha la tête comme s'il voyait le soleil pour la première fois.

— Voilà qui expliquerait cette quatrième protéine dont personne en quarante ans n'avait soupçonné l'existence. Elle n'aurait été qu'un projet sur papier.

— Et voilà, dit Leuranc. Vous avez compris. Les plaquettes nous présentent un homme sur papier. Nous étudions un projet qui n'a jamais abouti.

— Mais... voulut intervenir un des savants.

— Il n'y a pas de mais! coupa sèchement Leuranc.

Le vieil homme devinait trop bien la nature de l'objection.

— Si, il y a un «mais»! reprit avec vigueur le jeune savant. Nous étudions probablement le vrai homme. L'homme que nous pourrions être si nous pouvions contrôler la splendide machine que nous ont léguée les Adniens. C'est notre incapacité de prendre en main notre corps qui crée la vieillesse et tous les maux.

— Foutaises! lança Leuranc. Vous venez d'émettre une profession de foi qui n'a rien de scientifique.

— Et qui est aussi valable que la vôtre jetant aux orties le projet humain des Adniens parce qu'il n'explique pas tout. Cette quatrième protéine induisant le sommeil doit pouvoir être synthétisée par un mécanisme où intervient la volonté humaine.

— On croirait entendre un Pelleteur, dit Leuranc avec un certain dégoût.

— C'est le cas, dit fièrement le savant.

Brodé sur le devant de son sarreau se retrouvait l'effigie de La Pelle. Cette indication avait échappé à la vision déficiente de Leuranc.

— Évidemment! conclut cyniquement le vieux professeur en signifiant aux deux savants de le laisser.

Resté seul, il s'en voulut amèrement d'avoir trop parlé. Le concept d'homme-dieu qu'il voulait cacher risquait de sortir du sac.

* * *

Sur l'heure de midi, De Mornay cogna à la porte du bureau du professeur Leuranc.

— Le professeur n'est pas revenu, lui indiqua une technicienne.

— A-t-il précisé où il allait? Je devais le rencontrer.

— Il n'était pas jasant.

De Mornay pivota sur lui-même et se pressa vers la roulotte du vieux professeur. Que lui était-il arrivé? Une syncope? Une crise cardiaque? Ou une simple perte de mémoire? À son âge tout était possible. La porte de la roulotte était verrouillée. Jacques sortit le double qu'il possédait et ouvrit.

— Professeur Leuranc!

Aucune réponse. Jacques chercha dans la cuisine et la chambre à coucher. Il regarda dans le réduit où avait été installé la toilette biologique. Le vieil homme ne s'y trouvait pas. Où pouvait-il bien être? Jacques sortit de la roulotte. La chaleur était étouffante et le soleil brûlant.

— Pourvu qu'il n'ait pas pris une marche, se dit Jacques.

Le vieux professeur avait coutume d'aller admirer le coucher du soleil d'un belvédère à même le monument. De Mornay s'y dirigea prestement. Là non plus, il n'y avait aucune trace du professeur. Jacques revint au monument et questionna à droite et à gauche.

— Il me semble l'avoir aperçu à la cafeteria, lui répondit un préposé.

La cafeteria!! Pourquoi n'y avait-il pas songé plus tôt? À l'université, le vieux professeur s'y réfugiait souvent. C'est là que Jacques le retrouva. Le docteur Leuranc y sirotait paisiblement un café au lait.

— Assieds-toi, dit-il à De Mornay.

— Que se passe-t-il? interrogea Jacques. J'ai eu vent de votre altercation avec deux chercheurs.

Leuranc sembla ne pas comprendre la question. Son regard vague se perdait au loin.

— Pas de nouvelles des virus? s'informa-t-il lorsque ses yeux se fixèrent de nouveau sur son disciple.

— Non! Toujours rien!

Cette question anodine détendit De Mornay. La santé du professeur ne s'était pas ternie.

— Évidemment, dit Leuranc, l'homme est un être vaniteux. Si on lui explique sérieusement, en se basant sur des semblants de preuves, qu'il est un dieu déchu, il y a toutes les chances au monde qu'il morde à l'hameçon. Si on ajoute qu'il ne tient qu'à lui de recouvrer son trône, il avalera l'hameçon sans même s'étouffer. Je croyais les scientifiques à l'abri des hameçons. Encore une fois, je me suis trompé. Beaucoup de scientifiques arborent La Pelle.

— Beaucoup, admit De Mornay. Ils croient sincèrement au message de cette nouvelle religion. J'ai eu l'occasion de discuter avec l'un d'eux.

Jacques se rappela le doux parfum sucré de la Pelleteuse. Elle avait de longues jambes et de petits seins. La courbure du bas de son dos était cependant ce qu'elle avait de plus remarquable.

— Que de gogos! ricana Leuranc. Il n'y a pas de frontières à la bêtise humaine. Tous ces jobards se croient des dieux. Quelle dérision!

— Nos recherches sur le concept humain des Adniens tendent à prouver leurs dires, rappela De Mornay.

— Nos recherches n'ont toujours pas trouvé la trace des virus, dit Leuranc. Or, les virus existent.

— Je ne crois pas, dit De Mornay, que les Pelleteurs se préoccupent beaucoup des virus. Ils ne s'intéressent qu'à l'homme. D'ailleurs vous êtes responsable en grande partie de la popularité de La Pelle. Votre théorie de la création biomoléculaire leur a mis le vent en poupe. Et cette découverte d'une lipoprotéine guérissant les maladies vasculaires a conféré au monument une crédibilité sans précédent.

— Ma vie n'aura été qu'une longue suite de désillusions, dit Leuranc. Même les acides aminés trouvent moyen de me faire faux bond! Je les croyais objectifs, les voilà qui donnent raison à un mouvement religieux qui n'aurait rencontré qu'indifférence il y a un an. Je me demande si ma vie ne sera pas interprétée par les générations futures que par mon apport involontaire à cette religion pas comme les autres. Aurais-je droit à une place dans le futur panthéon de La Pelle? Dans cinq cents ans, les étudiants, à la veille des examens, adresseront peut-être leur prière à saint Alder Leuranc, patron des sciences et des molécules.

Le vieux professeur ricana doucement.

— Quelle triste fin pour un athée, dit-il.

* * *

Dugan dormait du sommeil du juste lorsque son téléphone se mit à sonner. Machinalement, il décrocha le combiné.

— Frédéric Dugan à l'appareil! dit-il d'un ton somnolent.

La substance de l'appel eut le don de le réveiller tout à fait.

— Quoi! dit-il interloqué.

Son interlocuteur répéta. Dugan parut pétrifié.

— Je vois, dit-il. Merci de m'avoir averti.

Le concept d'Homme-Dieu que le projet humain des Adniens sous-entendait venait d'être dévoilé à la face du monde. Dugan réfléchit aux conséquences d'une telle révélation. Que faire? Il se leva et alla soulager sa vessie. Tout en regardant le jet de son urine se perdre dans les profondeurs de la toilette biologique, il décida d'appeler De Mornay. La conséquence la plus grave de cette nouvelle demeurait la réaction du professeur Leuranc. Dugan voulait lui éviter à tout prix une crise cardiaque qui, vu l'âge du professeur, ne manquerait pas d'être funeste.

De Mornay ne dormait pas. Satisfait de lui, il contemplait le corps endormi de sa dernière conquête: une splendide Pelleteuse à la poitrine capiteuse. Le désert lybique ne manquait pas de l'étonner. En y venant, il croyait devoir s'astreindre à une vie sexuelle monacale. Ce fut tout le contraire. Le timbre du téléphone interrompit ses pensées. Il se dépêcha de saisir le combiné afin d'empêcher la sonnerie de réveiller la blonde aux formes alanguies. Dugan fut bref. De Mornay sentit aussitôt l'imminence d'une catastrophe.

— Le professeur Leuranc doit encore être en train de travailler au monument, dit Jacques. Depuis trois jours et trois nuits, il ne cesse de pianoter le clavier de son terminal. Il a retrouvé sa bonne humeur, son humour caustique et sa capacité de faire fi du sommeil. Je crains qu'il ne soit déjà au courant. Le télex a dû cracher la nouvelle. Je cours vérifier.

* * *

Le concept humain des Adniens désarçonnait le vieux professeur et le rendait colérique. Chaque fois qu'il voyait un technicien ou un savant exhibant le pendentif de La Pelle, il marmonnait entre ses dents un «évidemment» peu flatteur. Heureusement les recherches sur les plaquettes lui amenaient des moments beaucoup plus agréables. Les découvertes génétiques sur la synthèse des protéines avaient permis de faire aboutir des recherches qui, jusqu'ici, avaient malheureusement avorté, soit par méconnaissance, soit par manque de fonds. La lipoprotéine guérissant les maladies vasculaires n'avait été qu'un début.

Grâce aux renseignements que leur avait fournis Leuranc, un groupe de chercheurs chinois venait de synthétiser, à partir d'une souche de *E. coli*, une enzyme qui influait sur la production d'une protéine dont l'action, combinée avec une autre protéine lors de la formation des globules blancs, laissait entrevoir la guérison probable de la leucémie. Un groupe de chercheurs canadiens avait réussi à isoler, puis à synthétiser in vitro une protéine qui laissait espérer le traitement de la démence sénile ou maladie d'Alzheimer. Le résultat sur plusieurs cobayes humains était des plus probants. Leuranc, par une correspondance active avec près de cent quarante-trois groupes de chercheurs, était devenu le cordon ombilical reliant ces recherches à la mine incroyable de renseignements que recelait le monument. Plusieurs années seraient encore nécessaires avant de commercialiser ces médicaments qui allaient soulager l'humanité de maux jusqu'alors incurables. Leuranc voyait dans ces découvertes et leurs applications le vrai apport du monument à l'humanité. Une véritable révolution moléculaire, d'où l'homme sortirait changé à jamais, s'opérait. N'était-il pas ridicule de voir les journaux réserver leurs titres à des polémiques futiles opposant créationnistes divins, évolutionnistes darwiniens, behavioristes et éthologues? Que de foutaises et de paroles! La biologie moléculaire n'en avait cure! Elle agissait! Leuranc s'en voulait d'avoir amené de l'eau au moulin de la bêtise humaine avec sa théorie du créationnisme biomoléculaire. Qu'importait que les gens s'imaginent issus d'un chou ou de la cuisse de Jupiter, pourvu que la biologie moléculaire continue son œuvre de défrichage.

Les yeux rivés sur l'écran cathodique, Leuranc ne s'était pas aperçu de l'arrivée de De Mornay. Il pianota des ordres à l'ordinateur, qui lui présenta aussitôt une molécule en trois dimensions. De Mornay reconnut la projection de la structure tertiaire d'une protéine.

— Bonjour professeur! dit-il d'un ton se voulant naturel. Toujours à l'ouvrage?

Leuranc regarda son élève avec le sourire heureux du vainqueur.

— N'est-ce pas ridicule? dit-il avec ironie.

— Qu'est-ce qui est ridicule? s'enquit De Mornay.

Leuranc n'eut pas le temps de répondre. Dugan faisait son entrée. Il lança un regard interrogateur à De Mornay. Le vieux professeur était-il au courant? De Mornay haussa légèrement les épaules en signe d'ignorance. Un silence gêné s'installa.

— Votre comportement n'est pas normal, dit Leuranc.

Il jeta un œil sur sa montre: trois heures du matin.

— Des plus anormaux, précisa-t-il.

Des bruits de pas précipités parvinrent du couloir. Deux infirmiers avec civière et un médecin apparurent. Ils étaient essoufflés. Tous les trois affichaient le pendentif de La Pelle.

— Où est le malade? questionna le médecin.

— Veuillez attendre dans le couloir, dit Dugan. Nous vous appellerons.

Le médecin et les deux infirmiers sortirent en maugréant. Leuranc ricana.

— Évidemment, dit-il, je ne savais pas que mon état avancé de décrépitude vous préoccupait à ce point. Que se passe-t-il de si terrible pour que vous craigniez pour le peu de vie qui me reste? Les journalistes auraient-ils divulgué, suite à une fuite au sein de mon personnel, le concept humain que semblent préconiser les Adniens?

Dugan fut soulagé. Il s'était fait du souci pour rien.

— Vous visez juste, dit-il.

Le visage de Leuranc devint cramoisi. Les veines parcourant son front palpitèrent.

— Évidemment! dit-il. Ces foutus journalistes vont expliquer à la Terre entière que l'homme est un dieu méconnu, un surhomme en puissance!!! Et ils se serviront de mon nom pour accréditer ces balivernes!!!

Leuranc porta la main à son cœur. Dugan se dépêcha d'aller chercher le médecin. Le vieux professeur respirait péniblement. Il prononça deux ou trois «évidemment» empreints de souffrance en laissant le docteur l'ausculter. Peu à peu, il reprit son calme.

— Ce ne sera rien, dit le docteur. Cependant, il serait des plus avisés de venir me voir dès demain pour un examen poussé. Vous n'avez plus le cœur de vos vingt ans.

— Évidemment, dit Leuranc.

Le médecin lui prescrivit un médicament et quitta la pièce. De Mornay et Dugan étaient à la fois soulagés et peinés de la tournure des événements.

— Allez-vous mieux? demanda bêtement De Mornay pour briser le silence et la tension.

— Ça va, dit le vieux professeur en reprenant peu à peu ses esprits.

Il rétablit sa position sur la chaise et sourit avec la sagesse des malades qui ne peuvent se permettre une saute d'humeur.

— En y réfléchissant calmement, dit-il, la situation m'apparaît plus cocasse que révoltante. J'ai hâte de voir la réaction de l'homme, ce médiocre, lorsqu'il se verra consolidé dans le rôle de bijou de la création qu'il s'est lui même octroyé depuis des millénaires. Je vois d'ici les Pelleteurs se réjouir et les pontifes de toutes les religions judéo-chrétiennes se dépêcher d'interpréter la Genèse à la lumière du monument. Cela ne changera rien au bordel habituel. Heureusement que la biologie moléculaire continue son chemin. Un jour l'homme sera meilleur car ses gènes seront meilleurs, et nous rirons à gorge déployée de nos ancêtres qui admiraient les miasmes de leur pauvre existence.

De Mornay et Dugan enregistrèrent avec surprise cette profession de foi en l'avenir.

— Il est vrai, ajouta le vieux professeur, que ce jour ne viendra probablement jamais. La bêtise humaine est si grande qu'il sera impossible de la contrer.

Le retour en force de la misanthropie de Leuranc réjouit De Mornay et Dugan. Le cerveau du savant était intact. Un bref instant, ils en avaient douté.

— Évidemment, dit Leuranc, d'ici deux semaines je serai en mesure de contredire toutes les assertions que les philosophes et les poètes véhiculent sur la nature de l'homme depuis le début des temps.

— Quoi? s'étonna De Mornay. Vous auriez de nouvelles informations concernant le projet humain?

Le vieux professeur se fit goguenard.

— Qu'importent les mensonges d'aujourd'hui puisque la vérité éclatera demain, philosopha-t-il.

— Qu'avez-vous trouvé? questionna Dugan.

Leuranc ne répondit pas. Il se leva et se dirigea vers la sortie.

— Je n'ai pas dormi depuis plus de quarante-huit heures. Je vais aller me coucher.

— Mais professeur...

Durant le trajet le menant à sa roulotte, le vieux professeur fut harcelé de questions par De Mornay et Dugan. Fidèle à sa politique de faire languir tout un chacun lorsque l'occasion se présentait, il répondit par des «évidemment» pouvant prêter à confusion. En se couchant, il ne put s'empêcher de ricaner de satisfaction. Depuis maintenant trois jours, il connaissait la terrible mais inéluctable vérité sur l'homme.

* * *

À genoux devant le lit du Prophète, une Pelleteuse lisait la fin d'une nouvelle que venait de cracher le télex. Il était à peine quatre heures du matin.

— ...Face à ces découvertes sans précédent sur l'origine de l'humanité, des questions se posent: pourquoi l'Homme ne répond-il pas à la description qu'en font les plaquettes des Adniens? Pourquoi ne sommes-nous pas tous des surhommes? Y aurait-il en nous des capacités insoupçonnées? C'est ce que prêche La Pelle, ce mouvement mystique qui compte près de quatre cent millions de fidèles. Plusieurs verront dans les plaquettes des Adniens un nouvel appui au credo élisien. Il est de plus en plus troublant de voir l'*Élisien*, qui est à la fois la Bible et le Coran de La Pelle, se trouver légitimé dans tous ses préceptes. On est en droit de se demander si le monument adnien ne marquera pas plus l'histoire de l'humanité par le mouvement mystique qu'il a engendré que par les informations moléculaires qu'il recèle...

La Pelleteuse fit une pause. Élis lui fit signe de continuer. Elle prit une nouvelle feuille et en lut le titre: «Vérités ou Balivernes» par Frank H. Darsey.

Élis lui fit signe d'arrêter.

— Demain matin, nous verrons à éplucher les réactions des diverses tendances. Vous pouvez aller vous reposer, jeune épicyclaire.

La Pelleteuse se traîna à reculons vers la sortie de la tente. Élis pouvait voir le haut de ses seins à travers le coton léger de la tunique. Il résista à l'envie de la retenir. Depuis un an, il n'avait pas touché une femme. Encore une fois, il connut un sommeil agité où se relayaient tour à tour des Pelleteuses désirables et consentantes. Depuis quelque temps, Élis dormait fort peu. Il dépensait toutes ses énergies dans son œuvre messianique. Grâce à lui, l'homme allait retrouver les clefs perdues du paradis; l'homme allait reprendre le chemin abandonné de l'évolution. La révélation du concept d'Homme-Dieu des Adniens allait grandement faciliter sa tâche.

Pour mourir, il faut vivre et moi, je ne vis pas. Je mange, je bois, mes cellules fonctionnent mais je ne vis pas. Je suis un agrégat. Je suis une éponge.

L'ouvrier

Chapitre XVII

La défection de Nicole en faveur de La Pelle avait grandement fait réfléchir Chamoux. Il se retira dans son domaine de Normandie où, seul avec lui-même, il en vint peu à peu à envisager la seule solution lui permettant de contrecarrer les effets de La Pelle sur son œuvre ésotérique.

Pendant quatre mois, à raison de dix heures par jour, il écrivit un livre qui devait se vendre à des millions d'exemplaires et lui redonner l'estime de son éditeur. Le titre était: *Pourquoi suis-je devenu Pelleteur?*

* * *

De Mornay sortit de sa roulotte en coup de vent et se dirigea à toute vitesse vers la Ruche. Dans sa main droite, il tenait une lettre qui était arrivée avec le courrier du matin.

Le vieux professeur fut un peu surpris par l'arrivée de son disciple. Il replaça ses lunettes en équilibre sur son nez et eut un regard irrité où l'on sentait une demande d'explication.

— Professeur! lui cria d'excitation De Mornay. Je viens de recevoir une lettre de Stockholm. On m'accorde le prix Nobel de chimie pour mon étude sur la structure du monument.

Le professeur ne s'étonna pas. Il avait lui-même déjà reçu ce prix.

— Évidemment, dit-il, je suis content pour toi.

Le sourire espiègle du vieux professeur n'échappa pas à De Mornay.

— Vous le saviez, dit-il.

— Évidemment, convint Leuranc. Moi-même, je reçois le prix de Médecine. De plus, je suis le premier lauréat du nouveau prix de Biologie moléculaire. Je suis le seul être au monde à pouvoir se vanter d'être le récipiendaire de trois prix Nobel, et chacun dans une discipline différente. Je me targue d'avoir atteint ce que bien des hommes désirent: la gloire et la considération d'autrui. Remarque que je ne m'en porte pas mieux. Je n'ai même pas l'intention de me déplacer pour aller recevoir ces prix. Je compte sur toi pour me remplacer.

— Quoi? Vous ne viendrez pas recevoir ces prix prestigieux?! s'étonna De Mornay.

Le vieil homme adorait pourtant les honneurs. Il s'y amusait comme un enfant, en y jouant le vieux savant anti-conformiste. Ce refus étonna à juste titre Jacques.

— Évidemment, dit Leuranc, à ton âge, ces récompenses semblent importantes. Au mien, c'est de la broutille! D'ailleurs, quelle est la valeur réelle de ces prix? Du vent! Rien que du vent! L'homme se complait à souffler dans la misaine trouée de sa pauvre existence.

Le vieux professeur s'avérait décidément en très grande forme. Il prit un air goguenard.

— Et puis, continua-t-il, j'attends avec impatience une communication du Texas. Si mon hypothèse s'avère exacte, d'ici un an la sclérose en plaques perdra son titre de maladie incurable pour siéger au côté de la grippe.

De Mornay resta sans voix. Il savait pertinemment que Leuranc travaillait en sourdine sur un projet qui ferait du bruit, mais la surprise fut malgré tout complète.

— C'est une maladie terrible, continua Leuranc. Une maladie qui ronge inexorablement une victime impuissante à contrer l'avance pernicieuse du mal.

— C'est fantastique, dit De Mornay. Vous n'avez pas fini de gagner des prix Nobel.

Le vieux professeur aimait tout particulièrement surprendre son disciple. Il décida de frapper un grand coup.

— Ce n'est rien, dit-il. Je me prépare à attaquer de plein front une maladie beaucoup plus répandue, et qui ronge tout aussi inexorablement sa victime. Une maladie universelle, qui frappe le pauvre comme le riche, la femme comme l'homme et ce, peu importe sa race et sa religion. J'envisage...

Leuranc fit une pause pour profiter des yeux curieux et de la mine attentive de son élève.

— ... je ne sais si je dois le dire... s'amusa le vieux professeur en soufflant à travers ses moustaches.

— Professeur, dit De Mornay, si vous ne le dites pas, je vous assassine. Je n'ai pas l'intention de languir pour cette nouvelle le restant de ma vie.

— Évidemment! dit Leuranc en souriant malicieusement. D'autant plus que ta vie risque d'être longue.

Le vieil homme pouffa de rire. De Mornay attendait patiemment en souriant malgré lui du plaisir enfantin que prenait Leuranc à faire poireauter son auditeur.

— Je suis incorrigible, dit le professeur. J'aurais dû écrire des romans policiers. Je n'aurais donné le nom du meurtrier qu'à la toute dernière ligne d'une œuvre en dix tomes.

Leuranc s'imagina aussitôt retardant la publication du dixième tome pour profiter davantage de l'impatience de ses millions de lecteurs. Pour le moment, il mettait celle de De Mornay à rude épreuve.

— Professeur, avant que vous n'entrepreniez la rédaction de ces dix tomes, j'apprécierais que vous en finissiez avec ce dont nous parlions.

De quoi parlaient-ils? Leuranc ne s'en souvenait plus. Depuis quelque temps, il lui arrivait de perdre ainsi le fil de la conversation. Il chercha vainement à se rappeler. La vieillesse grugeait ses capacités. C'était d'ailleurs strictement pour des raisons de santé qu'il se refusait à aller en Suède. Il craignait que ce voyage ne lui fût fatal. La vision de sa main ridée lui fit retrouver le sujet de la discussion.

— Suis-je bête de l'avoir oublié! dit-il.

Son regard pétilla de malice.

— J'envisage, poursuivit-il, un vaccin de jeunesse. Il suffira de se faire vacciner une fois l'an et l'on gardera pour toujours le corps de ses vingt ans.

De Mornay se demanda si son vieux maître ne déraisonnait pas.

— Mais tout ceci doit rester entre nous, confia le vieux professeur en prenant un air de conspirateur. Ce n'est encore qu'une hypothèse en équilibre précaire sur nombre d'autres hypothèses. Pour tout dire, seul un vieux miteux de mon espèce pouvait envisager pareille invraisemblance. Et pourtant... ricana avec bonhomie Leuranc.

— Mais comment? questionna De Mornay qui se trouvait abasourdi devant le projet de son maître.

— Je ne suis pas encore certain que ce soit réalisable, dit Leuranc. Beaucoup de points restent à vérifier. Dès qu'ils le seront, je t'avertirai. Je compte sur ton aide pour mener à bien ce projet.

— Et quel projet! s'exclama De Mornay. Vaincre la mort! L'éternelle jeunesse! Des rêves qui hantent l'humanité depuis l'aube des temps!!!

— Des rêves qu'on se procurera sous forme d'une piqûre annuelle, dit plus prosaïquement Leuranc. L'immortalité cogne à notre porte.

— Il me tarde de travailler à ce projet, dit De Mornay. Quand commençons-nous? Vous avez sûrement de la documentation à me faire lire.

— Va recevoir les prix Nobel, dit Leuranc. À ton retour, nous en reparlerons.

Ce n'est que plus tard, dans l'avion le menant en Suède, que De Mornay eut un sursaut. Le vieux professeur avait parlé d'un vaccin de jeunesse, était-ce une métaphore? De plus, n'avait-il pas classé la sclérose en plaques aux côtés de la grippe: une maladie virale! Tout devint clair aux yeux de De Mornay: Leuranc avait enfin mis la main sur les virus, ces micro-organismes parasitaires qui défient la biologie et que bien des chercheurs considèrent comme la source de tous les maux.

— Le vieux grigou! tempêta De Mornay, sans remarquer la surprise qu'il créait ainsi chez l'hôtesse de l'air lui servant son repas.

Qui d'autre que les Adniens, ces manipulateurs des gènes, auraient pu créer un super-micro-organisme dont l'action consiste à prendre en main l'ADN de son hôte pour lui faire synthétiser d'autres virus? Le virus est en soi l'ennemi le plus implacable et le plus difficile à déloger. C'est une créature de cauchemar que les meilleurs auteurs de science-fiction n'auraient même pas su imaginer. Mais pourquoi les Adniens, qui avaient pris tant de soin à créer l'homme, auraient-ils voulu le détruire? Auraient-ils souffert du syndrome de Frankenstein? Ayant peur d'être dominés par leur création, auraient-ils consciemment décidé d'en altérer la qualité?

De Mornay aperçut son repas; il refroidissait. Il décida de ne pas laisser les virus gâcher davantage son appétit. Les scénarios qu'il imaginait n'étaient probablement que pure romance. Il surprit l'hôtesse qui le regardait à la sauvette. Il lui sourit. Il n'avait encore jamais flirté avec une hôtesse de l'air et décida de combler cette lacune.

* * *

L'épicyclaire s'approcha silencieusement du prophète. Elle regarda ces cheveux blonds délavés par le soleil, ces épaules décharnées, cette peau cuivrée et souple. Elle dut prendre sur elle-même pour chasser l'appétit des sens qui l'habitait.

Élis se retourna et vit la jeune femme. Elle inclina la tête et ne put remarquer le trouble subit du Prophète.

— Parlez, jeune épicyclaire!

— Le Proche du sixième sextant attend le bon vouloir du Prophète.

— Faites le entrer.

Les yeux du Prophète se détachèrent difficilement de la poitrine palpitante de l'épicyclaire. À travers sa tunique, on voyait parfois se dessiner de splendides cuisses. Depuis quelques nuits, Élis ne rêvait qu'à cette jeune femme. Une fatigue nerveuse en découlait, ainsi qu'une certaine irascibilité qu'il essayait de contrer.

Le Proche du sixième sextant revenait d'un séjour en Union soviétique. D'origine libyenne, il avait été élevé dans le respect de la foi musulmane, ciment du peuple arabe. Des études à Oxford et à Moscou avaient sérieusement ébranlé son credo en l'Islam. La révolution iranienne fit s'écrouler le fragile équilibre restant. Amin ne voyait plus en l'Islam qu'un anachronisme rétrograde ne devant son maintien qu'à beaucoup de bêtise. La nation arabe était engagée dans une voie à sens unique menant à un cul-de-sac suicidaire. Elle ne devait un certain regain qu'au pétrole. Amin chercha à communiquer sa vision critique mais renonça rapidement. Il n'avait pas l'âme d'un martyr et n'avait aucune envie de laisser des fanatiques faire peu de cas de sa vie. Intelligent et rusé, il avait progressé dans l'échelon hiérarchique de la Libye. C'est en tant que membre du gouvernement qu'il avait eu son premier contact avec La Pelle. Sa conversion à ce mouvement fut totale et définitive. La Pelle offrait non seulement une porte de sortie au peuple arabe mais à l'humanité entière. Amin s'y lança corps et âme. En un premier temps, il fut responsable de la tolérance des autorités libyennes envers la présence de La Pelle sur leur territoire. Puis, il gagna à La Pelle de nombreux dirigeants libyens. En fait, si la Libye affichait toujours sa foi musulmane par souci de ne pas s'aliéner la culture arabe, elle était devenue majoritairement pelleteuse. Dernièrement, certains journaux occidentaux avaient rapporté que le chef libyen portait sous sa chemise le médaillon de La Pelle. Ce potin se perdit dans la masse des nouvelles, et seuls quelques esprits éclairés comprirent que La Pelle se préparait à siéger au côté de l'Islam comme religion d'État en Libye. Parmi ceux-ci se trouvait Mgr Rossi, qui en râla d'impuissance.

Amin, Proche du sixième sextant, s'approcha avec déférence du Prophète et émit la formule rituelle.

— Que La Pelle éveille en l'Homme sa grandeur!

— Qu'elle lui rende sa divinité, compléta machinalement Élis.

Les deux hommes s'installèrent confortablement sur des sièges sobres. La pause requise écoulée, la conversation débuta. Mgr Rossi serait mort d'apoplexie s'il avait eu vent de la percée qu'envisageait La Pelle en Union soviétique.

— Pour les communistes, dit Amin, notre mouvement s'insère bien dans les cadres étroits de leur doctrine. Nous ne prêchons pas la croyance en un Être Suprême brumeux, ni en une morale précieuse maintenant les masses dans leur pauvreté. Tout au contraire, nous professons une révolution profonde de l'homme afin qu'il puisse atteindre des sommets insoupçonnés. Ils voient dans La Pelle un débouché au mysticisme légendaire des Russes que le communisme n'a pas su canaliser convenablement. Ils se disent disposés à favoriser notre implantation dans tous les pays du bloc communiste.

— Se rendent-ils compte que La Pelle fera éclater leur société cristallisée et rigide? s'informa Élis.

— Non! Ils ne voient en nous qu'une religion prêchant l'Homme au lieu de Dieu: une religion qui semble faite sur mesure pour eux.

* * *

Leuranc n'avait pas réussi à trouver le sommeil. Il n'avait fait que tourner dans son lit. Fatigué, il se leva. Après avoir pris ses pilules, il se rendit à la Ruche. Il travailla pendant trois heures sur son terminal puis, épuisé, il s'arrêta. Il ressentait une douleur tenace à la poitrine. Péniblement, il se dirigea vers la sortie. Il transpirait à grosses gouttes et avait peine à marcher. Il s'assit en espérant que le tout se replace. Un Pelleteur s'arrêta à sa hauteur.

— Qu'avez-vous professeur?

Leuranc regarda le nouveau venu et n'eut même pas la force de ricaner.

— Te voilà devenu Pelleteur! dit-il.

Ludovic Staniss ne trouva pas à propos d'aborder les raisons de sa conversion. Le professeur lui semblait au plus mal.

— Quelque chose ne va pas? demanda le géologue.

— Oui, et je sais très bien quoi, répondit Leuranc. Depuis hier soir, je sens comme un étau qui me déchire la poitrine. La douleur s'est étendue à mon bras gauche et même au dos. Je suis en transpiration. Et malgré tous ces indices, je me suis bouché consciemment les yeux, comme si cela pouvait changer le fait que je suis en train de faire une crise cardiaque.

— Ne bougez surtout pas, dit Ludovic. Je cours chercher un médecin.

En quelques minutes, toute la Ruche fut au courant de l'état précaire du professeur. Il fut entouré d'une dizaine de médecins qui ne purent que diagnostiquer la crise cardiaque.

— C'est la vieillesse, dit Leuranc devant leur mine défaite. Des millions d'hommes y sont passés avant moi. Il n'y a vraiment pas de quoi être surpris.

Des Pelleteurs apportèrent une civière. Ils aidèrent le professeur à s'y coucher.

— Ce ne sera rien, l'encouragea Ludovic. La clinique médicale des Pelleteurs possède les appareils les plus modernes. Vous allez en réchapper.

— Évidemment! dit Leuranc. J'ai beau être vieux, j'ai encore tant à faire. J'aurais de quoi remplir soixante-dix autres années. Essayez de contacter Jacques. Il est à Stockholm. Dites-lui de revenir. Je dois lui parler.

La civière sortit de la Ruche sous le nez d'un groupe de visiteurs. Un homme s'en détacha et courut vers le malade.

— Professeur! dit Dugan. Qu'avez-vous?

Le professeur se contenta de sourire sous la douleur pour que l'anthropologue comprenne.

— Ce ne sera rien, dit Dugan. Vous êtes de la trempe des immortels. D'ici une semaine, rien n'y paraîtra.

— Évidemment! dit Leuranc. Si vous saviez comment j'ai peur de mourir. Avertissez Jacques! Il doit revenir.

Il est plus sage de conjuguer ce qui est
avec ce qu'on veut être. Croyez-m'en.
Le Pelleteur

Chapitre XVIII

Dugan se pressait. Le médecin chef venait de l'appeler et lui avait fait part de la volonté du professeur Leuranc de lui parler en tête à tête. Dugan n'avait pas hésité. Il avait aussitôt laissé tomber une réunion fort importante pour se rendre au chevet du vieil homme.

Depuis sa crise cardiaque, deux jours plus tôt, le savant reposait à la clinique des Pelleteurs. Des appareils enregistraient le moindre battement de son cœur et de grands cardiologues convertis à l'idéal de la Pelle veillaient sur sa santé. Des infirmières le surveillaient vingt-quatre heures sur vingt-quatre à l'aide d'un circuit fermé de télévision.

À l'arrivée de Dugan, un des médecins le prit à part. Il faisait montre d'un respect inhabituel.

— Il est très faible et se remet lentement. Ne faites rien pour l'énerver. Il ne cesse de se moquer de l'intérêt que nous portons à sa vie et rigole chaque fois qu'il voit l'effigie de la Pelle. Il est surprenant qu'un savant dont les découvertes ont grandement aidé à la propagation de La Pelle démontre si peu de considération à notre endroit. Nous en sommes tous ahuris.

— Le professeur Leuranc ne prise guère votre mouvement, expliqua Dugan. Il l'a aidé bien malgré lui et vous en veut d'avoir récupéré ses découvertes à des fins idéologiques. Les savants sont parfois susceptibles et possessifs.

Le médecin ne fut pas d'accord avec l'interprétation de Dugan.

— Dans ce cas, il démontrerait de la colère, dit-il. Or, il se moque de nous avec gentillesse comme si nous étions des enfants dont les manigances amuseraient.

— Bizarre, dit Dugan. Sa crise cardiaque l'aura peut-être assagi.

Dugan laissa le médecin et pénétra dans la chambre du malade. Des lunettes nasales enrichissaient le taux d'oxygène parvenant aux poumons du professeur.

— Vous semblez remonter lentement la pente, dit Dugan pour entamer la conversation.

Le professeur remua la tête.

— C'est vous, dit-il. Jacques est-il revenu de Stockholm?

— Non! Il a été retardé. Pour être franc, nous n'avons pas réussi à le contacter.

Le professeur ricana.

— Je savais qu'il y rencontrerait Nadia.

— Nadia! La scientifique soviétique!

— Il vous en a parlé? C'est étonnant! Sous des dehors bon enfant, Jacques est l'être le plus secret que je connaisse. Mais là n'est pas la question. Écoutez-moi attentivement.

Dugan s'approcha pour mieux saisir les propos du professeur. Celui-ci avait le teint pâle et un rictus de douleur parcourut son visage.

— L'homme est pourri, dit-il en se tenant la poitrine. J'ai cru qu'on pourrait y changer quelque chose mais c'est impossible. L'homme est pourri jusqu'aux chromosomes. Nous sommes des rapiécés. Les Adniens n'étaient que des apprentis sorciers. Ils ont été défaits à leur propre jeu. Leur technique de nano-chirurgie a donné naissance au grain de sable qui devait détruire leur plan. Nous n'y pouvons rien. Les Adniens l'avaient compris. C'est pourquoi ils ont fui notre planète à toute vitesse. Nous avons en nous des rêves, des aspirations que nous ne pourrons jamais atteindre. L'homme est non seulement rapiécé, il est inachevé. Vous le direz à Jacques. Vous lui direz, évidemment...

Cette tirade parsemée d'arrêts et de respirations bruyantes semblait avoir pompé toutes les énergies du professeur. Il se tenait péniblement la poitrine en essayant de terminer son message pour Jacques De Mornay.

— ... Évidemment, dites-lui que les pièces...

— Les quoi?

— Évidemment...

Le vieux professeur parvenait difficilement à respirer. Un médecin pénétra dans la chambre et invita Dugan à sortir.

— Il a besoin de repos, dit le médecin.

— Évidemment... éructa de douleur le vieux professeur.

Des lumières rouges s'allumèrent. Une sonnerie d'alarme se fit entendre.

— Il code! s'écria le médecin.

L'anthropologue assista à un véritable branle-bas de combat. La chambre de Leuranc fut prise d'assaut. Dugan trouva refuge dans le couloir.

— Est-ce grave? demanda Dugan à une infirmière.

Celle-ci parut émue de voir Dugan lui adresser la parole. Elle fit une révérence maladroite.

— Est-ce grave? répéta Dugan.

— Nous le craignons, ô Grand Proche! Sa vie est entre ses mains.

— Qu'est-ce à dire?

L'infirmière lui montra un moniteur cardiaque où une ligne désordonnée se formait de gauche à droite.

— Il fait une fibrillation ventriculaire, dit-elle. Nous essayons de le ranimer.

Les médecins appliquaient des chocs électriques au cœur de Leuranc. Dugan s'assit. Il regarda les médecins insister davantage sur la carcasse sans vie du triple prix Nobel. Tranquillement des larmes perlèrent sur sa joue. Il aimait ce vieux grincheux. Malgré ses allures de misanthrope, Leuranc avait plus fait pour l'humanité que tous les philosophes depuis la nuit des temps. Ses recherches sur les protéines n'avaient d'autre but que de mettre du baume sur la souffrance humaine. Ses airs grognons ne réussissaient pas à cacher sa gentillesse, et sa haine de la bêtise humaine n'était que le contrecoup de son désir d'élever les hommes.

L'électrocardiogramme reprit son apparence normale.

— Il est sauvé, dit l'infirmière.

Un médecin sortit de la chambre. Il paraissait satisfait et fier de lui. Il sourit à Dugan.

— Son cœur a repris du service, dit-il.

Dugan ne démontra aucun soulagement.

— Pour combien de temps? demanda-t-il avec une mine de dérision.

Le médecin haussa les épaules.

— Ce n'est que partie remise, dit-il. Nous remportons des batailles mais perdons toujours la guerre. La mort nous tient tous. Le docteur Leuranc est vieux et usé, il termine sa course.

— C'est triste de voir un tel homme emporté par la vieillesse et le néant.

— Il a beau se moquer de La Pelle, dit le médecin, il n'en demeure pas moins «Pelleteur» dans l'âme. C'est un grand homme et un grand Pelleteur. Grâce à ses travaux, nous remporterons peut-être la guerre et nous rayerons la vieillesse et la mort du lot des souffrances humaines.

Dugan ne savait trop s'il devait rire ou pleurer de tant de candeur. Il préféra passer outre.

— Veuillez m'avertir lorsqu'il reprendra conscience. Je dois absolument lui parler.

Il salua et sortit au grand air du désert. Il ne remarqua nullement les Pelleteurs se tassant avec déférence sur son chemin. Il était à mille lieues de penser à la place de choix qu'il occupait dans le jeune panthéon de La Pelle. Il n'avait en tête que la maladie du professeur Leuranc et l'idiotie de Jacques De Mornay qui jouait au coq avec une poulette russe alors que son maître se mourait.

Dans sa roulotte, il prit sa douche et fit sentir sa mauvaise humeur à deux fonctionnaires qui eurent le malheur de lui téléphoner. La sonnerie annonça un troisième appel. Dugant prit le combiné avec l'intention bien arrêtée de refroidir l'outrecuidance de son interlocuteur. Après un «Allô» sévère et froid, il devint tout miel.

— Élizabeth! dit-il démonté par la surprise.

— Je reviens, dit-elle sur un ton décidé. Mais ne triomphe pas trop vite. Je n'ai nulle envie de subir la moindre répression. Tu veux vivre avec moi: d'accord! Tu veux avoir des enfants: nous verrons! Mais il va falloir que tu fasses un gros effort. Tu vas te rendre compte que je ne suis pas une de ces femmes que l'on peut traiter comme un bien.

— Bien sûr! dit Dugan qui ne retenait plus sa joie. Je ferai tout ce que tu voudras. Nous allons être bien tous les deux. Tu verras. Nous allons être heureux. Ce sera fantastique.

— Ne te réjouis pas trop vite, dit Élizabeth. Avant, il nous faudra mettre cartes sur table. J'ai une vie. J'ai des idéaux et des aspirations auxquelles je ne veux pas renoncer. Nous verrons si nous pouvons nous entendre.

— Il n'y aura pas de problème, dit Dugan. Ce sera vraiment fantastique.

— J'espère bien, dit Élizabeth, parce que loin de toi c'est passablement monotone.

C'était bien la première fois qu'Élizabeth se permettait des mots tendres. Dugan en fut chaviré. Un peu plus, il en aurait embrassé le téléphone.

— Je t'attends, dit Dugan. Je crois que je t'ai attendue toute ma vie. Dépêche-toi!

Une fois qu'il eut raccroché, Dugan ne put retenir sa joie. Il sauta sur place en criant comme un fou.

Tard en soirée, il retourna au chevet du docteur Leuranc. Celui-ci dormait du sommeil du juste.

— Comment va-t-il? demanda Dugan à une infirmière.

— Il va bien, Grand Proche.

Dugan s'était fait à l'idée d'être ainsi catalogué au panthéon de La Pelle et en ressentait un certain orgueil qu'il n'osait pas s'avouer. Au contraire, il riait de bon cœur des salamalecs des Pelleteurs à son endroit.

Tout en regardant dormir le professeur, Dugan songea au retard incompréhensible de De Mornay. Cela faisait bien une semaine que Jacques aurait dû être de retour de Stockholm. Aurait-il effectivement tout laissé tomber pour vivre avec Nadia? Était-il seulement au courant de l'état de santé du professeur?

Moi, je pellette. Lorsque je serai mort,
dira-t-on que j'ai servi une pelle?
Le Pelleteur

Chapitre XIX

Nadia et De Mornay n'étaient pas sitôt arrivés à Tripoli qu'un officier de l'armée libyenne les prenait en charge.

— Où nous amenez-vous? s'informa Jacques.

— Au monument! Nous avons reçu des ordres pour que vous y soyiez conduit le plus rapidement possible.

Un hélicoptère paré pour le départ les attendait.

— Pourquoi tant de hâte?

— Ce sont les ordres, répondit martialement l'officier. On n'a pas tenu à m'en expliquer le pourquoi.

Le vrombissement des moteurs mit fin à la conversation. Le trio pénétra dans l'hélicoptère qui décolla aussitôt. Nadia prenait philosophiquement ce changement de programme. Jacques et elle avaient envisagé de passer quelques jours à se dorer au soleil sur la plage méditerranéenne avant de rendre visite au professeur Leuranc.

— Tu n'as aucune idée du pourquoi de tout ceci? s'informa-t-elle auprès de Jacques.

— Du tout! J'ai l'impression qu'il y a du Leuranc là-dessous. Chose certaine, un tel déploiement ne saurait être causé par une simple peccadille.

Nadia connaissait bien le docteur Leuranc. Il y avait cinq ans, elle lui avait écrit concernant les recherches protéiques qu'elle menait. Près d'un an plus tard, elle recevait une réponse n'ayant aucune mesure avec sa demande. Le professeur Leuranc l'invitait aux USA. Nadia en avait aussitôt parlé à son supérieur, qui ne lui avait laissé aucun espoir quant à la réalisation de ce voyage. Le lendemain, une fonctionnaire russe lui remettait un passeport et tous les papiers nécessaires pour le voyage. Nadia fut éberluée, son supérieur estomaqué.

Lorsqu'elle atterrit à Los Angeles, un charmant jeune homme l'attendait. C'était la première fois qu'elle rencontrait un jeune capitaliste et elle en tomba amoureuse. Elle essaya de rire de la banalité de la situation mais cela n'y changea rien. Elle était effectivement tombée amoureuse. Elle s'employa à cacher soigneusement ses sentiments pendant la presque totalité de sa présence aux USA. Elle accorda toute son attention à l'enseignement du professeur Leuranc. Deux mois avant la fin de son stage, le vieux professeur la fit venir dans son bureau.

— Évidemment, dit-il, je ne prévoyais pas que vous fussiez si jolie, si charmante et si intelligente.

Nadia en avait rougi de la tête aux pieds.

— Vous entendez-vous bien avec Jacques?

Nadia rougit davantage.

— Bien sûr! C'est un excellent professeur et un merveilleux compagnon de travail.

— Normalement, après quelques jours, je me charge de mettre en garde les nouvelles étudiantes. Jacques est un coureur de jupons. Ma mise en garde ne sert normalement à rien. Jacques arrive toujours à ses fins. Avec vous, je n'ai pas cru cet avertissement indiqué.

— Jacques a toujours été très gentil. Il ne m'a jamais importuné ou manqué de respect.

— Il ne vous a jamais invitée à sortir?

— Oui, mais je lui ai fait comprendre que j'étais ici pour apprendre et que je n'avais pas de temps à accorder au flirt.

Leuranc grogna sa désapprobation. Nadia en fut interdite. Elle n'avait pas conscience d'avoir mal agi.

— J'ai des yeux pour voir, dit Leuranc. Vous êtes amoureuse de Jacques. Je l'ai su dès que vous êtes apparue.

Nadia voulut protester. Leuranc ne lui en laissa pas l'occasion.

— J'ai une bonne nouvelle pour vous. Ce pauvre Jacques est aussi entiché de vous que vous de lui. Il n'a pas cependant votre force de caractère.

Nadia sentit son cœur défaillir. Elle avait bien cru que De Mornay lui témoignait plus que de l'estime et de l'amitié, mais elle avait mis le tout sur le caractère amical des Occidentaux.

— Ma petite fille, vous allez me faire le plaisir d'arrêter de vous faire du mal et redonner la santé à Jacques. Il a perdu quinze livres en six mois, ainsi que sa pétulance.

Il tendit à Nadia un billet d'opéra.

— Le spectacle n'est pas fantastique. Vous allez cependant y aller.

— Mais pourquoi?

— Sur le siège à vos côtés sera assis Jacques De Mornay, et vous êtes le seul remède qui puisse lui redonner vie.

Les deux derniers mois de Nadia en Amérique en furent deux de rêve. Elle quitta Jacques De Mornay par un long baiser et un flot de larmes. Le mot d'adieu de Leuranc fut remarquable.

— Vous m'avez causé bien des soucis au cours des dix premiers mois de votre séjour. J'ai craint que vous ne nous quittiez sans avoir rien appris de valable et avec des sentiments inavoués que vous auriez traînés toute votre vie. J'espère que ces derniers mois vous auront mis du plomb dans la cervelle.

Cela faisait bien trois ans qu'elle n'avait pas revu le professeur. Une lettre par ci, par là, avait maintenu le contact. Elle était impatiente de le revoir pour lui annoncer la nouvelle.

— Quelle sera sa réaction lorsque nous lui apprendrons notre mariage?

Jacques prit un air grincheux.

— Évidemment! dit-il en singeant le professeur.

Nadia et Jacques s'esclaffèrent. Ils avaient hâte d'être auprès de celui à qui ils devaient leur bonheur.

Dugan les attendait à l'atterrissage. Il reçut De Mornay avec une froideur gauche et hésita lorsqu'il aperçut Nadia.

— Vous êtes Nadia, n'est-ce pas? dit-il.

Nadia acquiesça.

Dugan entraîna le couple dans sa roulotte et leur offrit des limonades. Il ne savait trop comment aborder avec Jacques la maladie du professeur.

— Où est le professeur? s'informa De Mornay.

— Au village des Pelleteurs, répondit Dugan.

— Quoi?

De Mornay s'imaginait mal le professeur parmi les Pelleteurs.

— Le professeur, expliqua Dugan, a subi trois crises cardiaques au cours de la dernière semaine. Il repose à la clinique des Pelleteurs.

Tout occupé à son bonheur avec Nadia, De Mornay s'était caché l'état précaire de la santé de son maître. Pendant qu'il nageait dans la joie, le docteur Leuranc se débattait dans la douleur. De Mornay s'en voulut de n'avoir pas été près de son vieux maître dans ces moments difficiles.

— Comment va-t-il? s'informa Nadia.

Dugan répondit par un silence n'augurant rien de bon. La panique s'empara de De Mornay. Il avait le sentiment soudain de la gravité de l'état de son père spirituel.

— Il n'est pas mort?

— Non, il vit.

De Mornay fut soulagé.

— Mais,... continua Dugan, il aurait peut-être mieux valu qu'il meure.

De Mornay se leva et saisit Dugan par le devant de la chemise.

— Assez de mystères! Dis-nous ce qu'il a!

Dugan repoussa De Mornay qui s'excusa en bafouillant. On devinait l'angoisse qui le tenaillait.

— Le professeur est paralysé du côté gauche, dit Dugan.

Résigné De Mornay attendit la suite. Dugan hésitait à continuer.

— Allez! Dis-moi tout! De toute manière, je finirai par le savoir. Autant m'assommer d'un coup. Ce sera moins douloureux.

— Consécutivement à ses crises cardiaques, il y a eu une embolie cérébrale massive. Plusieurs cellules de son cerveau sort mortes. Son centre de la perception est atteint. Les médecins croient les dommages irréversibles.

Nadia, qui connaissait l'amour filial de Jacques pour le vieux professeur, lui prit la main et la serra.

De Mornay se leva, les larmes aux yeux.

— Je vais aller le voir, dit-il. Ma présence le réconfortera. Et puis, Nadia et moi devons lui apprendre notre mariage. Cela réveillera peut-être en lui un peu de joie.

Jacques se mit à sangloter comme un enfant et alla se réfugier dans la cuisinette pour cacher ses larmes.

Dugan et Nadia restèrent seuls dans le petit salon.

— L'état de Leuranc est-il si désespéré? demanda la jeune femme.

— Il ne reconnaît personne, ne peut s'exprimer et ne contrôle plus ses intestins. Sa déchéance est complète. La mort eut été plus douce que son état actuel.

De Mornay vint les rejoindre.

— Excusez-moi, dit-il. Je...

— Allez-vous reposer, dit Dugan qui percevait l'absurdité de larmoyer en chœur.

Nadia et Jacques quittèrent la roulotte. Après de vagues hésitations, ils se dirigèrent vers le village des Pelleteurs. De Mornay ne voulait pas remettre davantage une confrontation qu'il savait pénible mais nécessaire.

* * *

De Mornay le voyait par la baie vitrée. Cet homme merveilleux au cerveau unique n'était plus qu'un pluricellulaire à la mine déconfite.

Nadia examinait avec effroi la déchéance irréversible de l'unique triplé des prix Nobel. Elle serrait la main de Jacques, qu'elle sentait bouleversé. Des tressaillements nerveux et un jeu complexe de contractions musculaires communiquaient à Nadia les états d'âme de son époux.

Le vieux professeur admirait ses orteils. Parfois, il touchait à l'un et s'arrêtait interdit, comme si un vaste problème de biologie moléculaire se présentait à lui avec des méandres chimiques insoupçonnables. Par trois fois, son regard vide s'était dirigé vers Jacques et Nadia; aucune réaction n'en avait résulté.

— Pourquoi ne lui mettez-vous pas des chaussettes? s'informa De Mornay aux infirmières.

Il endurait difficilement l'intérêt véritable que professait son maître envers des orteils recroquevillés et ridés.

— Il les mange, répondit innocemment l'infirmière.

La main de Jacques se contracta. Nadia grimaça sous la douleur. Elle eut crié si Jacques ne l'avait libérée. De Mornay ne pouvait en endurer plus. Il refusait cette réalité absurde. Son maître et père spirituel, ne pouvait être devenu cette loque lamentable, cet organisme végétatif!

Jacques ouvrit la porte de la chambre du professeur. Il s'approcha de lui, le saisit par les épaules et se mit à le brasser vigoureusement.

— Professeur! Réveillez-vous! Je suis Jacques! Jacques De Mornay! Nadia est ici! Nous sommes mariés!

Entraîné par le rythme qu'imputait De Mornay à son corps, le professeur se mit à psalmodier des «évidemment» sans suite.

— Professeur! se lamenta De Mornay.

Les deux infirmières intervinrent pour empêcher De Mornay de secouer davantage le malade. Jacques quitta la chambre. Il avait les larmes aux yeux et un rictus de désespoir que plusieurs auraient interprété comme de la colère.

— Viens! dit-il à Nadia. Je suis à bout. C'est trop affreux.

Après avoir marché en précipitant l'allure, forçant ainsi Nadia à courir, De Mornay ralentit son rythme et parvint à se calmer. Il s'immobilisa perdu dans ses pensées.

— C'est absurde, dit-il. Je ne peux pas laisser le professeur dans cet état. Je dois l'en sortir.

Il s'assit dans le sable et pleura, la tête contre les genoux. Nadia s'agenouilla près de lui et le serra dans ses bras.

— J'ai besoin de toi, dit-il. J'ai vraiment besoin de toi.

On est toujours gauche avec son premier désir. Moi, je n'ai pas su le faire aboutir.

L'ouvrier

Chapitre XX

Quatre jours s'étaient écoulés depuis ce coup de téléphone qui avait comblé de bonheur Dugan. L'anthropologue attendait de plus en plus nerveusement Élizabeth. Il ne comprenait rien à ce long retard et craignait qu'elle n'ait changé d'avis.

Assis avec De Mornay, il discutait des derniers moments de lucidité du professeur Leuranc.

— Il avait découvert quelque chose d'énorme, dit Dugan. J'en ai la conviction.

— Je le crois aussi, approuva De Mornay. Si je me fie à son humeur, cette découverte prit place quelques jours avant mon départ pour la Suède.

— Ah! s'étonna Dugan. J'avais cru que cette découverte était la cause de sa première attaque.

— Non, d'après moi il avait enfin trouvé la trace des virus. Et c'est ce qui a débloqué toute la compréhension de l'œuvre des Adniens. Nadia et moi allons éplucher les dossiers du professeur. Il a dû laisser des notes sur cette découverte.

— Espérons-le! dit Dugan.

Le téléphone sonna. Dugan sauta littéralement dessus. Il écouta et raccrocha d'une mine déçue.

— On vient de m'apprendre la mort du pape. S'ils savaient comme je m'en fous.

Jacques comprenait l'état d'âme de Frédéric.

— Elle viendra, l'encouragea-t-il.

— Après ce qu'elle m'a dit, elle fait mieux de venir. Je ne m'imaginais pas que l'on puisse avoir tant besoin de quelqu'un. Son retard m'inquiète.

— Elle viendra.

— Si au moins je savais où elle se trouve, je pourrais aller la chercher. Cette attente m'est insupportable.

* * *

En soirée, alors qu'il revenait du monument, il crut discerner une Pelleteuse qui l'attendait près de sa roulotte. Plus il approchait, plus cette jeune femme ne lui semblait pas inconnue. Arrivé à ses côtés, il l'examina avec effarement. Il n'y comprenait rien. Surprise, curiosité, amour: tout se mélangeait dans sa tête.

— Pourquoi ce déguisement? dit-il.

— Ce n'est pas un déguisement, répondit Élizabeth. Je suis devenu Pelleteuse.

Dugan ne voulut pas y croire. Élizabeth s'amusait à ses dépens.

— Voyons! dit-il. Je te connais trop pour croire pareilles balivernes.

— Ce ne sont pas des balivernes, répondit avec passion Élizabeth. C'est l'unique voie qu'il reste à l'humanité pour muer. L'homme n'est encore qu'à l'état larvaire. La Pelle lui offre la chrysalide qui en fera l'homme-dieu, l'homme vrai.

Dugan vivait un mauvais rêve. La femme qu'il aimait ne pouvait s'être fait agripper par la pieuvre idéologique qu'était La Pelle. L'anthropologue secoua la tête comme s'il voulait se débarrasser par ce geste des questions qui l'assaillaient. Dans le fond, que lui importaient les croyances religieuses d'Élizabeth pourvu qu'elle soit près de lui. Il aurait tout le temps nécessaire pour comprendre les motivations de celle qu'il aimait.

— Pardonne mon étonnement, dit-il en essayant de reprendre son calme. J'en ai oublié de te souhaiter la bienvenue et de te faire sentir combien je suis heureux que tu sois là.

Il s'approcha d'Élizabeth pour la serrer contre lui.

— Non! dit-elle en reculant. Ne me touche pas.

Frédéric resta interdit. Le cauchemar se poursuivait. Que s'était-il passé? Qu'avait-il fait?

— Mais pourquoi? questionna-t-il. Je t'aime. Je veux vivre avec toi. Je croyais que tu étais d'accord. Que tu sois Pelleteuse n'y change rien.

— Pour nous, pour des millions de Pelleteurs, tu es le Grand Proche. Tu es aussi important que le Prophète et je veux que tu assumes pleinement ce rôle.

Dugan comprenait de moins en moins. Les propos d'Élizabeth lui parurent insensés.

— Mais je ne crois pas à La Pelle! dit-il en souriant bêtement.

Élizabeth tourna le dos à Dugan et s'éloigna d'un pas ferme en direction du village des Pelleteurs. Dugan courut vers elle. Il la prit par les épaules et la força à le regarder.

— Tout ceci est trop absurde, dit-il. Tu es trop lucide pour avoir mordu à un pareil leurre.

La pression des mains de Dugan sur ses épaules fit chambranler quelque peu la volonté de la jeune femme.

— C'est peut-être un leurre, dit-elle avec émotion, mais c'est la seule voie qui reste à l'humanité. Tu n'as pas le droit de t'en moquer. Tu dois venir avec nous. Nous avons besoin de toi. Tu es le Grand Proche.

— On peut s'aimer sans cela. Nous n'avons pas besoin de La Pelle. Si tu veux nous quitterons le désert. Nous irons vivre loin du monument et des Pelleteurs.

— Non! dit-elle. Tu dois croire en La Pelle. Tu dois assumer ton rôle de Grand Proche.

Dugan laissa tomber ses bras en signe de dérision et d'impuissance.

— Mais je t'aime, dit-il, comme si ces simples mots devaient tout arranger.

— Je n'en suis pas certaine, dit-elle en le fixant. À toi de le prouver. Et puis, je ne saurais me contenter d'une vie sans horizon, sans idéal. Crois en La Pelle. Deviens Grand Proche. Alors, à deux, nous pourrons faire beaucoup. Sinon, je me lasserai rapidement de la vie tranquille que tu m'offres.

Élizabeth reprit sa route vers le village. Dugan la laissa s'éloigner. Il était complètement désemparé. Un frisson de peur le parcourut.

— Non! dit-il avec effroi. Pas moi! Je suis trop sensé pour en arriver là.

Cela faisait longtemps que Frédéric n'avait parlé seul avec le désert.

* * *

Nadia et Jacques passèrent de nombreuses journées à étudier les papiers de Leuranc. Les notes du vieux savant les enchantaient par l'imagination qu'elles recelaient.

— Le professeur n'avait rien perdu de sa sagacité inventive, s'émerveillait Nadia. Il avait le don de trouver des applications simples et directes à la moindre découverte théorique. Sa correspondance est énorme. Comment pouvait-il mener de front tant d'activités sans se perdre?

— Son cerveau n'avait rien à envier aux ordinateurs, répondit Jacques.

Il délaissa la lecture du dernier dossier et grimaça d'insatisfaction. Nulle part, on ne mentionnait les virus.

— Dugan est formel, dit De Mornay. Le professeur lui a déclaré que l'homme était pourri jusqu'aux chromosomes et qu'on ne pouvait rien y changer.

— Toutes ces notes expriment le contraire, intervint Nadia. Le professeur y entrevoit l'amélioration du genre humain. Il parle même d'immortalité, de télépathie. On croirait lire l'œuvre d'un Pelleteur.

— Je sais et cela me désarçonne.

Jacques ne cachait pas son embêtement. Il avait lu et relu toutes les notes du professeur et il n'y retrouvait pas la trace de la misanthropie légendaire de son maître. Comment avait-il pu vivre toutes ces années sans jamais soupçonner l'enthousiasme et la foi profonde de Leuranc en l'humanité?

— Et si les propos que le professeur a tenus à Dugan n'étaient que les divagations d'un esprit diminué? proposa Nadia.

De Mornay y avait songé.

— Ce serait une explication, dit-il.

— Dans ce cas, poursuivit Nadia, rien ne s'oppose à la réalisation des projets qu'il s'apprêtait à mettre sur pied. Nous avons la science, la jeunesse et toute l'aide financière disponible pour mener à terme les grandes intuitions du professeur Leuranc sur l'humanité. Nous devons, ne serait-ce que pour sa mémoire, continuer son œuvre.

Nadia débordait d'enthousiasme. La lecture des notes du vieux professeur l'avait galvanisée. Elle avait hâte de se dépenser pour l'accomplissement de l'homme.

C'est à ce moment que De Mornay crut comprendre.

— Évidemment! dit-il.

— Quoi donc! questionna Nadia.

— Oh rien! dit-il en souriant.

Pour une raison obscure, il ne voulait pas dévoiler à Nadia ce qui venait de lui sauter aux yeux. Il se devait de vérifier. Le professeur avait sûrement confié à son micro-ordinateur ses véritables dossiers.

* * *

Le conclave réunissant les cardinaux des quatre coins du globe allait commencer. On referma les lourdes portes sur les saints hommes. L'un d'eux serait le futur pape, le vicaire du Christ sur la terre.

Mgr Rossi se savait en lice avec deux vieux gâteux et un jeune cardinal africain de cinquante-cinq ans. Il n'avait pas peur du Noir. Les deux vieux gâteux lui causaient plus de soucis. Tous les deux possédaient la considération de leurs pairs et un prestige indéniable. Il allait falloir ruser, voire même filouter.

Mgr Rossi, en tant que conseiller papal, avait réussi avant sa disgrâce des derniers mois à faire élire plusieurs de ses partisans au cardinalat. Douze votes lui étaient ainsi acquis d'emblée. Au cours de la journée, il se promena de l'un à l'autre, sachant charmer et, le soir venu, lorsqu'il se retira dans sa cellule, il n'était pas déçu de sa journée. Vingt-huit cardinaux étaient acquis à sa cause, quatorze penchaient en sa faveur et trente-sept l'avaient assuré de leur appui dès le deuxième tour. Ceux-là désiraient voter pour l'un ou l'autre des deux vieillards lors du premier tour en signe de respect pour leurs œuvres. Tout allait donc se jouer entre le premier et le second tour. Le premier vote allait avoir lieu le lendemain matin. Ce soir-là, Rossi pria avec une ferveur inégalée. Il savait que seule son élection pouvait sauver l'Église catholique de l'anéantissement total.

Plongé dans la prière, il ne vit pas l'aube arriver. Il fut tout surpris lorsqu'on vint le chercher pour le vote. Il déposa son bulletin dans le ciboire et attendit patiemment le décompte. Il était confiant. Ce premier tour ne voulait rien dire. Le sérieux commençait avec le deuxième, et Rossi ne voyait pas comment il pourrait perdre. D'ici quelques jours, il allait être le bon pasteur d'un troupeau de six cent millions d'âmes.

Le plus vieux des cardinaux s'avança de sa démarche saccadée pour annoncer les résultats.

— Gloire à Dieu! dit-il de sa voie chevrotante. Nous avons un nouveau pape.

Rossi en fut étonné. Il ne s'attendait pas à être élu si vite. L'annonce des résultats bouleversa à jamais son univers. Ses savantes tractations n'avaient servi à rien. Il n'avait reçu que quatre voix alors que vingt-huit saints hommes avaient promis de l'appuyer.

Les cardinaux se levèrent dans un brouhaha de vêtements froissés. Le visage défait, Rossi les imita. Le cardinal Miou-Miou Adim

Fouassé gravissait les marches menant à son trône. Le conclave venait d'élire le premier pape noir. Rossi était sans voix. Se pouvait-il que l'on commette une telle erreur? On lui avait préféré un nègre! Dieu avait-il abandonné son Église? À moins que... Un doute s'empara de l'esprit chaviré de Mgr Rossi: Dieu existait-il?

La foule sur la place Saint-Pierre vit s'élever une fumée blanche annonçant l'élection du pape. La frénésie et la joie s'installèrent. Couvert de ses habits pontificaux, le nouveau pape Amen Ier apparut pour bénir ses brebis. Son visage noir jais tranchait sur son habit blanc. Estomaquée, la foule se tut. Puis un crescendo de hourras et d'alléluias se gonfla pour aboutir à une décharge extraordinaire de joie. On applaudissait à tout rompre ce premier pape de couleur. La populace romaine n'avait pas été longue à l'adopter. Les journalistes, après un moment de stupeur, se félicitaient de ce choix spectaculaire. La nouvelle leur offrait la une de tous les journaux et un temps d'antenne inespéré. Personne ne remarqua l'air absent du cardinal Rossi. Et bien peu prirent note de sa démission le soir même. Mgr Rossi se retira dans sa résidence de Turin et se ferma au monde. Une question le harcelait sans cesse: Dieu existait-il? Elle le harcelait d'autant plus qu'il se refusait de répondre non et de nier ainsi toute sa vie.

* * *

Dugan et De Mornay avaient repris leur jogging matinal. L'effort physique était devenu pour eux le moyen d'oublier pendant quelque temps les soucis qui les assaillaient. Les deux hommes contournèrent une dune. L'anthropologue serra les dents et entreprit un sprint auquel répondit aussitôt De Mornay.

À bout de souffle, les deux hommes ralentirent peu à peu. Jacques attendit que Dugan ait récupéré.

— Je ne parviens pas à oublier Élizabeth, dit l'anthropologue. Je l'ai constamment dans la tête. Hier, j'ai réussi à lui parler. Je lui ai dit qu'elle me chavirait le cœur. J'ai cru qu'elle allait pleurer. J'ai voulu la consoler. Elle m'a repoussé et elle est partie. Je n'y comprends rien. J'ai l'impression qu'elle se fait autant de mal qu'elle m'en fait. Pourquoi agit-elle ainsi?

De Mornay haussa les épaules.

— Elle doit agir pour une cause plus importante que ses sentiments.

— Je suis malheureux comme du bois pourri. Je me demande si je ne devrais pas me proclamer Pelleteur. Tous mes problèmes se verraient résolus.

— Moi aussi, j'en ai presque envie, dit De Mornay. J'ai beau fouiller les dossiers du professeur, je n'y trouve rien pour infirmer le concept d'homme-dieu. J'avais cru qu'il avait caché la vérité dans son micro-ordinateur mais là-aussi, j'ai fait chou blanc: aucune trace de dossiers ordinés. Tout donne raison aux Pelleteurs! À croire que les dossiers ont été trafiqués dans ce sens. Quant au professeur Leuranc, Nadia ne veut plus que je lui rende visite. Le voir réduit à néant me fait trop mal. À chaque fois, je sors de la clinique la rage au cœur et les larmes aux yeux.

— C'est affreux! admit Dugan.

— Ce qui m'étonne le plus, c'est qu'il ne nous ait donné aucun indice pouvant éclairer nos recherches.

— Ses dernières paroles étaient si confuses. Tu m'as même fait subir une hypnose pour t'assurer que je n'avais rien oublié.

— J'en suis désolé mais je devais être sûr, dit De Mornay.

— À part les «évidemment» répétitifs, tu n'as rien appris de plus.

De Mornay regarda avec effarement Dugan.

— Que je suis bête, dit-il.

Délaissant l'anthropologue, il courut vers le monument. Dugan n'avait pas envie de l'y suivre. Il retourna à sa roulotte en soupesant le bien-fondé d'une conversion à La Pelle.

* * *

Dans le secret du monument, Jacques finissait une longue session de travail. Maintenant, il savait. Il ferma son terminal.

— Quelle dérision! dit-il. Les Adniens se sont fait prendre à leur propre jeu.

Que je puisse encore piquer une colère prouve que je suis sain d'esprit et c'est peu dire lorsqu'on voit tout ce sable.

L'ouvrier

Chapitre XXI

Nadia regardait Jacques prendre son petit déjeuner. À ses gestes, elle savait pertinemment qu'il avait découvert ce qu'il avait tant cherché. Il arrosa son café d'un peu de lait.

— J'ai eu de la difficulté à trouver le mot code donnant accès aux dossiers secrets du professeur, dit Jacques. Le vieux grigou l'avait bien caché. Nul autre que lui ne pouvait faire preuve d'autant d'humour dans son choix. Si j'écris un jour sa biographie, les cocasseries ne manqueront pas.

Jacques but un peu de café et sourit en admirant Nadia. Une chance qu'il l'avait. Sans elle, il aurait difficilement accepté la déchéance de son maître et ami.

— Et quel était le mot code? questionna Nadia.

— Évidemment! répondit Jacques.

— Évidemment!? s'étonna Nadia.

— Amusant, n'est-ce pas? Leuranc n'en manquait pas une. Il se moquait de lui-même avec un cynisme qui nous porte à l'admirer. Le contenu des dossiers magnétiques ne correspond nullement à ses notes écrites. Je crois que le vieux singe le faisait exprès. Il se méfiait comme de la peste des espions scientifiques et avait la phobie de voir ses recherches subtilisées par un savant sans scrupules. Il n'avait pas en haute estime plusieurs de ses collègues, qu'il qualifiait de sangsues d'idées.

— Ses belles paroles sur la nature divine de l'homme n'étaient donc que de la poudre aux yeux, résuma Nadia.

— Oui! admit Jacques. Mais c'était surtout un moyen de défense. Pour Leuranc le monument était truffé de Pelleteurs et il était certain d'être sous surveillance. Ses notes écrites devaient leurrer les Pelleteurs pour qu'ils le laissent continuer ses recherches. Le professeur n'était pas né de la dernière pluie. Il a vu bien avant nous ce qui se tramait.

— Quoi donc?

— La prise en charge du monument par La Pelle!

— Mais Dugan ne le permettrait pas! L'objectivité est le bien le plus précieux de la science.

La sortie enflammée de Nadia égaya Jacques.

— Voyons! dit-il. Toi qui es soviétique, tu ne parles pas sérieusement!

— Sa rareté en fait un bien très précieux! expliqua Nadia.

— En troquant l'ONU pour La Pelle, Dugan est tombé de Charybde en Scylla, dit Jacques. Maintenant le bailleur de fonds du monument est La Pelle. Ce mouvement en a profité pour infiltrer le monument. Les Pelleteurs sont majoritaires dans tous les groupes de chercheurs. Toi-même, tu as dû habilement être amenée à voir dans le credo de La Pelle la ligne directrice des recherches.

Nadia resta interdite.

— Ce que tu dis est vrai, dit-elle. Cette vision est tellement motivante! Elle m'a emballée. Même les écrits du professeur allaient dans ce sens.

— Ce n'était qu'une mascarade de dupes. La vérité est tout autre. Elle n'a rien pour motiver.

Jacques termina d'une seule gorgée son café. Nadia en déduisit que l'infiltration du monument par les Pelleteurs n'était qu'une broutille. On passait aux choses sérieuses.

— Te rappelles-tu les opérations de nano-chirurgie qu'opérèrent les Adniens sur les gènes?

— Fort bien! répondit Nadia.

— C'est leur technique d'ajout ou de substitution des acides nucléiques qui a donné naissance au grain de sable qui allait anéantir leur œuvre de création. Lorsque les Adniens s'en sont aperçu, ils ont cessé tout travail et quitté la Terre. Ils ne croyaient pas que leur création survivrait bien longtemps. Pour eux, il ne faisait aucun doute que les pièces et les virus allaient tout anéantir.

— Tu as enfin découvert les virus! Leuranc les avait tant cherchés!

— Leuranc les avait trouvés, et il y a longtemps. Tu devrais voir la somme énorme de travail qu'il a produit pour essayer de contourner la problématique du virus. C'est sûrement cet effort titanesque qui a eu raison de sa santé.

— Quel est le rapport entre le virus et la nano-chirurgie?

De Mornay se leva.

— Attends une minute, dit-il. Le professeur t'expliquera beaucoup mieux que moi ce qui en est.

Jacques alla quérir un dossier dans sa serviette.

— Leuranc m'avait laissé un mot qu'il avait caché dans la mémoire de l'ordinateur.

Il tendit le dossier à Nadia.

— J'aimerais que tu en prennes connaissance.

Nadia ouvrit le dossier. L'impression des feuillets était l'œuvre d'une imprimante à matrice. Elle le lut avec respect. Lorsqu'elle eut terminé, Nadia avait une mine soucieuse et ses yeux étaient baignés de larmes. Une partie de ses espoirs en l'homme venait de s'envoler.

— Si nous allions passer notre lune de miel au bord de la mer comme nous le prévoyions, suggéra-t-elle.

— Brillante idée, approuva Jacques en serrant tendrement la main de Nadia.

* * *

Frédéric Dugan fut introduit avec solennité auprès du prophète. Celui-ci avait terminé son petit déjeuner et avait annulé une réunion avec les Proches pour faire place à Dugan.

Les deux hommes se débarrassèrent rapidement des formules de politesse pour entrer dans le vif du sujet. Le prophète écouta attentivement les propos du Grand Proche.

— Ce que tu me racontes n'a pas de sens, répondit-il à la tirade de Frédéric. En aucun moment, nous n'avons demandé à l'épicyclaire Élizabeth Hornik de te convaincre de devenir Pelleteur. Nous pensons même qu'il est nécessaire que tu restes en dehors de La Pelle afin de mieux la critiquer.

— J'aimerais pouvoir te croire.

— Tu dois me croire. Je n'ai rien à gagner à ta conversion à La Pelle. Au contraire, j'ai tout à perdre. Pour les Pelleteurs, tu es presque aussi important que moi. Ta présence active au sein de La Pelle pourrait amener des dissensions, un schisme.

— Mais alors, quels sont les motifs de la conduite d'Élizabeth?

— Je ne sais pas, dit Élis, mais je vais me renseigner. Ces manigances vont cesser.

Entre les nobles et les manants de ce monde, il n'y a que la marge d'une respiration. Il n'y a qu'une question de rythme.

L'ouvrier

Chapitre XXII

L'URSS venait d'ouvrir officiellement ses portes à La Pelle. Aussitôt, près de dix mille Pelleteurs envahirent le sol soviétique pour y ouvrir des cercles. La réaction des Soviétiques fut, dans un premier temps, fort mitigée. On se méfiait. Puis, plusieurs membres influents du parti communiste montrant l'exemple, ils démontrèrent une curiosité accrue.

Élis, élu l'Homme de l'année par la revue *Times*, suivait avec intérêt la progression de La Pelle dans le bloc communiste. Il confia aux Proches ses impressions.

— C'est lent! dit-il. Très lent. Tous ces gens ont peur.

— Une certaine crainte est présente, approuva Amin, le Proche affecté au dossier. Mais le temps la vaincra.

— Ces gens sont trop concernés par leur sécurité personnelle pour s'intéresser à l'avancement de l'homme. Je me demande dans quelle mesure La Pelle ne devra pas abattre le type de gouvernement soviétique actuel pour pouvoir vraiment ouvrir la mentalité russe aux capacités de l'esprit humain?

Amin avait des objections à formuler.

— La Pelle attire de nombreux jeunes à la recherche d'un absolu qu'ils ont cherché en vain dans le Parti. Le temps travaille pour nous. La société soviétique a des caractéristiques qui apporteront un éclairage nouveau et bénéfique au credo de La Pelle.

Élis n'étala pas davantage son scepticisme. D'autres points méritaient d'être discutés. La Libye venait depuis peu de se proclamer ouverte à toutes les religions. C'était là l'abandon officiel de l'Islam comme religion d'État et la consécration de La Pelle. Certains pays arabes s'étaient grandement offusqués. D'autres se préparaient à suivre la voie pavée par la Libye. La Pelle avait particulièrement enfoncé l'Islam en Afrique et dans le Proche-Orient. Les pays du Moyen-Orient demeuraient plus imperméables. La montée de La Pelle en Israël avait d'ailleurs amené une détente avec les pays arabes voisins. Plusieurs kibboutz s'étaient métamorphosés en communautés de Pelleteurs. L'un d'entre eux avait attiré l'attention de la presse internationale: des Juifs, des Palestiniens et des Libanais chrétiens y vivaient en harmonie. Des observateurs voyaient dans la progression de La Pelle la solution des troubles endémiques du Proche-Orient. Évidemment, les fanatiques islamiques n'appréciaient guère de voir leur credo en perte de vitesse. Un attentat contre une communauté de Pelleteurs en France avait été revendiqué par une association se réclamant de l'ayatollah Senile. Il y avait eu près de quinze morts. Des mesures avaient aussitôt été prises pour préserver le monument des fanatiques.

— La Pelle fait des progrès tout aussi nets dans les pays chrétiens, dit Élis. Ce sont là des pays évolués où la religion et l'État sont séparés. Nous n'avons pas à craindre de représailles de fanatiques chrétiens. Par contre, les pays islamiques en sont encore au Moyen-Âge: religion, État et patrie sont intimement liés. Il faut y craindre les croisades armées, les tortures et les inquisitions. Les actes de violence des fanatiques musulmans envers La Pelle n'en sont qu'à leur début.

Nous devons penser à définir une politique d'action face à ces attaques. Allons-nous rester stoïques devant le massacre des nôtres?

— Nous ne sommes pas des bœufs que l'on mène à l'abattoir. Nous devons nous défendre, dit Michel Fuset, Proche français ayant perdu sa femme dans l'attentat de Nancy.

— Dans ce cas, n'allons-nous pas irriter davantage ces fanatiques? questionna Amin. Nous devrions chercher à les apaiser.

— Mais comment? intervint Fuset. Ces fanatiques en veulent à notre existence. Non seulement nous devons nous défendre, mais nous devons les abattre.

Le cercle des Proches frémit. La netteté de la proposition ne plaisait pas. Devant les regards désapprobateurs qui se posaient sur lui, Fuset crut bon de s'expliquer.

— Il serait ridicule de faire l'autruche, dit-il. Le credo de La Pelle bat en brèche le christianisme et l'Islam. Si les chrétiens se laissent dévorer sans protester, l'Islam, une religion intimement liée à la race arabe, se défendra. L'attentat de Nancy figurera bientôt en haut d'une longue liste. Que cela nous plaise ou pas, nous sommes confrontés à une guerre de religion. Il faudra y faire face tôt ou tard.

— Ce sera tard! dit Élis d'un ton autoritaire. Nous allons concentrer nos énergies sur les pays où la progression de La Pelle se fait sans heurt. Nous ne devons surtout pas perdre notre image de pacifistes. Lorsque le temps viendra, nous nous occuperons des fanatiques, s'il en reste.

— Je crains, dit Fuset, que certains Pelleteurs ne soient eux-mêmes des fanatiques.

— Nous devons employer l'énergie de ces gens à d'autres fins. La Pelle fera sienne la philosophie de non-violence active du Mahâtma Gandhi: l'Ahimsa. La violence des fanatiques islamiques ne viendra que renforcer le credo et la progression de La Pelle.

Les Proches approuvèrent. Associer le Mahâtma Gandhi à La Pelle était en soi une trouvaille fantastique. La réunion se termina sur des problèmes financiers rapidement réglés par la grande richesse de La Pelle.

* * *

Les recherches progressaient à un rythme normal. On découvrait ici et là de nouvelles applications des travaux des Adniens. Une révolution dans la synthèse des protéines était en marche. D'ici dix ans, *Escherichia Coli* serait complètement abandonnée pour faire place à une synthèse ordinée. Les biologistes et les généticiens fêtaient à tue-tête devant les perspectives illimitées que leur offrait le monument, et les incurables de la terre entière espéraient comme jamais en leur guérison prochaine.

Un peu perdu dans les tracasseries administratives, Frédéric Dugan ressentait un début d'amertume. Il n'avait plus le plaisir de discuter avec le professeur Leuranc, toujours sous observation à la clinique des Pelleteurs, et le départ de Jacques De Mornay vers la Côte d'Azur lui avait enlevé son dernier confident. Quant à Élizabeth, il n'en avait pas de nouvelles depuis son entrevue avec Élis. Était-elle retournée en Amérique recevoir le prix Pulitzer qu'elle s'était vu décerner pour ses articles sur le monument et les Pelleteurs? Frédéric n'en savait rien. Toutes les recherches pour la retrouver s'avérèrent vaines. Élizabeth semblait s'être évaporée.

L'amertume de l'anthropologue était alimentée aussi par une perte de plus en plus sensible de son autorité sur le monument. Ce qu'il croyait pouvoir éviter, la prise du contrôle du monument par les Pelleteurs, s'opérait insidieusement. La majorité des chercheurs se composait de Pelleteurs, et Dugan devait de plus en plus tenir compte des avis du conseil des Proches. En fait, et Frédéric n'était pas dupe, l'autorité qu'il continuait à exercer était à la fois le fruit de sa continuité à la charge des recherches et de son titre respecté de Grand Proche.

Dugan ressassait toutes ces idées lorsqu'on cogna vigoureusement à la porte de sa roulotte.

— Entrez! dit-il.

Frank Darsey apparut et vint s'asseoir sur le fauteuil que Dugan lui désigna. Cette sommité mondiale de l'archéologie n'avait pas encore quitté le monument. Darsey continuait à écrire des articles sarcastiques qui avaient de moins en moins d'écho.

— Je viens t'annoncer mon départ, dit Darsey.

— Vous partez! s'étonna Dugan.

— Je n'aurais jamais dû venir. Le monument n'était pas pour moi. J'y ai perdu mon temps et mes énergies. Je n'ai pas su me mettre du bon côté de la clôture.

— Pourtant vos articles avaient beaucoup d'éclat.

— Au début, je croyais tenir le filon mais on ne peut pas rire longtemps d'un monument dont les découvertes permettent la guérison de maladies jusqu'ici incurables. Je n'ai pas su prendre au sérieux le fantastique de ces lieux. Il était si facile d'en rire. Je crains d'y avoir laissé beaucoup de ma crédibilité.

— Et maintenant, qu'allez-vous faire?

— Je retourne enseigner. J'ai toujours mon cours «Excréments et civilisations» et j'en prépare un autre traitant du monument. Je crois que les gens seront heureux de connaître un autre son de cloche que celui des Pelleteurs. Car ce monument pue de plus en plus La Pelle. Tu devrais réagir et te débarrasser de cette racaille!

— À toutes fins pratiques, dit Dugan, la Libye a donné le monument à La Pelle. Le conseil des Proches a le droit de récuser quiconque travaille au monument. Je me retrouve de plus en plus coincé. Je suis en train de perdre les rênes et je n'y peux rien.

— Mais réagis!

— Facile à dire, difficile à faire. je suis intervenu auprès des autorités libyennes qui m'ont expliqué que je tenais mon autorité de l'ONU et que l'ONU n'avait plus aucune responsabilité dans le monument.

— Ils t'ont envoyé paître.

— Ils ont précisé que mon titre de Grand Proche me conférait cependant à leurs yeux le droit d'exercer encore cette autorité.

— Tu t'es fait baiser!

Darsey pétait de joie. La situation précaire et inconfortable de Dugan le comblait d'une folle gaieté.

— Pour le moment, j'administre toujours mais mes plumes s'en vont tranquillement, dit Dugan. Dans quelque temps, je ne serai plus qu'un apparat, une marionnette de cérémonie.

— Et que vas-tu faire?

Dugan haussa les épaules.

— Je ne sais pas. Le monument m'intéresse toujours. L'atmosphère qui y règne est motivante et la foi des Pelleteurs en l'homme est des plus communicatives. Je finirai peut être par assumer pleinement mon rôle de Grand Proche.

— La Pelle demeure pour toi une porte de sortie des plus valables, admit Darsey. Cette religion a déjà bouleversé la carte religieuse du monde et elle est en train d'en chambarder la carte politique. L'URSS et ses satellites lui ont ouvert leurs portes. La Chine aurait le même projet. Elle considère que La Pelle est dans la lignée des grands courants de la pensée chinoise et que cette religion apporterait au prolétariat chinois le désir de se dépasser pour le bien de la Patrie et de l'Humanité. Dernièrement, j'ai lu une thèse expliquant que La Pelle devait sa rapide progression aux moyens modernes de communication et à la faillite des vieilles religions à s'acclimater à la vision du monde moderne.

— On écrit beaucoup sur La Pelle, dit Dugan. On doit admettre que cette religion possède bien des avantages sur ses consœurs d'une autre époque.

— Elle est jeune. Avec le temps, elle se nourrira de fioritures aberrantes et de non-sens mystiques. Et puis, comme une amibe, elle se divisera en plusieurs croyances abracadabrantes. Il faut faire confiance à l'homme pour ce qui est de l'absurde. Les gens comme moi, qui ont une vision historique globale, ne peuvent que s'amuser devant ce hoquet imprévu de l'humanité.

Pour prouver ses dires, Darsey ricana de bon cœur.

— Vous me rappelez parfois le professeur Leuranc, lui avoua Dugan.

Darsey cessa son rire et prit une mine attristée.

— Tu ne me croiras pas, dit-il, mais j'avais pour le docteur Alder Leuranc le plus grand des respects. J'ai rarement dans ma vie rencontré un homme si sensé, si intelligent.

Dugan ne cacha pas sa surprise.

— Pourtant, vous l'avez conspué avec vigueur.

— Ce n'était que du théâtre. Dans le fond, lui et moi, nous nous ressemblions beaucoup, trop même. C'est peut-être cette similitude de caractère qui entraîna ces flammèches empoisonnées qui ont caractérisé nos rapports. Je l'enviais. Si je devais recommencer ma vie, je m'orienterais en biologie moléculaire. Découvrir un médicament, faire du bien à l'humanité, voilà ce qui m'aurait plu. Mon antipathie verbale et verbeuse envers le professeur Leuranc n'était qu'un moyen pour me cacher l'insignifiance de mes recherches sur les fèces enfouies de civilisations perdues par rapport à la grandeur de l'œuvre de ce colosse.

— Je ne vous comprendrai jamais, dit Dugan. Vous reconnaissez l'insignifiance de votre œuvre et pourtant vous allez continuer de la défendre avec éclat.

— Je suis de la race des désespérés. Je suis de ceux qui ont préféré le théâtre de la vie au mirage des idéaux fanés. On pourrait disserter longuement sur le sujet mais qu'importe. Je ne suis qu'un homme qui se gonfle, pérore et se complaît dans sa propre fatuité. Parfois je quitte la scène et je deviens l'autocritique acerbe que tu as devant toi. Mais critique ou acteur, cela reste du théâtre.

Darsey ricana doucement et tristement.

— Pauvre Leuranc! dit-il. Il en est réduit à manger ses chaussettes et à se faire torcher. Devant un tel spectacle, ne m'en veux pas si je refuse de prendre la vie au sérieux.

Il se leva.

— J'aime bien parler. Je te remercie pour ton oreille. Si j'avais un conseil à te donner, ce serait celui-ci: «Quitte ce monument! Il est en train de te bouffer tout rond!»

Ces propos n'avaient pas de quoi guérir Dugan du cafard qu'il ressentait. Darsey se préparait à s'esquiver, heureux de laisser son interlocuteur dans l'expectative. Il ouvrait la porte lorsqu'il se rappela la véritable raison de sa venue.

— Ah oui! dit-il en se retournant. J'allais oublier.

Dugan comprit que Darsey se préparait une sortie fracassante qui laisserait dans l'ombre les babillages de l'entrée.

— J'ai eu des nouvelles de Françoise. Elle a accouché d'un gros garçon de quatre kilos.

«Neuf mois! Déjà neuf mois!» ne put s'empêcher de songer Dugan. Darsey l'observait guettant une réaction de paternité.

— Un garçon de quatre kilos! s'étonna avec habileté Dugan. Je ne la savais même pas enceinte.

Il se rappelait trop bien les propos de Françoise sur cet enfant qui n'aurait pas de père mais seulement une mère.

— J'aurais pourtant cru le contraire, dit Darsey. Elle t'a enregistré comme père naturel.

L'ahurissement qui se lut sur les traits de Dugan réjouit Darsey.

— Il est bizarre qu'elle ne t'ait pas contacté, mais les mères sont encore plus incompréhensibles que les femmes. Surtout lorsque la mère est devenue Pelleteuse et qu'elle désire que son enfant profite du renom de son père. Te voilà papa d'un bambin de trois semaines dont je suis moi-même le parrain en titre. Nous nous reverrons sûrement d'ici notre mort. Au revoir... papa!

Fier de sa sortie, Darsey quitta la roulotte en rigolant de l'étonnement de Dugan.

— Il n'a même pas été capable de répondre! se dit-il. Françoise l'a bien possédé. Ah! Ces femmes!

* * *

Attablé à un petit bureau ne payant pas de mine. Le Prophète finissait d'annoter des passages d'un récent ouvrage de Norbert Chamoux sur La Pelle. Il délaissa son travail et son regard se fixa sur la personne que l'on venait d'introduire.

— Asseyez-vous, dit-il.

Élizabeth Hornik regarda autour d'elle. Il n'y avait pas la moindre chaise sauf celle qu'occupait le Prophète.

— Là, sur le tatami! précisa le Prophète.

Élis se leva et alla lui-même s'y installer. La jeune femme l'imita.

— Maintenant, dit-il, quelles fins servez-vous en pressant Frédéric Dugan d'endosser le credo de La Pelle?

La soudaineté de la question laissa sans voix Élizabeth. Le Prophète la fixa en silence en attendant une réponse. La jeune femme avait l'impression d'avoir été prise en défaut.

— Est-ce mal? demanda-t-elle.

— Forcer ainsi la main de quelqu'un n'est guère moral, répondit le Prophète. Vous le faites sûrement dans un but précis. Winnifred Mead serait-elle mêlée à tout ceci?

Élizabeth comprit que le Prophète avait déjà des éléments de réponses.

— Est-ce un interrogatoire? questionna Élizabeth qui ne prisait guère la tournure des événements.

Le Prophète sourit.

— Excusez-moi, dit-il. Je suis pressé d'expédier cette affaire et j'ai sûrement manqué de diplomatie. Je comprends votre réaction. Avant tout, je vous dois des explications. Frédéric Dugan est venu me voir pour que je cesse de me servir de vous pour l'amener à adhérer à La Pelle. Je lui ai dit que je n'y étais pour rien. J'ai questionné Winnifred Mead à ce sujet, elle m'a référé à vous. Sentez-vous libre de me répondre.

— C'est plutôt personnel! dit Élizabeth.

— Dans ce cas, je n'insisterai pas. Tout ceci est d'ailleurs secondaire. Je...

Le Prophète avala sa salive.

— ...J'ai soif, dit-il. Accepterez-vous un breuvage?

Un Pelleteur leur apporta deux verres d'eau.

— C'est donc vous, dit le Prophète, qui m'avez trouvé complètement déshydraté dans le désert. En m'amenant à la clinique d'El Djof vous m'avez sauvé la vie. Sans vous, La Pelle n'aurait pas vu le jour.

Élizabeth n'avait jamais envisagé sous cet angle sa contribution à La Pelle.

— Je suis profondément heureux, continua Élis, que vous ayez décidé de prendre votre place au sein de La Pelle. Je songe d'ailleurs à nommer des femmes au conseil des Proches.

Le Prophète fit une pause et but son eau.

— Je vous y vois ainsi que Winnifred Mead, dit-il en déposant son verre.

— Moi, au conseil des Proches? s'étonna Élizabeth.

— Si vous voulez? Ne vous sentez surtout pas obligée d'accepter! Il est certain que La Pelle gagnerait beaucoup grâce à votre apport. Je crois qu'il est temps que La Pelle démontre que lorsqu'elle parle de ramener l'Homme sur le chemin de l'évolution, elle englobe aussi la Femme. Sans vouloir faire de dichotomie ou prêter d'intentions à qui que ce soit, la femme n'a pas toujours eu le rôle qu'elle méritait dans nos sociétés. L'homme a des mea-culpa à se faire. Je veux que la société qui naîtra de La Pelle en soit une où les femmes puissent s'exprimer et se faire valoir librement, avec les mêmes facilités que les hommes.

Élizabeth n'en croyait pas ses oreilles. Winnifred lui avait pourtant affirmé que le Prophète ne considérait pas les femmes.

— Vous m'étonnez, dit-elle. Je vous croyais...

— ... mâle chauvin, compléta Élis en rigolant. Vous ne vous trompez pas; je le suis. C'est pourquoi j'ai absolument besoin de votre présence au conseil des Proches. Si on me laisse faire, La Pelle risque de créer une société dont les femmes ne sauraient se satisfaire. Je ne crois pas que les femmes puissent faire confiance aux hommes pour les représenter. Elles doivent mettre la main à la pâte.

— Vous n'avez pas à me convaincre, dit Élizabeth. Je l'ai toujours pensé. Je consens à être membre du conseil des Proches.

— Vous me faites plaisir, dit Élis. Il y a à peine une heure, Winnifred Mead acceptait avec empressement. Elle m'a dit qu'elle désespérait que je le lui propose jamais. Elle pleurait presque de joie. J'aurais sans doute dû la nommer il y a longtemps. J'ai probablement fait une erreur en remettant cette nomination, mais, que voulez-vous, Winnifred me fait parfois peur. Cette femme est superbement intelligente et j'ai souvent de la difficulté à clarifier ce qu'elle veut exactement. Et puis, ne m'en déplaise, il est vrai que je suis un homme un peu chauvin. Je suis loin d'être parfait et je commettrai bien d'autres erreurs avant de mourir.

Élizabeth était complètement ahurie. Élis ne correspondait pas du tout à la description que lui avait fait Winnifred Mead. Cette dernière devait avoir emmagasiné de la rancœur à l'endroit du Prophète à force de se voir refuser l'accès au conseil des Proches.

— Voulez-vous toujours savoir pourquoi j'insistais pour que Frédéric assume ses responsabilités de Grand Proche?

— Je serais heureux de le savoir, dit Élis, mais je ne veux pas vous y obliger.

— Avec la confiance que vous mettez en Winnifred et en moi, il me semble normal que je réponde à votre question.

Élizabeth expliqua avec sa précision journalistique les raisons ayant motivé sa conduite envers Frédéric. Lorsqu'elle eut terminé, Élis eut un regard qui en disait long sur la complexité des motifs.

— Tout ceci est tortueux mais logique, dit-il. Comment pourrais-je bien expliquer le tout à Dugan?

— Je vais m'en occuper, dit Élizabeth. Je suis contente que cet imbroglio cesse. J'ai une réelle affection pour Frédéric.

Ce qu'il ne faut pas perdre de vue, c'est que chaque dune est susceptible de cacher quelque chose. Que chaque coup de pelle a des chances d'être le bon. Que le moindre pas risque de dévoiler un mastaba. Aussi ne faut-il négliger ni les pas, ni les coups de pelle, et encore moins les dunes.

L'ouvrier

Chapitre XXIII

Nadia et Jacques avaient décidé de ne pas revenir en sol libyen. Ils étaient tombés en amour avec Sisteron, ville de Haute-Provence au confluent du Buech et de la Durance. Ils y avaient loué une maison près d'une vieille église à l'abandon. C'est là qu'ils avaient invité Dugan. Jacques tenait à lui expliquer le rapiéçage génétique responsable de la médiocrité de l'homme.

L'idée de quitter temporairement le monument pour le sud de la France ne déplut pas à Frédéric. Loin du monument, des chercheurs et des Pelleteurs, il pourrait plus aisément faire le point et décider de son avenir.

Avec ses falaises et ses affluents, Sisteron le charma. Les murs blancs et le toit en tuiles ondulées de la maison de Nadia et Jacques se mariaient au paysage et au soleil du Midi. Dugan gara sa voiture et fut hélé dès qu'il en sortit. Jacques, bronzé et souriant, venait à sa rencontre. Le bonheur et la santé se lisaient sur son visage. Les deux hommes se serrèrent la main.

— Bienvenue au paradis! dit Jacques.

— Cela y ressemble, approuva Dugan. D'autant plus que mon critère de comparaison est le désert libyque.

Les deux hommes entrèrent dans la maison. Nadia avait préparé un repas léger mais succulent. Ils mangèrent en badinant.

— C'était divin! complimenta Frédéric en finissant son dessert.

— Allons nous asseoir dans le jardin, proposa Jacques. Nous y prendrons un digestif et nous parlerons des Adniens.

Frédéric avait hâte de connaître la raison de la démission de Jacques. Il se doutait fort bien que celui-ci ne l'avait pas fait venir d'Afrique pour une bagatelle.

— Premièrement, dit Jacques après avoir goûté son digestif, je me trompais en soupçonnant les Pelleteurs d'avoir trafiqué les dossiers du professeur. Le vieux grigou les avait lui-même faussés. Il se méfiait comme de la peste des Pelleteurs et des espions. Le professeur avait probablement été le premier à comprendre l'importance de La Pelle et le déplacement inéluctable de la responsabilité du monument vers cette nouvelle religion. Ses vrais dossiers avaient été confiés à la mémoire de l'ordinateur. J'ai réussi à les y dénicher et, crois moi, ce que j'ai appris est à mille lieues des espoirs de La Pelle. Tu te rappelles que la première plaquette déchiffrée parlait de nano-chirurgie, plus exactement d'une opération sur un locus de chromosome. La technique utilisée était la suivante: on programmait une chaîne d'acides nucléiques qui allait se substituer à celle du locus. Leuranc a appelé ces chaînes des «pièces». La majorité des améliorations ou des changements effectués par les Adniens sur les génomes des espèces qu'ils créaient a été effectuée par cette technique de rapiéçage. Mais les pièces recelaient en elles une fort mauvaise surprise pour les Adniens. Et je crois bien que Leuranc avait deviné dès le début le danger qu'elles représentaient.

— Quel danger?

— Les Adniens devaient conférer à ces pièces un embryon d'individualité afin de leur permettre de trouver le bon locus. Or, une fois bien installées dans le chromosome, ces pièces n'en perdaient pas pour autant cette parcelle d'individualité. C'est le grain de sable qui devait gâcher l'œuvre de création des Adniens.

— Mais comment?

— En s'individualisant et en ne travaillant pas de concert avec le reste du génome, elles dérèglent complètement le mécanisme cellulaire. La vieillesse, le cancer et un grand nombre d'autres maladies incurables sont les résultats de l'individualité des pièces. De plus, certaines pièces ont poussé leur liberté à un stade supérieur: nous nous retrouvons avec le virus, terreur des Adniens! Plusieurs en sont morts! Ils ont quitté la Terre sans demander leur reste. Ils croyaient sincèrement que leur création ne résisterait pas à l'épreuve du temps et à l'attaque des virus. En cela, ils ont eu tort. Malgré la logique, l'homme a réussi à survivre. Mais il demeure une œuvre ratée et inachevée. Plusieurs mécanismes prévus dans le projet humain des Adniens n'ont jamais été inclus dans notre génome. Nous avons des aspirations grandioses mais nous n'avons pas les outils pour les mener à bien. Leuranc comparait l'humanité à une splendide carrosserie Rolls Royce mue par un petit moteur deux temps.

De Mornay tendit à Dugan un dossier.

— Leuranc m'avait laissé un message ordiné concernant ses travaux. J'aimerais que tu en prennes connaissance.

Dugan reconnut vite le style haché du professeur. Des larmes lui vinrent aux yeux. Se pouvait-il que l'être ayant produit ces lignes se soit rendu à mâcher ses chaussettes? Les pièces avaient eu raison du professeur Leuranc. Il retint la colère qui montait en lui et reprit la lecture à son début.

«Jacques, si jamais quelqu'un parvient à pénétrer dans ces fichiers, ce sera toi. Les autres se contenteront des notes écrites que j'ai laissées et s'exclameront de joie en chantant les divins psaumes de La Pelle en ma mémoire. Mais toi, Jacques, tu ne te laisseras pas berner si facilement. Du moins, je l'espère. Sinon tant pis! La Terre n'a pas fini de tourner et les poussières de tout un chacun finiront dans son sein.

Jacques, je n'aurais su abattre tant de travail au cours de ma vie si je n'avais été mu par un leitmotiv puissant. J'ai connu bien des déceptions, mais jamais je n'ai cessé de croire en l'homme. Certes, je le voyais comme il était: faible, laid, stupide, ignorant, belliqueux, maladif, mais j'avais espoir de l'améliorer. Ce n'est pas le hasard qui m'a mené à défricher la biologie moléculaire. Toutes les autres voies pour l'amélioration de l'homme avaient lamentablement échoué. La religion, la philosophie, la psychologie, l'amour, la médecine avaient toujours débouché sur l'intolérance, les guerres, la haine, l'incompréhension et les épidémies. L'histoire, la parodie humaine devrais-je dire, est truffée d'exemples démontrant la petitesse des hommes devant ses espoirs grandioses. Cette disproportion n'a jamais cessé de m'étonner et, bien que je m'en sois toujours défendu, je voyais là une preuve tangible du véritable destin de notre espèce.

La technique de rapiéçage des Adniens m'a profondément bouleversé. Dès le début, j'en avais déduit l'origine probable des virus. Je me croisais les doigts pour que ce ne soit pas le cas, mais l'absence de toute mention des virus dans les plaquettes me faisait craindre le pire. Tu ne peux savoir le bonheur que j'aurais eu à découvrir «le comment et le pourquoi du virus» vu et corrigé par les Adniens. Ainsi, j'aurais su que les sueurs froides que créaient chez moi l'utilisation des «pièces» comme outils de correction génétique n'étaient pas fondées.

J'ai travaillé comme un forçat pour me convaincre que les «pièces» n'étaient pas autant de grains de sable dans la création adnienne, mais plus l'œuvre des Adniens se dessinait, plus j'en voyais l'inévitable fiasco. Comment ces dieux de la génétique ont-ils pu ne pas s'en rendre compte? La réponse me venait automatiquement: ils ne connaissaient pas les virus!!!

Lorsque nous avons trouvé les plaquettes traitant de l'homme, c'est furieusement que je les ai étudiées. J'espérais que les Adniens nous construiraient à partir de matériel neuf. Au contraire! En gens pratiques, ils se servirent de ce qu'ils avaient sous la main: du matériel rapiécé à profusion. À cette période, j'ai connu une certaine dépression. Tu t'es mis à t'inquiéter de ma santé; moi, c'est celle de l'humanité entière qui m'indisposait.

Puis, à ma surprise, j'ai découvert certains mécanismes physiologiques, certaines protéines que l'on retrouvait dans le projet humain mais qui étaient absentes chez l'homme. À cet instant, j'ai eu peur. Se pouvait-il que l'homme soit vraiment inachevé?... Tout s'expliquait! L'homme, cet éternel insatisfait, avait de bonnes raisons de l'être: une splendide carosserie Rolls-Royce propulsée par un petit moteur deux temps ne le serait pas moins. J'ai voulu me cacher la vérité. Mais, inlassablement, l'évidence et la logique revenaient à la charge. J'avais des moments d'enthousiasme où j'imaginais des tactiques pour vaincre la vieillesse, le cancer; et des moments de vérité où l'homme rapiécé et inachevé anéantissait mes énergies.

Le contenu de la plaquette de la chambre aux cartes devait confirmer les plus noires de mes appréhensions, et même plus. Les Adniens ont compris un peu tard l'erreur monumentale de leur technique de rapiéçage et ont déguerpi comme s'ils avaient le feu aux fesses. Il n'ont même pas pris la peine de nous détruire. D'une part, il ne faisait aucun doute pour eux que leur création ne pourrait survivre aux méfaits des «pièces» et, surtout, ils n'avaient pas de temps à perdre car ils venaient de découvrir un monstre implacable qui pouvait les détruire : le virus. Plusieurs Adniens, des êtres éternels, en sont morts. On comprend la hâte des non-atteints à plier bagage. Quelques uns, déjà atteints, sont restés et c'est à eux que l'on doit cette dernière plaquette qui fut incrustée dans un paysage de la salle aux cartes. Le Pelleteur qui me l'a apportée était à mille lieues de se douter qu'il m'apportait la négation de La Pelle, le point final aux espoirs de l'homme.

Cependant, contrairement aux prévisions adniennes, l'homme survit toujours. Nous survivons difficilement, parcimonieusement mais nous survivons. Les pièces et les virus n'ont pas eu raison de nous. Les Adniens ont peut-être jeté un peu vite un déchet pouvant avoir encore une certaine utilité. Il y a peut-être quelque chose à tenter avec cette espèce rapiécée et inachevée qui, malgré toute logique, s'apprête à conquérir l'espace et à devenir maîtresse des processus biologiques. Pourquoi ne pas laisser le chemin libre à ceux qui sont prêts à essayer de refaire l'homme? Et puis, qu'est-ce que la vérité apporterait? Rien! Absolument rien! Au mieux, on ne la croirait pas. Au pire, des Pelleteurs zélotes nous trucideraient pour nous faire taire.

J'ai caché la plaquette incriminante dans ma pantoufle gauche. Mon testament spécifie que je dois être enterré les pantoufles aux pieds. Mon épitaphe est simple: «Ci-gît la vérité!» Rares seront ceux qui en comprendront la signification.

Jacques, détruis toutes ces fichiers et sois, sinon un bon Pelleteur, du moins un spectateur lucide. L'homme ne vit que d'espoir et de conneries. La vie peut être agréable. Sache en profiter!

Ton regretté maître,

Alder Leuranc, dit le vieux grincheux.

Dugan remit le dossier à De Mornay.

— Nous sommes rapiécés! dit-il d'un ton à la fois résigné et outragé. Rapiécés et inachevés!

Dugan se leva et marcha pour donner libre cours à son désarroi. Il avait espéré un destin plus glorieux pour l'homme. Il revint vers Nadia et Jacques.

— Face à cette vérité, dit-il, vous avez décidé de tout abandonner et de mener une vie tranquille et heureuse en marge des espoirs humains.

— Il n'y a rien à faire, dit De Mornay. L'homme est pourri dans son génome. Pour changer l'homme, il faudrait le détruire. L'homme doit apprendre à se connaître et à s'apprécier comme il est.

— Mais l'homme, ajouta Nadia, préférera toujours la beauté de ses rêves à la morosité de ce qu'il est vraiment. Il est incapable de s'accepter tel qu'il est. Il ne voudra jamais perdre la face et admettre qu'il n'est qu'un projet sans lendemain, une ébauche inachevée et défectueuse.

— Qu'allez-vous faire? demanda Dugan.

— Rien! répondit Jacques. Nous allons suivre le conseil du professeur et garder pour nous cette vérité désagréable dont personne ne voudra.

Dugan se rassit en méditant. Les propos de Nadia et de Jacques méritaient réflexion. Pouvaient-ils logiquement garder secrète une telle vérité? N'avaient-ils pas le devoir moral de la révéler au monde?

— Et pourquoi me l'avoir dit? interrogea-t-il.

— Le professeur Leuranc aurait voulu que tu le saches. Il riait parfois de ta quête sacrée pour la vérité scientifique mais il avait de l'estime et de la considération pour toi.

Dugan approuva avec amertume. Il revit tout son cheminement: les trente-sept années de sa vie.

— Enfant, je ne cessais de questionner les adultes. À cinq ans, je me demandais pourquoi j'existais et pourquoi les hommes existaient. Des questions capitales comme l'origine et le pourquoi de l'humanité m'obsédaient. Jusqu'à l'âge de douze ans, la religion répondit à ces questions. Puis, ce ne fut plus suffisant. J'ai étudié comme un fou. J'ai cherché tant dans les sciences appliquées que dans les sciences humaines. Toute cette quête devait aboutir, je ne sais trop comment, à dix ans de solitude dans le désert. Maintenant, l'origine de l'homme m'est connue. Je peux enfin mettre un point final à une quête aussi vieille que l'homme et...

Il s'arrêta essoufflé.

— ... et je ne sais plus, dit-il. Certes, cette vérité n'est pas plaisante mais c'est la vérité. Je me dois de l'accepter. Nous devons tous l'accepter.

— L'humanité n'a pas la même conception du devoir, dit Jacques.

Dugan approuva avec morosité. Il se rappela les paroles prophétiques de Leuranc: «Au nom de ses idéaux, l'homme se moque éperdument de la vérité!» Quand le grand homme avait-il eu ces propos? Frédéric ne s'en souvenait pas. Était-ce lors d'une conférence ou à l'occasion d'une conversation privée? Et puis, quelle était l'importance de le savoir? Cela ne changerait en rien l'efficience des pièces sur la dégénérescence humaine.

— L'humanité est rapiécée! dit-il avec dépit. Comment cette humanité pourrait-elle croire une vérité allant à l'encontre de ses aspirations et de ses impressions les plus fondamentales? Comment pourrait-on expliquer à une Rolls Royce qu'elle ne pourra jamais faire plus que deux kilomètres par heure alors que son indicateur de vitesse est calibré jusqu'à trois cents kilomètres par heure?

Frédéric jeta un regard sur le bleu du ciel.

— Le professeur Leuranc a encore vu juste, dit-il. Il est plus sage de laisser les Pelleteurs rêver.

Jacques et Nadia furent heureux de la réaction de Dugan. Il était temps de distraire les pensées de Frédéric.

— Il fait chaud, dit Nadia. Si nous nous baignions dans la Durance?

— Je crois bien que je ne me suis jamais baigné dans une rivière, confia Frédéric.

On oublia le monument, l'homme et les Adniens pour goûter le plaisir de l'eau. À les voir s'ébattre, s'éclabousser et rire de joie, un curieux n'aurait jamais deviné que ces trois individus étaient les tenants d'une vérité englobant l'origine et la nature de l'homme.

* * *

Dugan s'attarda quelques jours à Sisteron. L'amour qui unissait Nadia et Jacques lui fit regretter encore plus amèrement sa solitude. Par un soir de pleine lune, il informa Jacques qu'il s'était décidé à rendre les armes.

— Depuis qu'elle n'est plus là, j'ai perdu le sommeil et tout goût dans la vie. Je me fiche même du monument. S'il faut jouer le Grand Proche pour pouvoir vivre avec Élizabeth, je serai le Grand Proche le plus convainquant qui soit. Nous pourrions visiter les différents cercles de La Pelle. Nous voyagerons. Nous serons heureux.

— Depuis quand l'as-tu vue?

— Trop longtemps, beaucoup trop longtemps. Depuis sa nomination au conseil des Proches, elle semble s'être complètement évaporée. J'ai eu beau la chercher, pas le moindre indice. Rien. En jouant le Grand Proche, elle va sûrement me revenir. Je commencerai par l'Amérique. J'ai l'intuition qu'elle s'y trouve.

Jacques n'osa donner aucun conseil à son ami. L'amour transcende trop souvent la raison.

Vous pouvez trimer pendant des années sans rien trouver et un soir en marchant vous trébuchez sur un bout de pyramide que le vent a dénudé.

L'ouvrier

Chapitre XXIV

Partout où Frédéric s'était rendu, tant au Canada qu'aux USA, des Pelleteurs l'avaient reçu. Il avait été traité comme un roi et cela ne lui avait pas déplu. On l'avait entouré de considération et on buvait littéralement ses paroles. La vie de Grand Proche avait de nombreux avantages sur celle de savant rebelle. Dugan avait perdu toute velléité de révéler l'existence des pièces et le fiasco de la création des Adniens. Il désirait profiter de la vie comme le conseillait le professeur Leuranc. Il regrettait de n'avoir pas accepté d'être le Grand Proche plus tôt. Élizabeth tardait à montrer signe de vie et Frédéric craignait d'être passé à côté du bonheur.

Un article dans une revue spécialisée sur La Pelle l'informa d'une nouvelle insensée. Dugan ne le crut pas; cela ne pouvait être vrai. Il dut cependant accepter l'évidence : Élizabeth Hornik était devenue la compagne du Prophète.

À peine un mois après son départ du désert libyque, Frédéric Dugan y revenait.

* * *

Élis ne fit aucune difficulté lorsque Frédéric demanda à le voir. Il estimait le Grand Proche et se faisait une priorité de lui être toujours disponible. Pieds nus et tout de blanc vêtu, le Prophète alla au devant de Frédéric.

— Je suis content que tu sois revenu, dit-il. J'avais craint que tu n'aies quitté le monument pour de bon. Tes visites de différents cercles de La Pelle sont certes profitables mais ta place est ici au désert libyque. Ce monument est ta vie.

— Tu devines pourquoi je viens? questionna Dugan après quelques échanges de politesses.

— Tu te demandes comment Élizabeth est devenue ma compagne.

— En effet! J'aimerais aussi savoir pourquoi Élizabeth refuse de me voir.

— J'ai rencontré Élizabeth afin qu'elle cesse de faire pression pour que tu endosses le credo de La Pelle. En même temps, je lui ai demandé si elle voulait siéger au conseil des Proches. Elle m'a expliqué que maintenant qu'elle était une Proche, elle n'avait plus à te convaincre de devenir Pelleteur.

— Quoi?

— Winnifred Mead l'a convaincue d'adhérer à La Pelle afin de permettre aux femmes de gérer l'humanité.

— Que dis-tu? s'étonna Dugan. Qu'est-ce que c'est que cette histoires de femmes voulant gérer l'humanité?

— C'était le rêve de Winnifred Mead et de beaucoup de ses ouailles. Ces femmes voulaient se servir de La Pelle comme d'un tremplin leur permettant de quitter le ghetto où les avait confinées l'homme. Selon elles, l'homme avait suffisamment démontré au cours de l'histoire son ineptie à gérer la planète et l'univers. Elles croyaient qu'il fallait rétablir l'ordre vrai que les Adniens avaient préconisé : la préséance de la femme sur l'homme.

— Qu'est-ce que c'est que cette foutaise?

Élis sourit. La réaction de Dugan l'amusait.

— Ces femmes rêvaient. Elles avaient foi en leur projet et espéraient me manipuler en ce sens.

— Les Adniens ont-ils effectivement préconisé la préséance de la femme sur l'homme? questionna Dugan que la rhétorique féministe avait laissé malgré tout sceptique.

— Nullement, dit Élis en riant. C'était une invention de Winnifred Mead pour s'attirer des disciples. Elle fabulait et plusieurs femmes ont mordu à l'hameçon.

— Et pourquoi Élizabeth voulait-elle que j'assume le rôle de Grand Proche?

— La raison est double, répondit Élis. Élizabeth avait un fort sentiment d'attachement à ton endroit et hésitait à y laisser libre cours.

— Mais pourquoi?

— Par crainte. Elle avait peur d'être bernée par toi.

— Tout ceci est ridicule, dit Dugan. Élizabeth est trop sensée pour avoir eu une telle appréhension. Elle sait fort bien que je ne ferais rien qui puisse la blesser.

La tirade de Dugan laissa Élis froid. Il continua sur un ton didactique.

— Pour calmer les appréhensions d'Élizabeth, Winnifred Mead lui a conseillé de te demander quelque chose de difficile afin de s'assurer de la profondeur de tes sentiments.

— Croire en La Pelle! acheva Dugan.

— Par la suite, Winnifred espérait se servir de ton influence pour permettre aux femmes d'accéder au pouvoir au sein de La Pelle. Comme tu vois, elles faisaient d'une pierre deux coups.

— C'est tout bonnement machiavélique, dit Dugan. À moins que ce ne soit moi qui sois un grand naïf.

— En les nommant au conseil des Proches, tout ce stratagème devenait inutile. Winnifred mit aussitôt la sourdine à sa théorie des femmes devant gérer l'humanité. De son côté, Élizabeth fut soulagée. Elle se préparait à tout t'expliquer et à vivre avec toi. Tu ne peux que t'en prendre à toi-même si elle s'est détournée de toi.

Dugan ne comprenait plus. Qu'avait-il fait de mal?

— Élizabeth, continua Élis, a été complètement abasourdie lorsqu'elle a appris que tu avais eu un enfant d'une autre femme. Pour elle, tu l'avais trahie. Elle a cherché près de moi la consolation et je me suis mis à l'aimer.

— Mais, protesta Dugan, cet enfant ne compte pas. Ce n'était que pour rendre service. Cet enfant ne devait pas avoir de père.

— Connais-tu beaucoup de femmes qui accepteraient pareille excuse?

Dugan ne poussa pas davantage l'argument. Il essaya de rencontrer Élizabeth mais celle-ci demeura introuvable. Il aurait insisté davantage s'il n'avait reçu un mot de la jeune femme qui mit fin à ses pauvres espoirs. Elle ne l'aimait plus.

Complètement dépité et abattu, Frédéric quitta le désert libyque. Il ne devait plus jamais y revenir. Après un long mois de prostration, il commença ce que les Pelleteurs appelleraient plus tard «l'Odyssée du Grand Proche». Par une vie active, Dugan espérait oublier ses amours déçues.

* * *

Les médecins avaient déconnecté les différents appareils enregistrant l'état d'Alder Leuranc. Il n'y avait plus d'espoir de récupération. Il eût été ridicule de vouloir faire durer une loque sans cerveau. Se moquant des médecins, Leuranc subsista près de quatre mois.

L'annonce de sa mort fit la une des journaux. Des messages de sympathie arrivèrent par milliers au monument. Les éloges fusaient. Le conseil des Proches proposa d'ensevelir Leuranc à l'ombre du monument. C'était là un honneur incommensurable que rendait La Pelle au père du créationnisme biomoléculaire. Il fallut l'intervention de Jacques De Mornay et de Frédéric Dugan pour qu'on respecte les dernières volontés du défunt. Le corps d'Alder Leuranc quitta la Libye pour la Californie en vol nolisé. Il devait être inhumé là où l'avaient été sa femme et ses deux enfants, victimes de la route.

Venus de partout, près de quatre millions de Pelleteurs envahirent les abords du cimetière. Chacun d'eux brandissait une pelle. C'est à travers cette haie d'honneur que le cortège funéraire se fraya un chemin. Le Prophète s'était fait représenter par le Conseil des Proches. Ils étaient tous là, habillés de blanc; une ceinture pourpre rappelant leur titre leur ceignait la taille. Ils avaient insisté pour creuser la fosse devant recevoir le corps du professeur. Ils procédèrent avec dignité à ce travail pénible. La caméra s'attarda particulièrement sur Élizabeth Hornik et Winnifred Mead. Le Proche Rossi ne passa pas inaperçu. Ancien cardinal et bras droit du pape défunt, sa conversion à La Pelle avait eu un impact considérable dans les milieux chrétiens.

De Mornay prononça l'homélie. Il ne put retenir ses larmes et bafouilla quelque peu. La bière glissa dans la fosse. Chacun passa devant en y jetant une poignée de terre. Lorsque la procession se termina, deux jours plus tard, un monticule de près de quinze pieds s'élevait là où Alder Leuranc, le père du créationnisme biomoléculaire, reposait pour l'éternité.

Certains sociologues virent dans cet enterrement une démonstration orchestrée et voulue de La Pelle. D'autres parlèrent avec abondance de l'importance qu'accordait le public aux recherches affectant le génome. Les milieux ésotériques virent dans le professeur ce maître ayant réussi l'alliance des sciences occultes et des sciences matérielles. On palabra ferme sur des broutilles. Un vieux savant ayant bien connu le défunt eut ce cri du cœur: «S'il n'était pas mort, à vous entendre il en crèverait!»

D'aucuns se félicitaient de voir inscrit dans le programme du premier degré de La Pelle, une étude effective de l'ADN et des processus biomoléculaires affectant la cellule. De grands spécialistes voyaient là le point de départ indispensable de toute évolution humaine.

Jacques et Nadia retournèrent rapidement dans le sud de la France. Jacques préparait une biographie de Leuranc en trois volumes. Le troisième ne devait paraître qu'à titre posthume. Il voulait y révéler le fiasco du projet humain et ne désirait pas en subir les conséquences.

Son rôle de Grand Proche permit à Frédéric de cotoyer Élizabeth. Elle fut affable et rien dans son comportement ne démontra la moindre animosité envers l'anthropologue. Frédéric s'aperçut que s'il l'aimait toujours, Élizabeth n'avait plus pour lui que de l'amitié.

— Frédéric, lui avait confié la journaliste pour mettre fin à toute tentative de rapprochement, j'ai besoin d'un idéal. J'ai besoin d'un but qui me dépasse. Toi, tu ne m'offrais qu'une petite vie tranquille que j'aurais abandonnée tôt ou tard. Élis m'offre un idéal fantastique. Nous sommes en train de sauver l'humanité. Nous bâtissons une société au diapason de la nature et du destin de l'homme. Il y a de quoi remplir toute une vie. C'est emballant et excitant. Élis me rend pleinement heureuse.

Frédéric ne trouva rien à répondre à pareil acte de foi. Il donna de nombreuses conférences et visita le cercle des Pelleteurs californiens. Deux mois après l'enterrement d'Alder Leuranc, il s'envola vers la Grande-Bretagne. Il devait y rencontrer la famille royale, donner de nombreuses conférences, participer à des programmes télévisés et visiter les cercles de Pelleteurs britanniques. Il vivait cette existence trépidante dont il avait toujours rêvé. Il n'avait nullement l'intention de restreindre ses activités. Sexuellement, les Pelleteuses le comblaient amplement. C'était un honneur pour elles d'agrémenter la couche du Grand Proche. La Pelle, plus que le monument, lui avait apporté cette notoriété publique à laquelle il avait toujours aspiré. Il ne parvenait pas cependant à oublier Élizabeth. Il traînait avec lui une ombre de tristesse qu'aucune femme ne parvenait à faire disparaître.

Le destin ne peut me lâcher alors qu'une simple pyramide pourrait me lancer sur le chemin des étoiles.

L'ouvrier

Chapitre XXV

Vers la fin de la cinquième année de l'ère biomoléculaire, le gouvernement libyen fut renversé lors d'un putsch particulièrement sanglant. Le Proche Amin Madkafa prit le pouvoir. Partout dans le monde, on se félicita de la chute du précédent gouvernement qui encourageait le terrorisme et cherchait à appeler les Pelleteurs à la guerre sainte. En fait, La Pelle venait de prendre le pouvoir en Libye. Le nouveau gouvernement céda officiellement à La Pelle un territoire de cinq cents kilomètres carrés comprenant le monument.

Les pédagogues de toutes les tendances s'émerveillaient devant les résultats du programme de formation de La Pelle. Le dixième des Pelleteurs, ceux ayant réussi le troisième degré, possédait des capacités de méditation égales aux yogis orientaux. Grâce à la méthode du biofeedback, ceux du quatrième degré réussissaient à maîtriser leur influx sanguin. Ces Pelleteurs pouvaient faire rougir leurs oreilles à volonté, ralentir leur rythme cardiaque et contrôler leur tension artérielle. Des accidents regrettables avaient cependant eu lieu. Trois Pelleteurs étaient morts d'arrêts cardiaques. Ils prirent place dans l'histoire de La Pelle en tant que les trois éternels du quatrième degré.

Cette maîtrise du corps humain s'accompagnait de résultats notables en télékinésie. Un cercle de Pelleteurs soviétiques réussit à faire bouger sur une distance de treize centimètres une brique de quatre kilos. Le tout avait pris près de huit heures; plusieurs dénigreurs en profitèrent pour vanter l'efficacité de l'utilisation de la main sur le cerveau. Frank H. Darsey se montra le plus brillant d'entre eux; il écrivit un essai concernant la disposition du pouce, où il prouva que la non-utilisation de la télékénésie à travers l'évolution humaine était due à son inefficacité. Cet essai fut suivi d'un livre ayant pour titre: *Télékinésie, télépathie et autres dons de foire*. Il y tournait en ridicule entre autres les efforts des Pelleteurs pour communiquer mentalement alors qu'il est si facile de parler. Norbert Chamoux lui répondit allègrement par un ouvrage en douze tomes. Chamoux y fit un résumé de l'histoire de l'humanité selon une optique pelleteuse et projeta un avenir pelleteur où l'homme deviendrait à force de travail et de volonté le dieu qu'il n'aurait jamais dû cesser d'être. L'œuvre de Chamoux allait être appelée à trôner au côté de l'*Élisien*. Quant à son auteur, le Prophète le nomma au Conseil des Proches. Sa vive imagination et sa foi dans La Pelle allaient être grandement utiles à l'essor de l'humanité. Ce brouhaha idéologique n'empêchait pas La Pelle de défricher l'homme. Les pouvoirs oubliés de l'humanité se pointaient et les espoirs ne cessaient de se gonfler.

Dans le domaine médical, grâce aux plaquettes des Adniens et à la pulsion donnée à la chimie biomoléculaire, plusieurs maladies génétiques jusqu'ici incurables trouvèrent des voies de solution. Entre autres, l'introduction d'une protéine synthétique annonça la disparition de l'ataxie de Friedreich.

L'avenir s'annonçait prometteur pour La Pelle et l'humanité. Partout des esprits éclairés se félicitaient de voir la race humaine reprendre le chemin de l'évolution. On commença à construire un immense dôme devant recouvrir le monument et le protéger des rayons ultraviolets qui semblaient l'affecter. La pierre noire du monument avait quelque peu perdu de son lustre. La Pelle investit plusieurs milliards de dollars dans ce projet colossal.

La vision de La Pelle avait grandement influencé la conception de l'enseignement. Près de trois mille institutions universitaires et collégiales à travers le monde postulèrent en vue d'obtenir une charte de La Pelle. Chaque charte portait les signatures du Prophète et du Grand Proche. Elle précisait de surcroît le niveau des degrés que l'institution était habilitée à enseigner. Les milieux du savoir devinrent de plus en plus les haut lieux de La Pelle.

La Pelle était en marche et se préparait à rendre à l'homme tous ses espoirs.

C'est vers cette époque que le Proche Norbert Chamoux écrivit un livre où, après six cents pages de dialectique, il concluait en ces mots: «Devant tous ces faits, nous ne pouvons qu'admettre que le Prophète est en réalité ce Messie que la conscience atavique des hommes attend depuis la nuit des temps.»

Un an plus tard, lors d'une conférence de presse, le Prophète confirma modestement la brillante déduction de Chamoux.

— Je sais que plusieurs se moqueront d'une telle présomption et pourtant, ces gens n'ont qu'à regarder les événements incroyables ayant marqué les dix dernières années pour se rendre compte que la conjoncture historique fait de moi le Messie.

Devant le mutisme des journalistes, Élis ajouta.

— Je suis le bon pasteur qui rassemblera et guidera les hommes vers le chemin oublié de l'évolution. Je conçois la difficulté et la grandeur du rôle que l'histoire m'a octroyé et je n'ai pas l'intention de me défiler. L'homme a assez attendu. Il est temps que sa patience soit récompensée. Oui, je suis celui qui sauvera les hommes. Oui, je suis le Messie.

Dix ans plus tôt, Élis eût été enfermé dans un hôpital psychiatrique. Lors de cette conférence donnée à l'ombre du Monument Sacré on ne sut trop quoi penser. Les Pelleteurs quant à eux, ils approchaient le milliard, n'eurent pas le moindre doute. Leur Prophète était le Messie de tous les hommes.

* * *

À Sisteron, la vie suivait sa routine quotidienne. Jacques et Nadia surveillaient Alder qui jouait avec le chien.

— Notre petit rapiécé semble s'amuser, dit Jacques.

D'esprit vif, Alder surprenait ses parents par sa compréhension et son intelligence.

— Somme toute, dit Nadia, les Adniens n'ont pas si mal réussi leur création. Je n'échangerais pas notre petit rapiécé pour tout l'or du monde.

— La Pelle a fait prendre un tournant à l'humanité. Le professeur Leuranc s'est montré un peu trop pessimiste. Il a certainement exagéré la problématique des pièces.

— Qu'importent les pièces si nous sommes heureux, conclut tendrement Nadia.

* * *

Être Grand Proche s'avéra beaucoup plus prenant et épuisant que prévu. Frédéric ne cessait de voyager, allant d'un cercle à l'autre afin de rétablir certains faits et éclairer les Pelleteurs par sa parole. Il désamorça de nombreuses crises et fut en grande partie responsable de l'unicité étonnante d'un mouvement aussi vaste que La Pelle. Plusieurs l'appelaient le Grand Pèlerin et tous reconnaissaient son rôle fondamental au sein de La Pelle. Son prestige égalait celui du Messie.

Tous ces voyages ne parvenaient pas à satisfaire Dugan. Il avait l'impression de chercher quelque chose qu'il ne trouverait jamais.

— Je suis une Rolls-Royce avec un petit moteur deux temps, se disait-il pour chasser cette insatisfaction qui l'habitait.

Parfois, il songeait avec mélancolie à Élizabeth. Il devait admettre qu'elle ne souffrait nullement de lui avoir préféré le Prophète. Elle resplendissait de joie de vivre et d'énergie. La naissance d'une petite fille, Patricia, avait été fêtée par tous les Pelleteurs.

Lors d'un vol entre Moscou et New Delhi, un moteur de l'avion transportant Frédéric explosa. L'anthropologue n'eut guère le temps de songer à la petitesse de la vie face à la grandeur de l'univers. L'avion s'abîma dans la mer Caspienne. Il n'y eut aucun survivant.

La disparition du Grand Proche fut pleurée dans chaque cercle de La Pelle. Un garçon de dix ans en conçut un chagrin démesuré. Il pleurait ce père qu'il n'avait vu que deux fois mais qu'il idéalisait comme seul un enfant peut le faire.

> Pourquoi ne voulez-vous pas voir cette découverte qui va révolutionner la recherche des pyramides de la même manière que la roue a su sortir l'homme de l'ornière de la bêtise pour lui ouvrir la voie des épicycles stellaires et de la musique des sphères?
>
> L'ouvrier

Chapitre XXVI

Spectaculaire au début, la récupération des dons oubliés de l'homme piétinait. En cette trentième année de l'ère moléculaire, une voix s'éleva pour crier au monde les problèmes que rencontrait La Pelle dans son processus de réhabilitation de l'homme-dieu. Cette voix fut écoutée car c'était celle d'Élis Dugan, le fils du Grand Proche.

Élevé par les Pelleteurs d'un cercle québécois, Élis Dugan avait voué très tôt une vive admiration à la mémoire de son père. Sa mère, Françoise, veilla à ce qu'il cultive son sens de la critique. À l'âge de seize ans, elle l'envoya suivre des cours à une université non pelleteuse. Le professeur Darsey y enseignait. Élis Dugan se prit d'amitié pour le vieil homme et celui-ci en vint à le considérer comme son fils. Pendant cinq ans, Darsey modela la pensée d'Élis et lui ouvrit les yeux sur les défauts de La Pelle.

Darsey fut enterré sans grande pompe. Élis Dugan versa quelques larmes. Il avait conscience que seule une intervention de sa part pourrait empêcher La Pelle de sombrer dans la violence, l'illogisme et le traditionalisme. Élis Dugan croyait en La Pelle. Contrairement à la majorité des Pelleteurs et à Darsey, il savait que la voie de l'évolution était longue et devait se calculer non pas en années mais en siècles. Il craignait avec raison que la minceur des résultats obtenus par rapport à la somme des efforts investis n'amène La Pelle à délaisser son credo pour administrer et gérer en vue du pouvoir. Élis Dugan voulait empêcher à tout prix que La Pelle soit récupérée par les défauts les plus mesquins de l'homme. Il se sentait cependant mal préparé à cette grande œuvre. il devait mieux comprendre les mécanismes de La Pelle ainsi que ceux de la biologie moléculaire, cette science qui définissait l'homme à partir des plaquettes des Adniens. Élis Dugan s'inscrivit à une université pelleteuse et commença un cheminement d'études souvent austères qui devait durer près de dix ans. Durant ces années, il fit un effort constant pour se détacher du fanatisme des Pelleteurs. Il relut à plusieurs reprises les derniers écrits de Darsey afin de pouvoir garder son objectivité. Ce n'est qu'une fois son doctorat obtenu en biologie moléculaire qu'il se permit de critiquer certains aspects de La Pelle. Il avait trente ans et commençait sa vie publique.

Lorsque le Prophète perçut les premières critiques d'Élis Dugan, des larmes perlèrent sur ses joues.

— Que La Pelle se réjouisse, dit-il. Le Grand Proche est de retour.

Élis Dugan fut invité à rendre visite au Prophète. Le fils du Grand Proche ne se fit pas tirer l'oreille et accepta d'emblée cette invitation. Le fait d'avoir été comparé à son père par le Prophète l'avait profondément ému.

L'énorme dôme de verre recouvrant le monument et la cité de La Pelle surprit Élis Dugan. Certes, comme tout humain, cette structure lui était connue. Des photos en avaient véhiculé l'apparence aux quatre coins de la terre. Mais la réalité dépassait de beaucoup la simple reproduction. On saisissait mieux la puissance de La Pelle et sa capacité de répondre aux espoirs millénaires de l'homme.

L'aéroglisseur conduisant Élis Dugan s'arrêta à de nombreux postes de contrôle. Tout fut méticuleusement fouillé et inspecté. On parvint enfin au cœur de la cité de La Pelle. Les constructions de verre et de ciment avaient laissé place à des tentes d'un blanc immaculé. C'est ici que vivaient le Prophète et ses Proches.

Des Pelleteurs ouvrirent la porte de l'aéroglisseur. Par la ceinture verte leur ceignant la taille, Dugan sut qu'il avait devant lui des Acolytes, le plus haut niveau hiérarchique après les Proches. Les Acolytes saluèrent respectueusement Dugan en pliant l'échine.

— Si le Grand Proche veut nous suivre, le Prophète l'attend.

On pénétra sous une tente et on longea de nombreux corridors de toile. À la fin de l'un d'eux, les Acolytes se retirèrent. Un morceau de toile s'ouvrit. Une Acolyte fit signe à Élis Dugan de pénétrer. Un homme chauve approchant la soixantaine attendait patiemment, assis sur le sable. Le cœur de Dugan se mit à battre la chamade. Cet homme habillé d'une simple tunique de coton blanc était le Prophète: l'être le plus important de la Terre. Le Prophète se leva et alla au devant de son visiteur. Il le serra dans ses bras.

— Bienvenue à toi! dit-il. Tu as beaucoup manqué à La Pelle.

Élis Dugan ne sut que répondre. Il resta bouche bée. Le Prophète recula de quelques pas et l'examina.

— Tu es bien le fils de ton père, dit-il. Tu es digne de reprendre le flambeau du Grand Proche.

Le Prophète s'assit sur le sable et fit signe à Dugan d'en faire autant.

— La Pelle est le produit des hommes, dit le Prophète. Comme eux, elle est imparfaite et comme eux, elle doit être vigilante pour ne pas dévier du pénible et cahoteux chemin de l'évolution. Lors des premières années de La Pelle, le Grand Proche fut pour nous un vigile nous indiquant nos défauts et nous forçant à nous améliorer. Suite à sa disparition, je crains que La Pelle n'ait péché par excès de confiance. Nous escomptions des progrès beaucoup plus rapides. De son vivant, ton père avait su restreindre notre enthousiasme. C'est de lui que vient l'expression «Le pénible et cahoteux chemin de l'évolution». Il disait aussi que l'apothéose de l'homme était un événement qui s'étendrait sur plusieurs siècles, c'est-à-dire bien peu de temps face à l'éternité. Nous comprenons mieux maintenant le sens de ses paroles.

— Je n'ai jamais rien lu ou entendu de tel provenant de mon père, s'étonna Élis Dugan.

— La Pelle s'est bouché les oreilles et les yeux pendant bien des années. Elle n'a jamais rendu publiques ces déclarations de ton père. Mais le temps du rêve est terminé. La Pelle doit s'adapter à la pénible réalité de la difficile mais nécessaire tâche qu'elle a entreprise. Nous comptons sur toi, l'héritier du Grand Proche, pour nous aider à donner ce coup de barre providentiel. Les critiques que tu as apportées ont toutes été discutées au conseil des Proches et nous t'avons donné raison. Mais La Pelle n'est plus ce qu'elle était du temps de ton père. La Pelle est devenu un énorme appareil dont les ramifications touchent près de deux milliards d'individus. Tout changement prendra plusieurs années à s'accomplir. C'est là un travail de longue haleine.

— J'en suis conscient, dit Dugan. Mais c'est un travail nécessaire si nous ne voulons pas que La Pelle sombre comme l'ont fait avant elle tous les mouvements prônant une amélioration de l'homme.

Le Prophète hocha la tête en signe d'assentiment.

— La Pelle t'écoutera, dit-il. Tu es le Grand Proche. Ma tente te sera toujours ouverte.

* * *

Élis Dugan passa les six mois suivants à se familiariser avec l'entourage du Prophète. La Grande Pelleteuse l'accueillit avec une affection sincère. Élis comprit sans peine la passion de son père pour cette femme extraordinaire. Allant sur la soixantaine, elle continuait d'insuffler son enthousiasme à tous ceux qui la côtoyaient. Dans de nombreux pays, les femmes lui devaient des conditions leur permettant d'exprimer leurs talents et de s'impliquer sur tous les échelons de la vie sociale.

Patricia, la fille du Prophète et de la Grande Pelleteuse, se montra par contre très déplaisante. Le fils du Grand Proche ne parvint pas à comprendre le pourquoi de cette attitude hostile. Patricia avait hérité de la beauté de sa mère mais pas de son intelligence. On racontait que, n'eût été sa naissance, elle n'aurait jamais réussi le premier degré du grand cercle extérieur. Après de vains essais de rapprochement, Élis Dugan décida de l'ignorer. Les journées lui eussent paru vides s'il ne s'était intéressé à la science contenue dans les plaquettes des Adniens. À mesure que les mois passaient, le nombre d'heures accordées aux plaquettes augmentait. Bientôt, il n'eut de temps que pour elles. Plusieurs se plaignirent qu'il délaissait son rôle de Grand Proche. Le Prophète les fit taire.

— Le Grand Proche est au-delà de la critique, dit-il.

Avant de quitter la cité de La Pelle, Élis Dugan remit au Prophète un document sur les changements nécessaires à apporter à La Pelle pour éviter qu'elle ne sombre dans la mesquinerie et le totalitarisme. D'une trentaine de pages, ce document fut épluché par le conseil des Proches. Il y eut des grincements de dents. Plusieurs Proches voyaient leur cercle d'activités bouleversé. On batailla ferme pour sauvegarder certaines prérogatives. Le Prophète se montra inflexible. Le plan du Grand Proche fut approuvé. Des changements s'étendant sur cinquante ans devaient complètement modifier les structures et la rhétorique de La Pelle.

C'est alors qu'il était plongé dans les œuvres d'Alder Leuranc à l'Université de Los Angeles qu'Élis Dugan apprit l'acceptation de son plan. Il ne démontra aucun signe particulier de contentement. Trois mois plus tard, il s'envolait vers Amsterdam où l'on perdit sa trace.

* * *

Depuis vingt ans, Jacques De Mornay devait subir les éternelles demandes de son éditeur.

— Jacques, quand me donneras-tu ce troisième tome de la biographie d'Alder Leuranc?

— Lorsque je serai mort, répondait invariablement Jacques.

Les deux premiers tomes avaient été des best-sellers. Ils couvraient la vie du professeur Leuranc jusqu'à la conception de la théorie du créationnisme biomoléculaire. Tout Pelleteur se devait de les lire pour pouvoir passer le premier degré. De Mornay ne s'était pas plaint de l'utilisation que les Pelleteurs faisaient de son œuvre. Au contraire, les revenus ainsi engendrés lui avaient permis de mener une vie heureuse et intelligente avec sa femme et ses cinq enfants: deux garçons, trois filles.

Le plus vieux, Alder, s'était marié et était parti en Sibérie afin d'aider ce pays dont il était l'enfant de par sa mère. Natacha travaillait dans le monde de la mode et demeurait à Paris. Manouchka poursuivait de brillantes études en biologie moléculaire aux USA. Les deux plus jeunes, Alexandra et Casimir, vivaient toujours sous le toit familial. Alexandra s'émerveillait de ses dix-sept ans et Casimir, dix ans, ne jurait que par le sport et la nature.

Nadia et Jacques n'avaient pu s'empêcher, après la naissance de Natacha, de revenir à la recherche scientifique. Leurs travaux communs leur avaient valu un prix Nobel qui permit à la presse de les comparer aux légendaires Pierre et Marie Curie.

En cette matinée de printemps, Jacques travaillait dans son jardin. Les légumes et les fruits promettaient. Casimir arriva à la course, le visage excité.

— Papa, dit-il, un monsieur aimerait te parler.

Jacques n'attendait pas de visite.

— A-t-il mentionné son nom?

— Non, répondit Casimir. Je ne lui ai pas demandé. Il t'attend sur la terrasse.

Jacques délaissa ses outils. En approchant de la terrasse, il put voir l'inconnu qui admirait le cerisier en fleurs. Jacques eut l'impression d'avoir déjà vu cet homme; il ne put cependant le situer. L'individu se retourna lorsqu'il entendit le pas de Jacques.

— Monsieur Jacques De Mornay, dit-il en tendant la main, permettez-moi de me présenter...

La voix était la même. Jacques le reconnut.

— Frédéric Dugan, murmura-t-il avec surprise.

— Je suis son fils, dit l'homme. Je me nomme Élis Dugan.

— Vous lui ressemblez étonnamment, dit Jacques. Vous êtes un peu plus grand mais votre voix est la sienne. J'ai cru un court instant que vous étiez Frédéric. Je comprends maintenant pourquoi le Prophète voit en vous le Grand Proche.

Le rappel de son titre n'eut aucun effet sur Élis Dugan. Il semblait préoccupé et mal à l'aise.

— Vous prendriez bien quelque chose à boire? suggéra Jacques.

— Un verre d'eau serait apprécié. Il fait chaud et je supporte mal la chaleur.

— Voulez-vous que nous discutions à l'intérieur de la maison?

— Je préférerais. J'y serais plus à l'aise.

Les deux hommes pénétrèrent dans la maison. Étalée sur le tapis du salon, Alexandra lisait un magazine pour jeunes filles. Jacques comprit que cette présence gênait Élis Dugan.

— Allons dans mon bureau, dit Jacques. Nous n'y serons pas dérangés.

Les murs du bureau de Jacques étaient couverts de livres. Un large et long pupitre lui servait de table de travail. Un ordinateur personnel et son imprimante trônaient en son milieu. Jacques ferma la porte pour assurer l'isolement qu'Élis semblait désirer. Cette visite du Grand Proche commençait à intriguer Jacques De Mornay.

— Vous n'êtes pas venu pour me parler du soleil du Midi, dit Jacques. De quoi s'agit-il?

Élis Dugan hésita avant de répondre.

— J'ai des questions à vous poser mais je ne sais si vous avez les réponses. Je suis porté à croire que oui.

— Et quelles sont ces questions?

Les deux hommes étaient toujours debout. Élis tira une chaise et s'assit. Jacques fit de même.

— Votre biographie d'Alder Leuranc se termine avec la théorie de la création biomoléculaire. Dans aucun des deux tomes vous ne faites mention de La Pelle et de l'utilisation que ce mouvement devait faire de l'œuvre d'Alder Leuranc. En aucun moment vous ne vous prononcez sur La Pelle et son credo.

Jacques eut un doute. La Pelle se préparait-elle à censurer certains écrits? Lui demanderait-on d'inclure La Pelle dans la biographie de Leuranc?

— De plus, continua Dugan, il est bizarre que vous ayez attendu dix ans avant de reprendre le flambeau du professeur Leuranc. Cette éclipse à une époque où la biologie moléculaire bouillonnait est incompréhensible. À la même époque, mon père délaissait brusquement la direction du monument pour voyager et assumer pleinement son rôle de Grand Proche. Je m'explique mal ce comportement de votre part et de la sienne. Lors de mon séjour à la cité de La Pelle, j'ai passé près de six mois à étudier les plaquettes. Puis, pendant trois mois, j'ai fouillé les travaux du professeur Leuranc dans les manuscrits de l'Université de Los Angeles.

Élis Dugan fit une pause. Un ange passa.

— Je suis maintenant convaincu que les dossiers écrits sur les plaquettes sont faux. Ils ne correspondent nullement au tempérament et au style du professeur.

Jacques De Mornay ne broncha pas. Il s'était toujours demandé si un Pelleteur serait assez critique pour se douter de la supercherie du professeur. En trente ans, Élis Dugan était le premier.

— Moi aussi, dit Jacques De Mornay, j'ai toujours trouvé ces dossiers écrits suspects.

— Par contre, ces dossiers sont rigoureusement exacts en ce qui concerne les plaquettes adniennes.

— En effet, convint Jacques.

Élis Dugan avait espéré une confidence de Jacques De Mornay. L'ancien élève de Leuranc resta coi. Pendant trente ans, il n'avait rien dit et il n'avait pas l'intention de se faire tirer les vers du nez si facilement par un inconnu, fût-il le fils du Grand Proche.

— Si on se fie aux plaquettes des Adniens, dit Élis Dugan, l'homme a en lui des pouvoirs fantastiques. Il y a trente ans, La Pelle croyait pouvoir faire émerger ces pouvoirs en quelques années. Les premiers développements furent prometteurs. Dans le domaine biomoléculaire, les découvertes se succédaient à un rythme fou. Puis, peu à peu, la cadence a ralenti. La télékinésie n'a pas évolué. Le record demeure toujours cette brique de quatre kilos transportée sur treize centimètres en huit heures. En biologie moléculaire, nombre de protéines devant théoriquement guérir des maladies n'ont eu aucun effet. Aucune découverte importante résultant des plaquettes n'a eu lieu au cours des dix dernières années. Les découvertes de l'école de biologie moléculaire, dont vous et votre femme êtes les instigateurs, ne s'appuient nullement sur les plaquettes. Après trois décennies d'efforts, La Pelle doit déchanter. Nous savons maintenant que la route de l'évolution sera longue et cahoteuse. Le recouvrement des pouvoirs enfouis de l'homme prendra des siècles d'évolution et de travail. C'est cette nouvelle optique que j'ai fait accepter au conseil des Proches. D'ici cinquante ans, ce sera la philosphie officielle de La Pelle. Ce changement permettra à La Pelle, le mouvement de promotion de l'homme le mieux articulé dans l'histoire de l'humanité, de survivre et de continuer à prodiguer ses bienfaits, tels la paix et le respect de la biosphère.

«N'empêche que notre compréhension de l'homme a été biaisée au départ. L'homme des Adniens, celui qui est décrit tel un demi-dieu dans les plaquettes, ne correspond pas à l'homme que nous sommes. La Pelle et la biologie moléculaire ont jusqu'ici travaillé sur des plans décrivant un homme fictif. Nous avons travaillé sur du rêve alors que nous devons nous attaquer à la réalité.»

Après trente ans, le chat était sorti du sac. Un individu avait eu assez d'esprit critique pour voir ce qui avait sauté aux yeux d'Alder Leuranc quelques trente ans plus tôt.

— Êtes-vous certain de ce que vous dites? demanda Jacques De Mornay avec un air d'étonnement.

Élis Dugan eut un sourire de dérision.

— Vous vous moquez de moi, dit-il. Ce que je viens de dire, vous le savez depuis trente ans. C'est pour cette raison que vous avez abandonné le monument. C'est pour cette raison que mon père a abandonné la direction des recherches. Vous vous étiez rendu compte que le projet humain des Adniens n'avait pas abouti et que l'homme réel n'était qu'un prototype expérimental, une ébauche.

— Avez-vous raconté vos présomptions au conseil des Proches? questionna De Mornay.

— Êtes-vous fou? Je tiens à la vie. Ces gens sont des fanatiques qui se bouchent les yeux et qui se les boucheront jusqu'à leur mort. Il ont la foi en l'homme. Ils se considèrent comme des dieux. Seul le Prophète a gardé assez de bon sens pour faire la part des choses. À sa mort, j'ai peur que La Pelle n'éclate et ne s'éparpille dans de futiles luttes de pouvoir. L'éclatement de l'empire romain a laissé place à mille ans de noirceur et de stagnation sociale et scientifique. J'essaie d'éviter que cela ne se reproduise et, pour ce, La Pelle doit travailler sur l'homme vrai, l'homme réel. Elle doit obtenir des résultats.

Les appréhensions d'Élis Dugan sur les conséquences de l'éclatement de La Pelle parurent exagérées à Jacques De Mornay. Il y avait cependant du vrai dans ses propos. La Pelle ne devait son unité qu'à la direction éclairée du Prophète. Lui mort, des tendances de toutes sortes réclameraient son héritage au sein de La Pelle.

— Avant d'investir ma vie dans La Pelle, je désire connaître tous les morceaux du puzzle, continua Élis Dugan. Je veux savoir ce que le professeur Leuranc avait effectivement découvert. Je veux que vous m'expliquiez les véritables raisons de votre éclipse de dix ans.

«Nous y voilà!» songea Jacques De Mornay.

— En trente ans, dit Jacques, vous êtes le premier qui mettez le doigt sur le problème.

— Pas le premier, rectifia Élis Dugan. Le professeur Frank H. Darsey a longuement épilogué sur la faiblesse des bases de La Pelle. Il n'a jamais cru à l'à-propos des plaquettes adniennes. Il le faisait par dépit, par ignorance et par principe, car il n'acceptait pas de voir l'homme se résumer à un bête complexe chimique. En cela, il avait tort. Il n'en avait pas moins compris instinctivement la dérision de La Pelle. Si je n'avais eu l'occasion d'étudier sous sa directive, je serais moi aussi passé à côté du problème; un problème pourtant criant et évident.

Le souvenir de cette bête têtue mais imaginative qu'avait été Frank H. Darsey fit esquisser un sourire à De Mornay. Il se rappela les écrits de Darsey concernant le créationnisme biomoléculaire. Leuranc le qualifiait volontiers de fossile de la science et c'est bien ce qu'il était.

— Je n'ai pas grand respect pour l'œuvre du professeur Darsey, dit De Mornay. C'est par hasard qu'il a tourné autour du problème de La Pelle. Il n'avait pas les connaissances techniques pour mettre le doigt dessus. Ces connaissances vous les avez. Cependant ce n'est pas seulement l'homme qu'il faut remettre en cause mais toute la création des Adniens.

De Mornay avait décidé que Dugan méritait de tout savoir. Il entreprit de lui expliquer la problématique des pièces. Lorsqu'il eut terminé, Élis Dugan était devenu blême.

— C'est horrible! dit-il. C'est pire que ce que je m'imaginais. Je croyais l'homme inachevé alors qu'il est de surcroît pourri. Au lieu de le compléter, La Pelle devra le reconstruire. La tâche sera difficile et longue. Elle s'étendra sur des millénaires.

De Mornay eut une mine ahurie. Face à la réalité de l'homme inachevé et rapiécé, il n'avait jamais imaginé d'autres réactions que le refus ou la soumission. La possibilité de reconstruire l'homme et de se substituer aux Adniens lui apparaissait pour la première fois.

— Vous n'êtes pas sérieux, dit-il.

Le projet d'Élis Dugan lui paraissait insensé. À la rigueur on pouvait essayer de restreindre les souffrances humaines mais vouloir refaire l'homme de bout en bout débordait de beaucoup les capacités de l'homme rapiécé.

— C'est la seule solution envisageable, dit Élis. Il y a trente ans, nous croyions avoir en nous les outils nécessaires à la réalisation de nos espoirs. Aujourd'hui, nous savons que ces outils n'existent pas, aussi faut-il se les procurer! Vous venez de me révéler que l'homme a été mal fabriqué, nous devons donc reprendre le travail et corriger les erreurs des Adniens.

— Nous n'avons pas la science des Adniens, dit Jacques. Et ceux-ci, devant le fiasco de leur œuvre, avaient lancé la serviette.

— Un jour, nous en saurons autant sinon plus que les Adniens. Nous devons prendre leur relève. Nous devons modifier l'homme et le rendre conforme à ses espoirs. La tâche ne sera pas facile mais mieux vaut mettre notre énergie dans une telle finalité que dans des guerres fratricides et des disputes d'orgueil froissé. Nous devons refaire le génome humain. L'homme doit rencontrer son destin. L'homme sera ce qu'il a toujours voulu être. L'homme sera un dieu!

Devant la sincérité presque fanatique d'Élis Dugan, De Mornay refusa de le raisonner. Il regrettait de lui avoir dévoilé la véritable nature humaine et d'avoir ainsi créé un nouvel espoir impossible. L'homme avait déjà son lot d'espoirs tronqués.

— Votre projet est ambitieux, dit Jacques. L'homme n'aura jamais eu projet plus ambitieux.

Élis sentit l'incrédulité de De Mornay.

— Vous avez raison d'avoir des appréhensions et des craintes face à la réalisation de ce projet, dit-il, mais abdiquer reviendrait à accepter la dégénérescence et la disparition à moyen ou à long terme de l'humanité. Mon père disait que le chemin de l'évolution serait long et cahoteux. Il avait raison. La route sera difficile, voire impossible, mais c'est la seule qui s'offre à l'humanité. Ce n'est pas un choix, c'est un devoir!

— Croyez-vous que La Pelle acceptera la réalité de l'homme inachevé et rapiécé? Croyez-vous qu'elle acceptera votre projet?

— Bien sûr que non! dit Élis en rigolant. Je n'ai donc pas l'intention de la lui dire. Les religions font bon ménage avec les mystères. La Pelle aura le sien et il sera d'autant plus mystérieux qu'elle n'en soupçonnera même pas l'existence.

Élis fit une pause avant de continuer. Il mesurait les obstacles s'amoncelant devant lui.

— Je me dois d'essayer, dit-il. Je me dois de continuer l'œuvre de mon père.

— Votre père a toujours considéré son rôle de Grand Proche comme une occasion de voyager et de connaître le monde. Il voulait profiter pleinement de la vie.

— Quoi!?...

Élis était incrédule.

— ... Vous vous trompez! Mon père a vainement essayé de changer l'orientation de La Pelle. À l'époque, l'enthousiasme des Pelleteurs noya sa voix mais aujourd'hui on est prêt à écouter. Le Prophète a reconnu en moi le Grand Proche. J'ai repris un flambeau que la disparition de mon père a laissé sans postulant.

De Mornay ne voulut pas défaire l'image idéalisée qu'Élis avait de son père. Il se rendait bien compte que toute discussion serait vaine.

— Je vois! dit-il en se levant. Vous êtes courageux et téméraire. Vous avez la jeunesse avec vous. Confronté au même problème, j'avais quant à moi opté pour la démission. Votre réaction ne manque pas de courage, de confiance et d'abnégation. Elle laisse à l'homme tous ses espoirs. Laissez-moi vous serrer la main et vous souhaiter bonne chance. Votre père serait fier de vous.

Le compliment fit plaisir à Élis Dugan. Il remercia De Mornay pour la confiance qu'il lui avait montré et quitta la maison le cœur gonflé par la mission grandiose à laquelle il allait dédier sa vie. De Mornay le regarda partir songeur. Le soir il raconta à Nadia la substance de la rencontre.

— Reconstruire l'homme! dit-elle en réfléchissant tout haut. J'ai déjà vu plus bête.

— Moi aussi! admit Jacques.

* * *

Le fils du Grand Proche s'arrêta au belvédère près de l'hôtel du village afin d'admirer les falaises. Quelques trente ans plus tôt son père avait fait de même. Une plaque commémorait l'événement.

Épilogue

Patty Brow attendait nerveusement la distribution des questions. Assemblés dans le grand gymnase de l'école, ils étaient au-delà de trois mille à subir la même attente. Sur l'estrade, un petit homme à l'allure austère s'approcha du micro.

— Nous allons distribuer le cahier de l'examen d'histoire, dit-il d'un air pincé. Nous vous demandons de bien inscrire la date, votre nom et votre numéro de cercle. Vous ne devrez ouvrir le cahier qu'à la sonnerie. Je vous rappelle que la tricherie est défendue. Pour ceux qui ne sauraient pas la date, nous sommes le quatre décembre 514.

Une vingtaine de surveillants distribuèrent les cahiers de l'examen. Dès qu'elle reçut le sien, Patty Brow y inscrivit son nom, la date et son numéro de cercle.

Patty Brow
04-12-514
VI-11-17

Elle essaya de deviner à travers la première page la teneur des questions, mais ne put y parvenir. Patty avait douze ans. Elle aimait le sport et la musique. Élève brillante, elle consacrait beaucoup de son temps à la lecture et à l'auto-contrôle physiologique. Le présent examen ne lui faisait pas peur. Elle savait qu'elle réussirait sans difficulté. Ce n'était pas le cas de son ami Stéphane Bernier. Assis derrière Patty, il comptait plagier sur sa copine. La sonnerie se fit entendre; trois mille feuilles se tournèrent pour dévoiler la première question.

«1. Dans quel désert se situait le Monument Sacré?»

Patty sourit de dérision. La question faisait appel à des concepts historiques primaires.

«Aujourd'hui, le monument sacré est le cœur de la grande ville de La Pelle. Près de sept millions de Pelleteurs y vivent. La cité de La Pelle est entourée par la plaine élisienne et ses champs de céréales. Il est difficile de s'imaginer qu'il y a cinq cents ans, la cité de La Pelle n'était qu'un petit village rudimentaire perdu dans un des endroits les moins hospitaliers du monde: le désert libyque. L'effort des Pelleteurs a permis de faire de cette région aride et inculte l'un des endroits les plus verts du monde. Les Pelleteurs ont vaincu le désert afin de donner au Monument Sacré un environnement à la mesure de sa dignité.»

Stéphane Bernier avait vaguement entendu dire que le Monument Sacré avait été découvert au cœur d'un désert. Ne sachant la réponse, il s'étira le cou et put lire quelques mots de la réponse de Patty Brow. La peur d'être surpris à plagier l'empêcha de pousser à fond son indiscrétion. Il répondit succinctement:

«Désert libyque.»

Patty passa à la deuxième question.

«2. Qui furent les personnages suivants: le Prophète, le Messie et Élis?»

Patty ricana intérieurement. Elle n'allait pas mordre à un hameçon aussi grossier.

«Élis, le Prophète et le Messie sont la même personne à des périodes différentes. Élis est le nom commun qui désignait le Messie avant que celui-ci n'entreprenne sa vie publique. Dès lors, on l'appela le Prophète et ce jusqu'à ce qu'il révèle au monde qu'il était le Messie. C'est sous cette appellation que nous le désignons aujourd'hui. Le Messie sauva les hommes en les remettant sur le chemin oublié de l'évolution.».

Stéphane loucha sur la copie de sa camarade avant de répondre.

«Élis fut le nom du Messie avant qu'il ne devienne le Prophète.»

La troisième question fit grimacer Patty. Elle connaissait la réponse mais celle-ci était longue et complexe.

«3. Avant que La Pelle ne commence son œuvre civilisatrice, quel était l'état de l'homme sur la terre et nommez cinq réalisations matérielles de La Pelle durant les cinquante premières années de son existence?»

«Avant La Pelle, l'homme vivait misérablement. Des connaissances aussi primordiales que la lecture et l'écriture étaient l'apanage d'un petit nombre de privilégiés. L'hygiène était rudimentaire. L'espérance de vie n'atteignait pas trente ans. Les hommes étaient embrigadés dans des croyances bizarres et stériles qui leur faisaient oublier leur décrépitude et trompaient leurs espoirs. L'humanité était divisée. Les guerres, les famines, et les épidémies semblaient être des maux endémiques du genre humain. La seule force d'énergie connue était la force musculaire humaine ou animale. Certaines applications tels les moulins à eau ou à vent exploitaient malhabilement les forces de la nature. Durant ces millénaires d'ignorance et d'abandon, des prophètes mus par un atavisme chromosomique prédirent l'arrivée du Messie. Plusieurs furent mal compris et certains d'entre eux furent considérés comme le véritable Messie; Bouddha, Mahomet et Jésus-Christ sont les plus connus. Puis les événements se bousculèrent. Durant les cinquante années précédant l'avènement de La Pelle, les prophètes se firent plus nombreux. Chacun prédisait un monde meilleur fait par l'homme et pour l'homme. Ces prophètes que nous appelons les six Grands Précurseurs sont Marx, Kennedy, de Gaulle, Hitler, Mao et Gandhi. Chacun, à sa manière, prépara le terrain pour l'arrivée de La Pelle et du Messie.

Aujourd'hui cependant, les historiens ne s'entendent plus sur le schéma orthodoxe que je viens de présenter. Certains croient que l'ère ayant précédé La Pelle aurait donné naissance à une société connaissant la machine à vapeur, l'agriculture et l'électricité. Quelques fantaisistes vont jusqu'à prétendre que l'aviation aurait commencé avant La Pelle. Tous cependant s'entendent pour considérer les cinq réalisations suivantes comme étant dues uniquement à l'œuvre de La Pelle:

a) Radio, télévision et télécommunications;
b) Conquête spatiale;
c) Médecine moderne;
d) Ordinateur;
e) Biologie moléculaire.

Nous pourrions en nommer bien d'autres tels l'automobile, le téléphone, le plastique, l'industrie pétro-chimique, et même le stylo au laser dont je me sers actuellement. L'humanité doit tout à La Pelle.»

Un des surveillants ne cessait de fixer Stéphane Bernier. Celui-ci ne put plagier. Il répondit au mieux de ses connaissances.

«L'homme était plein de poux et mourait en bas âge. Il était sujet au caprice de la nature. Les hommes vivaient en bandes et se sustentaient de fruits obtenus par la cueillette et de viande provenant de la chasse. Ils utilisaient la peau des animaux pour se vêtir et des feuilles de vigne comme caleçon. Ils étaient ignorants et battaient leurs femmes et leurs enfants.

La Pelle inventa
a) le feu
b) la roue
c) le savon
d) l'école
e) les chromosomes.»

Emporté par le sujet, Stéphane Bernier ajouta un sixième item.

«f) ainsi que la charrue.»

«4. Qu'appelle-t-on le Grand Éparpillement et le Grand Schisme?»

Patty Brow répondit sans réfléchir outre mesure. Elle connaissait à fond cet aspect de l'histoire de La Pelle.

«À la mort du Messie, sa fille Patricia, qu'il avait eue de la Grande Pelleteuse, fut élue à la tête de La Pelle. Elle était stupide et ne tint pas compte du conseil des Proches. À l'époque les Pelleteurs s'attendaient à des résultats rapides dans des domaines comme la télépathie, la télékinésie et l'immortalité. La minceur des résultats obtenus amenèrent l'apparition de nombreuses hérésies se détachant de l'orthodoxie élisienne. C'est ce qu'on appelle le Grand Éparpillement. Certaines de ces hérésies sont toujours vivantes aujourd'hui, telle La Pelle catholique qui introduisit le concept de Dieu dans son credo.

Le conseil des Proches, devant l'ineptie de Patricia à empêcher l'Éparpillement, la destitua et décida de mener seul la destinée de La Pelle. Patricia et ses fidèles désavouèrent le conseil des Proches. Le Grand Schisme commençait. Il fit un tort immense à La Pelle qui perdit un grand nombre de ses membres à la faveur des Éparpillés. Heureusement, le fils du Grand Proche intervint. Le conseil des Proches le désigna comme successeur du Messie. Sous sa gouverne, La Pelle reprit du poil de la bête. Patricia continua à vilipender, mais elle ne garda autour d'elle qu'un petit cercle de fidèles. La grande partie de ses partisans admirent la légitimité du fils du Grand Proche comme chef de La Pelle. Cent vingt ans plus tard, le cinquième Grand Proche épousa une descendante de

Patricia et le Grand Schisme se trouva résolu. Le Grand Eparpillement avait quant à lui donné naissance à trente-huit hérésies primaires et à deux cent douze hérésies secondaires. Sous la conduite éclairée des Grands Proches, ces hérésies se résorbèrent peu à peu. Aujourd'hui il n'en reste que trois: La Pelle adnienne, La Pelle mornayienne et La Pelle catholique. Elles totalisent un peu moins d'un milliard de fidèles, et ce nombre décroît constamment.

La Pelle vit en bonne entente avec les Éparpillés et ne désespère pas de les récupérer. Il est écrit que le Grand Éparpillement prendra fin lorsque l'homme saura utiliser les pouvoirs fantastiques dormant en lui.»

Stéphane se sentait toujours surveillé. Il leva les yeux de sa copie et rencontra ceux du surveillant en chef. Il le regardait intensément. Stéphane ne prit pas la chance de copier sur Patty et dut se contenter de son mince savoir.

«À la mort du Messie, La Pelle se retrouva avec plusieurs chefs voulant la place du Messie. Le Grand Proche l'emporta mais les autres chefs ne s'avouèrent pas vaincus. Des sectes de Pelleteurs aux croyances diverses se créèrent. La majorité fut récupérée mais quelques unes sont toujours opérantes. La Pelle les tolère tout en les désapprouvant. Un jour, La Pelle sera de nouveau une; ce sera la fin du Grand Éparpillement.

Quant au Grand Schisme, il est dû à la fille du Messie qui était malheureuse et triste. Cent ans plus tard, le Grand Proche l'épousa et ils furent heureux.»

«5. Que signifie l'expression: «Longue et cahoteuse sera la route de l'évolution!»?»

«Cette expression est due au premier Grand Proche qui voulait ainsi faire comprendre aux Pelleteurs que la maîtrise du corps humain et de ses possibilités allait se faire tranquillement au cours des générations à venir et non en quelques mois comme certains le croyaient.»

Encore une fois, Stéphane ne put plagier; les yeux du surveillant étaient toujours rivés sur lui. Cette persistance le rendait mal à l'aise. Se doutait-il de quelque chose?

«Cela veut dire qu'il est plus facile de ne rien faire et de dormir que de vouloir s'améliorer et s'instruire.»

«6. En quoi la récupération de La Pelle leurancienne a-t-elle modifié le credo de La Pelle?»

«La Pelle leurancienne voyait en Alder Leuranc le véritable Messie et croyait que les Adniens n'avaient pas achevé leur projet humain et qu'il fallait que le génome de l'homme soit amélioré pour correspondre au plan des Adniens. Longtemps décriée et persécutée, La Pelle leurancienne fut tolérée et encouragée sous Frédéric IV, le septième Grand Proche. Depuis lors, Alder Leuranc a pris une importance accrue dans la mythologie de La Pelle. Avec le Messie et le Grand Proche, il forme la Trinité Sacrée. Cette réhabilitation de Leuranc et l'acceptation du concept de l'homme inachevé ont permis à La Pelle d'absorber les Éparpillés leuranciens et de réviser son plan d'action. La biologie moléculaire est devenue le fer de lance de La Pelle.

Aujourd'hui, les recherches chromosomiques et les remodelages génétiques ont permis d'espérer des progrès énormes dans l'amélioration de l'homme. Ces améliorations se feront cependant en douceur. Il a fallu plus de cinquante ans pour changer l'espérance de vie de l'homme. Depuis vingt ans, tous ceux qui naissent ont un bagage chromosomique leur permettant de vivre jusqu'à cent cinquante ans. Certains voient ces changements avec réticence, mais là réside le moyen ultime de doter l'homme des outils qui lui permettront de réaliser ses espoirs et d'essaimer dans tout l'univers.»

À son habitude, Stéphane Bernier, qui n'avait jamais entendu parler de La Pelle leurancienne mais qui connaissait comme tout Pelleteur le légendaire Alder Leuranc, fut très succinct dans sa réponse.

«Évidemment, La Pelle fut améliorée en bien.».

Stéphane ne se faisait pas d'illusion sur la note que cette réponse allait lui apporter. La dernière question en était une de pure forme.

«7. Quel est le nom du Grand Proche manœuvrant La Pelle?»

«Alder II a commencé son labeur en l'an 461 de l'ère biomoléculaire. Il entre dans la cinquante-troisième année de son travail. Son génome est l'aboutissement de nombreux remodelages et Alder II devrait manœuvrer pendant encore cinquante ans.»

«Alder II», répondit Stéphane Bernier.

Les deux élèves relurent leurs réponses. Certains de leurs confrères avaient déjà quitté la salle. Patty et Stéphane remirent leur copie et sortirent à la clarté du jour.

— Le surveillant ne cessait pas de me fixer, dit Stéphane.

— J'ai remarqué, dit Patty.

— Il semblait tous nous haïr.

— C'est plutôt de l'envie. Le pauvre ne peut vivre que soixante-quinze ans, alors que nous vivrons deux fois plus longtemps. Nous aussi nous envierons nos enfants. C'est la loi de l'évolution et la preuve des progrès de La Pelle.

— Mon grand-père me dit que toutes ces recherches sont inutiles. Que nous ne faisons que rapiécer davantage l'homme.

— Ton grand-père est-il mornayien?

— Oui!

— La Pelle mornayienne rassemble de plus en plus les vieux Pelleteurs qui se sentent dépassés par les progrès génétiques de l'humanité. Ce sont les délaissés de l'évolution. Ils sont déçus de voir que le programme génétique des nouvelles générations est meilleur que le leur.

— Mon grand-père croit aussi en Dieu. Il dit que nous jouons aux Adniens et que Dieu nous punira comme il les a punis.

— Ton grand-père se berne lui-même. Tout le monde sait ce qu'est réellement Dieu.

Comme tout Pelleteur, Stéphane connaissait de mémoire la définition de Dieu.

— Dieu n'est qu'une projection dont se sert l'homme inachevé pour décrire l'homme vrai, récita-t-il.

— Un jour, l'homme n'aura plus à inventer Dieu. Il le sera, dit Patty.

Stéphane n'osa la contredire. C'était l'une des vingt-sept vérités de La Pelle.

Composition et mise en pages:
LES ATELIERS CHIORA INC.
Ville Mont-Royal

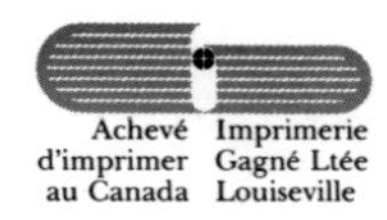

Achevé d'imprimer au Canada
Imprimerie Gagné Ltée
Louiseville